A ILHA DO CONHECIMENTO

A ILHA DO CONHECIMENTO
MARCELO GLEISER

Os limites
da ciência
e a busca
por sentido

8ª edição

EDITORA RECORD
RIO DE JANEIRO • SÃO PAULO
2024

CIP-BRASIL. CATALOGAÇÃO NA PUBLICAÇÃO
SINDICATO NACIONAL DOS EDITORES DE LIVROS, RJ

Gleiser, Marcelo, 1959

G468i   A ilha do conhecimento: os limites da ciência e a busca por sentido /
8ª ed.   Marcelo Gleiser. – 8ª ed. – Rio de Janeiro: Record, 2024. il.

ISBN 978-85-01-05277-3

1. Ensaio brasileiro. I. Título. 2. Ciência.

CDD: 869.94
14-13552   CDU: 821.134.3(81)-4

Copyright © Marcelo Gleiser, 2014

Todos os direitos reservados. Proibida a reprodução, armazenamento ou transmissão de partes deste livro através de quaisquer meios, sem prévia autorização por escrito.Proibida a venda desta edição em Portugal e resto da Europa.

Texto revisado segundo o Acordo Ortográfico da Língua Portuguesa de 1990.

Direitos exclusivos desta edição reservados pela
EDITORA RECORD LTDA.
Rua Argentina 171 – 20921-380 – Rio de Janeiro, RJ – Tel.: (21) 2585-2000

Impresso no Brasil

ISBN 978-85-01-05277-3

Seja um leitor preferencial Record.
Cadastre-se no site www.record.com.br e receba
informações sobre nossos lançamentos e nossas promoções.

Atendimento direto ao leitor:
sac@record.com.br

Para Andrew, Eric, Tali, Lucian e Gabriel:
As luzes que iluminam minha busca.

Sumário

Prólogo A Ilha do Conhecimento ... 13

PARTE I A Origem do Mundo e a Natureza dos Céus

1 TEMOS QUE ACREDITAR ... 31
(Onde exploramos o papel da crença e da extrapolação na
religião e na criatividade científica)

2 ALÉM DO ESPAÇO E DO TEMPO ... 37
(Onde exploramos como as diferentes religiões confrontam
a questão da origem de todas as coisas)

3 SER OU DEVIR? ESTA É A QUESTÃO ... 43
(Onde encontramos os primeiros filósofos da Grécia Antiga
e exploramos algumas de suas ideias sobre a natureza
da realidade)

4 LIÇÕES DO SONHO DE PLATÃO ... 51
(Onde exploramos as considerações de Platão e Aristóteles
sobre as questões da Primeira Causa e dos limites do
conhecimento)

5 INSTRUMENTOS TRANSFORMAM VISÕES DE MUNDO ... 65
(Onde descrevemos a obra de três cavalheiros excepcionais
que, com acesso a novos instrumentos de exploração e
dotados de incrível criatividade, transformaram nossa visão
de mundo)

6 DESPEDAÇANDO A REDOMA CELESTE   77
(Onde exploramos o gênio de Isaac Newton e sua física,
emblema do intelecto humano)

7 A CIÊNCIA COMO A GRANDE NARRATIVA DA NATUREZA   85
(Onde argumentamos que a ciência é uma construção
humana cujo imenso poder vem de sua abrangência e
flexibilidade)

8 A PLASTICIDADE DO ESPAÇO   91
(Onde exploramos as teorias da relatividade especial e geral
de Einstein e suas implicações para a nossa compreensão do
espaço e do tempo)

9 O UNIVERSO INQUIETO   97
(Onde exploramos a expansão do Universo e o aparecimento
de uma singularidade na origem do tempo)

10 O AGORA NÃO EXISTE   103
(Onde argumentamos que a noção do agora é uma fabricação
do aparato cognitivo humano)

11 CEGUEIRA CÓSMICA   109
(Onde exploramos o conceito de horizonte cósmico e como ele
limita o que podemos conhecer do Universo)

12 DIVIDINDO INFINITOS   125
(Onde iniciamos nossa exploração do infinito e sua aplicação
à cosmologia)

13 ROLANDO LADEIRA ABAIXO   135
(Onde explicamos a "energia do vácuo falso", sua relação com
o bóson de Higgs, e como pode alimentar a aceleração da
expansão cósmica)

14 CONTANDO UNIVERSOS 143
(Onde introduzimos o conceito de multiverso e exploramos
suas implicações físicas e metafísicas)

15 INTERLÚDIO: UM PASSEIO PELO VALE DAS CORDAS 155
(Onde discutimos a teoria de supercordas, suas previsões e
implicações antrópicas)

16 SERÁ QUE O MULTIVERSO PODE SER DETECTADO? 165
(Onde exploramos se o multiverso é uma teoria física ou
mera fantasia)

PARTE II Da Pedra Filosofal ao Átomo: A Natureza Elusiva da Realidade

17 TUDO FLUTUA NO NADA 179
(Onde exploramos as ideias gregas sobre o atomismo)

18 ADMIRÁVEL FORÇA E EFICÁCIA DA ARTE E
DA NATUREZA 183
(Onde visitamos o mundo da alquimia, vista como uma
exploração metodológica e espiritual dos poderes ocultos da
matéria)

19 A NATUREZA ELUSIVA DO CALOR 193
(Onde exploramos o flogisto e o calórico, substâncias
bizarras propostas para explicar a natureza do calor,
e como as mesmas foram descartadas)

20 A MISTERIOSA LUZ 199
(Onde exploramos como as misteriosas propriedades da luz
inspiraram as duas revoluções da física no início do
século XX)

21 APRENDENDO A ACEITAR 209
(Onde iniciamos nossa exploração da física quântica e como
ela impõe limites a quanto podemos saber sobre o mundo)

22 AS INTRÉPIDAS AVENTURAS DE WERNER,
O ANTROPÓLOGO 217
(Onde usamos uma alegoria para explorar o papel do
observador na física quântica e como o ato de medir
interfere no que é medido)

23 O QUE ONDULA NO MUNDO QUÂNTICO? 221
(Onde exploramos a bizarra interpretação da física quântica
proposta por Max Born e como esta complica nossa noção de
realidade)

24 PODEMOS SABER O QUE É REAL? 231
(Onde exploramos as implicações da física quântica para a
nossa compreensão da realidade)

25 QUEM TEM MEDO DOS FANTASMAS QUÂNTICOS? 245
(Onde revisitamos por que a física quântica incomodava
tanto a Einstein e o que nos diz sobre o mundo)

26 POR QUEM OS SINOS DOBRAM? 249
(Onde discutimos o teorema de John Bell e como sua
implementação experimental confirmou que a realidade é
mais estranha do que a ficção)

27 A MENTE E O MUNDO QUÂNTICO 259
(Onde examinamos se a mente humana tem algum papel no
mundo quântico)

28 DE VOLTA AO COMEÇO 275
(Onde tentamos interpretar o enigma quântico)

PARTE III A Mente e a Busca por Sentido

29 SOBRE AS LEIS DOS HOMENS E AS LEIS DA NATUREZA   287
(Onde discutimos se a matemática é uma descoberta ou uma
invenção e por que isso importa)

30 INCOMPLETUDE   299
(Onde exploramos brevemente as incríveis ideias de Kurt
Gödel e Alan Turing)

31 SONHOS SINISTROS DE MÁQUINAS TRANSUMANAS
OU O MUNDO COMO INFORMAÇÃO   305
(Onde examinamos se o mundo é informação, a natureza da
consciência, e se o que chamamos de realidade não passa de
uma simulação)

32 VENERAÇÃO E SIGNIFICADO   325
(Onde refletimos sobre o desejo de saber e a condição
humana)

Agradecimentos   331
Notas   333
Bibliografia   357

Prólogo
A Ilha do Conhecimento

> *O que vejo na Natureza é uma estrutura magnífica*
> *que podemos compreender apenas imperfeitamente*
> *e que nos inspira grande humildade.*
> — ALBERT EINSTEIN

> *O que observamos não é a Natureza, mas a Natureza*
> *exposta ao nosso método de questionamento.*
> — WERNER HEISENBERG

Quanto podemos conhecer do mundo? Será que podemos conhecer *tudo*? Ou será que existem limites fundamentais para o que a ciência pode explicar? Se esses limites existem, até que ponto podemos compreender a natureza da realidade? Estas perguntas, e suas consequências surpreendentes, são o foco deste livro, uma exploração de como compreendemos o Universo e a nós mesmos.

O que vemos do mundo é uma ínfima fração do que existe. Muito do que existe é invisível aos olhos, mesmo quando aumentamos nossa percepção sensorial com telescópios, microscópios e outros instrumentos de exploração. Tal como nossos sentidos, todo instrumento tem um alcance limitado. Como muito da Natureza permanece oculto, nossa visão de mundo é baseada apenas na fração da realidade que podemos medir e analisar. A ciência, nossa narrativa descrevendo aquilo que vemos e que conjecturamos existir no mundo natural, é, portanto, necessariamente limitada, contando-nos apenas parte da história. Quanto à outra parte, a que nos é inacessível, pouco podemos afirmar. Porém, dados os sucessos do passado, temos confiança de que, passado tempo suficiente, parte do que hoje é mistério será incorporado na narrativa científica — desconhecimento se tornará conhecimento. No entanto, como argumentarei aqui, outras partes do mundo natural permanecerão ocultas, inevitavelmente desconhecíveis, mesmo quando consideramos que algo que é hoje desconhecível possa não sê-lo no futuro. (Usarei a palavra "incognoscível" para designar algo que está além da nossa capacidade ou habilidade de compreensão, algo inescrutável, algo que não só é desconhecido mas também incompreensível. Outra palavra que usarei com o mesmo sentido é "desconhecível". Note que sempre que me refiro ao conhecimento tenho em mente o conhecimento científico. Portanto, por incognoscível refiro-me ao que está além do alcance da ciência e de seus métodos.) Buscamos conhecimento, sempre mais conhecimento, mas precisamos aceitar que estamos, e permaneceremos, cercados por mistérios.

Essa visão nada tem de anticientífica ou derrotista. Também não se trata de uma proposta para que sucumbamos ao obscurantismo religioso. Pelo contrário, o impulso criativo, o desejo que temos de sempre querer saber mais, vem justamente do flerte com o mistério, da compulsão que temos de ir além das fronteiras do conhecido. O não saber é a musa do saber.

O mapa do que chamamos de realidade é um mosaico de ideias em constante mutação. Em *A ilha do conhecimento*, seguiremos esse mosaico através da história do pensamento ocidental, retraçando as transformações de nossa visão de mundo desde o passado remoto até o presente, em três partes distintas porém complementares. Em cada uma delas, busco iluminar vários pontos de vista filosóficos e científicos, sempre com a intenção primeira de examinar como mudanças conceituais informam nossa busca pelo conhecimento e por uma melhor compreensão da condição humana.

A **Parte I** é dedicada ao cosmos, sua origem e natureza física, e aos vários modos como nossa narrativa cósmica, sempre em transformação, nos ajuda a compreender a natureza do tempo, do espaço, da energia e nosso lugar no Universo. Na **Parte II**, exploramos a natureza da matéria e a composição material do mundo, desde as aspirações alquímicas do passado até as ideias mais modernas sobre as bizarras propriedades do mundo quântico. Em particular, investigaremos como essas ideias influenciam nossa compreensão da essência da realidade e do nosso papel, enquanto observadores, em defini-la. Na **Parte III**, exploramos o mundo da mente, dos computadores e da matemática, analisando em particular como estes informam nossa discussão sobre os limites do conhecimento e da natureza da realidade. Como veremos, ao alinhar a ciência com a falibilidade e a inquietude humana, os limites do conhecimento e da visão científica de mundo contribuem de forma essencial para a riqueza de nossa busca por sentido e para uma compreensão mais profunda da questão humana e dos dilemas da existência.

* * *

Enquanto escrevo estas linhas, uma coreografia ainda misteriosa aciona milhões de neurônios em meu cérebro. Pensamentos emergem e são expressos como palavras e frases, que uma coordenação extremamente detalhada entre meus olhos e os músculos de minhas mãos e braços me faz digitar em meu laptop. Algo está no controle, uma entidade que chamamos de "mente". No momento, estou voando a uma altitude de 10 mil metros, retornando de um documentário que gravei em Los Angeles. O tema era o universo conhecido, explorando as incríveis descobertas e feitos da ciência moderna, em particular da astronomia e da cosmologia. Olhando pela janela, vejo nuvens brancas flutuando e o firmamento azulado acima. Ao mesmo tempo, escuto o ronco dos jatos e sinto o batuque de meu (mal-educado) vizinho de assento, ouvindo seu iPod e pouco ligando para os que estão ao seu lado.

Nossa percepção do mundo, conforme nos ensinam as ciências neurocognitivas, é sintetizada em partes diferentes de nossos cérebros. O que chamamos de "realidade" resulta da integração de incontáveis estímulos coletados pelos nossos cinco sentidos, trazidos do mundo exterior para nossas cabeças pelo sistema nervoso. A cognição — que no momento defino como a consciência que temos de estar aqui agora — é fabricada por um vasto número de substâncias químicas fluindo por incontáveis conexões sinápticas interligando nossos neurônios. Eu sou, e você é, uma cadeia de reações eletroquímicas sustentada por uma extensa rede de células biológicas. Porém, sabemos que somos muito mais do que apenas bioquímica e eletricidade em ação. Eu sou eu e você é você; e somos diferentes, mesmo se feitos da mesma matéria. A ciência moderna removeu o velho dualismo cartesiano entre matéria e alma em favor de um materialismo estrito: o teatro da existência se dá no cérebro — uma vasta rede de neurônios que, tal qual as luzes em uma árvore de Natal, permanece em atividade incessante.

Entendemos pouco de como essa coreografia neuronal nos engendra com um senso único de ser. Vivemos nosso dia a dia convencidos de que somos distintos e separados do que existe à nossa volta e usamos esta convicção para criar uma visão objetiva da realidade. Sei que não sou você e que não sou a cadeira onde me sento. Posso me distanciar de você e da cadeira, mas não posso me distanciar de meu corpo. (A menos que esteja vivendo alguma espécie de transe, algo que deixo de lado por ora.) Sabemos, também, que nossa percepção da realidade é severamente incompleta. Muito do que ocorre à nossa volta passa despercebido pelos nossos sentidos. Produto de milhões de anos de evolução, o cérebro é cego e surdo para informações que não aumentariam as chances de sobrevivência de nossos antepassados. Por exemplo, trilhões de neutrinos provenientes do coração do Sol atravessam nossos corpos a cada segundo; ondas eletromagnéticas de todos os tipos — micro-ondas, ondas de rádio, infravermelho, ultravioleta — transportam informação que nossos olhos não veem; sons além do alcance de nossa audição passam despercebidos; partículas de poeira e bactérias são invisíveis. Como a Raposa disse ao Pequeno Príncipe na fábula de Saint-Exupéry, "O essencial é invisível aos olhos".

Não há dúvida de que instrumentos de medição ampliam nossa visão, seja ela do muito pequeno ou do muito distante, nos permitindo "ver" bactérias, radiação eletromagnética, partículas subatômicas e estrelas explodindo a bilhões de anos-luz de distância. Aparelhos de alta tecnologia permitem que médicos visualizem tumores dentro de nossos pulmões e cérebros, e que geólogos localizem jazidas subterrâneas de petróleo e minérios. No entanto, qualquer tecnologia de medição ou de detecção tem alcance e precisão limitados. Uma balança mede nosso peso com precisão dada pela metade de sua menor graduação: se a escala é espaçada por 500 gramas, só podemos aferir nosso peso com precisão de 250 gramas. Não existe uma medida exata: *toda* medida deve ser expressa dentro da precisão do instrumento usado e o faz com "barras de erro", estimando sua possível variação. (Nesse exemplo da balança, uma medida de peso de 70 quilos deve ser expressa como 70 ± 0,25 kg.) Medidas de alta precisão são simplesmente mensuradas com pequenas barras de erro ou com alto grau de confiança. *Não existem medidas perfeitas, sem erro.*

Considere, agora, um exemplo menos prosaico do que balanças: os aceleradores de partículas. São máquinas desenhadas para estudar a composição da matéria, procurando pelos menores tijolos que constituem tudo o que existe no mundo.[1] Aceleradores de partículas convertem a energia de movimento (energia cinética) de partículas viajando a velocidades próximas da velocidade da luz em novos pedaços de matéria. Essa conversão é descrita pela famosa fórmula de Einstein, $E = mc^2$, que expressa a equivalência entre energia e matéria. (Incluindo, também, o aumento da massa com a velocidade.) Para efetuar tal conversão, os aceleradores atuam de forma violenta, promovendo colisões entre partículas de matéria. Afinal, como saber o que existe dentro de um próton se não podemos cortá-lo com uma faca, como fazemos com uma laranja? A solução é colidir prótons a velocidades altíssimas e estudar os "estilhaços" que voam para todos os lados após a colisão. Aliás, podemos usar a mesma técnica para estudar a composição das laranjas: basta jogar uma contra outra a altas velocidades para ver o suco, caroços e bagaço escapando do interior. Quanto maior a velocidade (ou energia) das laranjas, mais aprendemos com o experimento: por exemplo, apenas as colisões a altas velocidades revelam a existência de caroços. Mais dramaticamente, algumas colisões a velocidades bem altas podem até quebrar os caroços, expondo seu interior. Eis um ponto essencial: quanto maior a energia da colisão, mais aprendemos sobre a composição da matéria.[2]

Durante os últimos cinquenta anos, aceleradores passaram por enormes transformações tecnológicas, que resultaram em um aumento substancial da energia das colisões. Por exemplo, as partículas radioativas que Ernest Rutherford usou em 1911 para estudar a estrutura do núcleo atômico tinham energia cerca de um milhão de vezes menor do que a que hoje é obtida no Grande Colisor de Hádrons (do inglês Large Hadron Collider, ou LHC), o gigantesco acelerador de partículas localizado em Genebra, na Suíça, e operado pelo CERN, o laboratório europeu de física de partículas. Só em sonhos Rutherford poderia ter imaginado que um dia físicos sondariam a natureza da matéria tão profundamente, encontrando partículas "elementares" com massas cem vezes maiores do que a do próton.[3] Um exemplo recente é o do famoso bóson de Higgs, encontrado no CERN em julho de 2012. (Por coincidência, escrevo estas linhas no mesmo dia em que os físicos Peter Higgs e François Englert receberam o Prêmio Nobel por terem previsto a existência do bóson de Higgs.) Se fundos forem adequados para a construção de futuros aceleradores — uma incógnita no momento, dado o alto preço dessas máquinas —, a expectativa é de que novas tecnologias permitirão o estudo de processos a energias ainda mais altas, produzindo resultados inusitados e, talvez, até revolucionários.

No entanto, e este é um ponto essencial, a tecnologia que abre janelas para mundos ocultos também limita o quanto podemos aprender sobre a realidade física: instrumentos determinam o quanto podemos medir e, portanto, o quanto cientistas podem aprender sobre o Universo e sobre nós mesmos. Sendo invenções humanas, instrumentos dependem de nossa criatividade e dos recursos disponíveis, como tecnologias, fontes de energia etc. A tendência é que a precisão aumente sempre e, com isso, ocasionalmente descubramos o inesperado. Como exemplo, cito a surpresa de Rutherford quando seus experimentos revelaram que não só o núcleo atômico ocupa uma fração ínfima do volume do átomo como também possui quase que toda sua massa. O mundo dos átomos e das partículas subatômicas de Rutherford e seus colegas no início do século XX era muito distinto do de hoje. Podemos estar certos de que, em cem anos, a física subatômica também vai ser bem diferente do que é atualmente. Restringindo, por ora, meu argumento a experimentos científicos, podemos estudar apenas fenômenos que ocorrem a energias acessíveis. Sendo assim, pouco podemos afirmar *com certeza* acerca das propriedades da matéria a energias milhares de vezes mais altas do que as dos estudos atuais. Teorias podem especular sobre o que ocorre a essas energias altíssimas e até oferecer argumentos convincentes usando princípios estéticos baseados no que é ou não "elegante" ou "simples". Porém, a essência das ciências empíricas é que a última palavra é sempre da Natureza: ela pouco se importa com nossos sonhos de perfeição ou beleza estética, algo que explorei detalhadamente em meu livro *Criação imperfeita*. Sendo assim, se nosso acesso à Natureza é limitado pelos nossos instrumentos e, mais sutilmente, pelos nossos métodos de investigação, concluímos que nosso conhecimento do mundo natural é necessariamente limitado.

Fora essa limitação tecnológica, nos últimos duzentos anos avanços na física, na matemática e, mais recentemente, nas ciências da computação nos ensinaram que a própria Natureza tem um comportamento esquivo do qual não podemos escapar. Como veremos em detalhes, nosso aprendizado do mundo é limitado não só pelo alcance de nossos instrumentos de exploração, mas também, e de forma essencial, porque a própria Natureza — ao menos como nós a percebemos — opera dentro de certos limites. O filósofo grego Heráclito já havia percebido isso quando escreveu, 25 séculos atrás, que "A Natureza ama esconder-se". Os sucessos e fracassos de inúmeros cientistas mostram que não podemos vencer esse jogo de esconde-esconde. Adaptando uma imagem do escritor e pensador inglês Samuel Johnson, considerado por muitos o nome de maior distinção da literatura inglesa, que expressava sua frustração em definir o sentido de certos verbos em inglês, "é como se tentássemos pintar o reflexo de uma floresta na superfície de um lago em meio a uma tempestade".

Consequentemente, e a despeito de nossa eficiência sempre crescente, uma grande fração do mundo natural permanece oculta ou, mais precisamente, não detectada. Essa miopia, porém, não deve ser vista como uma barreira intransponível mas como uma provocação, um desafio à nossa imaginação: limites são oportunidades de crescimento e não obstáculos intransponíveis. Como escreveu o genial pensador francês Bernard le Bovier de Fontenelle, em 1686, "Queremos ver além do que podemos enxergar".[4] O telescópio que Galileu apontou para os céus em 1609 mal podia discernir os anéis de Saturno, que hoje podem ser vistos com telescópios de fundo de quintal. O que sabemos do mundo vem daquilo que podemos detectar e medir. Vemos muito mais do que Galileu, mas não vemos tudo. Sofremos de uma miopia incurável. E essa restrição não se limita a observações: teorias e modelos especulativos que extrapolam em direção a cantos inexplorados da realidade física devem basear-se no conhecimento atual. Quando cientistas não têm dados para guiar a intuição, impõem critérios de "compatibilidade": qualquer teoria que tem como objetivo extrapolar o conhecido deve reproduzir, no limite correto, o conhecimento atual. A teoria da relatividade geral de Einstein, por exemplo, que descreve a gravidade como resultado da curvatura do espaço-tempo devido à presença de matéria (e energia — lembre-se de $E = mc^2$), se reduz à velha teoria de Newton da gravitação universal quando a gravidade é fraca: para lançar foguetes a Júpiter não precisamos da teoria de Einstein; mas buracos negros não fazem sentido sem ela.

Se uma grande parte do mundo permanece invisível ou inacessível, devemos refletir sobre o significado da palavra "realidade" com muito cuidado. Precisamos considerar se existe algo como uma "realidade última" — o substrato mais fundamental de tudo o que existe — e se, em caso afirmativo, temos como capturar a sua essência. Note que não chamo esta realidade última de Deus porque, ao menos na maioria das religiões, a natureza divina é inescrutável. Tampouco é objeto de estudo científico. Note, também, que não equaciono a realidade última com uma das várias noções filosóficas orientais de uma realidade transcendente, como o estado de nirvana, o conceito de Brahman da filosofia hindu Vedanta ou o conceito de Tao. Por ora, considero apenas a natureza mais concreta da realidade física, que podemos, ao menos em princípio, examinar através dos métodos da ciência. Sendo assim, precisamos nos perguntar se a compreensão da natureza mais fundamental da realidade é apenas questão de ampliarmos os limites da ciência ou se precisamos abandonar essa suposição e aceitar que o conhecimento científico tem limites.

Eis outro modo de refletir sobre isso: se alguém percebe o mundo apenas através de seus sentidos (como a maioria das pessoas), enquanto outra pessoa amplia sua percepção através do uso de instrumentos diversos, quem tem um senso mais verdadeiro da realidade? Enquanto um "vê" bactérias microscópicas, galáxias distantes e partículas subatômicas, para o outro estas entidades não existem. Obviamente, se ambos baseiam seu conceito de realidade no que percebem, concluirão que suas visões de mundo são profundamente diferentes. Quem está certo?

Mesmo que seja claro que a pessoa usando instrumentos tenha uma visão mais completa e profunda da realidade, a pergunta não faz muito sentido. De fato, ter uma visão mais abrangente do mundo — e, com isso, construir uma narrativa mais completa da realidade percebida e de nosso lugar nela — é a motivação central para ampliarmos as fronteiras do conhecimento. É o que tanto os gregos da Antiguidade fizeram e o que os cientistas do presente tentam fazer, mesmo que suas visões de mundo sejam tão distintas. O pensador francês de Fontenelle sabia bem disso quando escreveu que "Toda a filosofia baseia-se em apenas duas coisas: curiosidade e miopia".[5] Muito do que fazemos nas diversas áreas do conhecimento não passa de tentativas distintas e complementares de aliviar nossa miopia perene.

O que chamamos de "real" depende do quão profundamente podemos investigar a realidade. Mesmo se algo como uma "realidade última" existir, podemos conhecer apenas alguns de seus aspectos. Vamos supor que, em um futuro distante, uma teoria genial, com o suporte de experimentos revolucionários, consiga fazer inferências sobre aspectos dessa "realidade última". (Como vamos usar o termo "realidade última" no decorrer deste livro, daqui por diante retiro as aspas.) O pouco que poderemos vislumbrar da realidade última não nos permitirá compreendê-la por inteiro. É como se estivéssemos caminhando no alto de uma montanha, envoltos por espessa neblina, tentando distinguir os detalhes da paisagem no vale abaixo. No máximo, podemos dizer que a teoria proposta faz sentido *parcialmente*. A metodologia que usamos para estudar a Natureza, baseada em instrumentos com alcance limitado, não nos permite provar ou refutar hipóteses sobre a natureza da realidade última. Frisando esse argumento, nossa concepção do real evolve com os instrumentos que usamos para estudar a Natureza. Gradualmente, coisas que eram desconhecidas tornam-se conhecidas. Por isso, o que chamamos de "realidade" está sempre mudando. O cosmos de Pedro Álvares Cabral, com a Terra estática no centro de um espaço finito, era radicalmente diferente do cosmos de Isaac Newton, onde o Sol era o centro do sistema solar e o espaço, infinito. Por outro lado, Newton ficaria pasmo com o Universo de hoje, onde centenas de bilhões de galáxias afastam-se umas das outras carregadas pela expansão do espaço. Até Einstein ficou pasmo com isso.

A versão da realidade que chamamos de "verdadeira" em um determinado período da história não continuará a sê-lo em outra. Claro, as leis de Newton continuarão a funcionar perfeitamente dentro de seu limite de aplicabilidade e a água continuará a ser composta por hidrogênio e oxigênio, ao menos segundo a descrição atual do mundo dos átomos. Mas essas são explicações que criamos para descrever nossas observações do mundo natural, que servem muito bem ao seu propósito quando aplicadas corretamente. No entanto, dado que nossos instrumentos avançam sempre, a realidade de amanhã necessariamente incluirá entidades que não imaginamos existir hoje, sejam elas objetos astrofísicos, partículas elementares ou bactérias. Essencialmente, enquanto a tecnologia progredir — e não há razão para supor que, salvo algum cataclismo, isso deixará de ocorrer —, não podemos antever o fim dessa busca: a crença de que existe uma verdade final é uma fantasia, um fantasma criado pela nossa imaginação.

Considere, portanto, que a totalidade de nosso conhecimento acumulado constitua uma ilha, que eu chamo de "Ilha do Conhecimento". Por "conhecimento" refiro-me principalmente ao conhecimento científico e tecnológico, embora a Ilha também possa incluir as criações artísticas e culturais da humanidade no decorrer da história. A Ilha do Conhecimento é cercada por um vasto oceano, o inexplorado Oceano do Desconhecido, onde, inevitavelmente, ocultam-se inúmeros mistérios. Mais tarde, examinaremos se esse oceano estende-se até o infinito ou não. Por ora, basta imaginarmos que a Ilha do Conhecimento cresce a cada vez que descobrimos algo mais sobre o mundo e sobre nós. Muitas vezes, esse crescimento faz um percurso incerto, refletido na região costeira da Ilha, cuja geografia dramática representa a fronteira entre o conhecido e o desconhecido. O crescimento pode até retroceder, quando ideias que achávamos corretas têm de ser abandonadas à luz de novas descobertas.

O crescimento da Ilha tem uma consequência tão surpreendente quanto essencial. Seria razoável supor que, quanto mais sabemos sobre o mundo, mais perto estaríamos de um destino final, que alguns chamam de Teoria de Tudo e outros de realidade última. No entanto, inspirados pela nossa imagem, vemos que, quando a Ilha do Conhecimento cresce, nossa ignorância também cresce, delimitada pelo perímetro da Ilha, a fronteira entre o conhecido e o desconhecido: aprender mais sobre o mundo não nos aproxima de um destino final — cuja existência não passa de uma suposição alimentada por esperanças infundadas —, mas, sim, leva a novas perguntas e mistérios. Quanto mais sabemos, melhor entendemos a vastidão de nossa ignorância e mais perguntas somos capazes de fazer, perguntas que, previamente, nem poderiam ter sido sonhadas.[6]

Alguns de meus colegas do mundo da ciência criticam essa visão do conhecimento, considerando-a negativa. Fui até acusado de derrotista, o que é terrivelmente equivocado, dado que proponho exatamente o oposto, uma celebração dos grandes feitos da humanidade, resultados da nossa busca insaciável pelo conhecimento. "Se nunca chegaremos a uma resposta final, para que continuar tentando?", perguntam alguns. "E como você sabe que está certo?", insistem outros. Este livro é uma resposta a essas (e outras) perguntas. Mas, só para começar, quando exploramos a natureza do conhecimento humano, ou seja, quando investigamos como tentamos compreender o mundo e entender nosso lugar nele, vemos logo que nossa abordagem tem um alcance necessariamente limitado. Essa revelação deveria abrir portas e não fechá-las, visto que ilustra o caráter aberto da busca pelo conhecimento que, em sua essência, é um flerte insaciável com o desconhecido. O que pode ser mais inspirador do que saber que sempre teremos algo de novo para aprender sobre o mundo natural, que, independente do quanto sabemos, sempre existirá lugar para o inesperado? Segundo esse ponto de vista, derrotista é a noção de que nossa busca tem um ponto de chegada e que, eventualmente, chegaremos lá. Seria a morte do espírito humano, alimentado como é pela dúvida. Parafraseando o dramaturgo Tom Stoppard em sua peça *Arcadia*, "É o querer saber que nos torna relevantes".

Novas descobertas iluminam cantos aqui e ali, mas não alcançam a escuridão das regiões mais distantes. O modo como cada pessoa escolhe se relacionar com essa escuridão define — ao menos de forma geral — como cada um vê a vida e seus mistérios: ou a razão aos poucos conquistará o desconhecido, iluminando tudo, ou não. Se isso não acontecer, algo além da razão é necessário para auxiliar nossa ignorância — algo que, com frequência, envolve a crença em explicações sobrenaturais. Se essas fossem as únicas alternativas, ficaríamos apenas com a infeliz polarização entre o "cientismo" e o sobrenaturalismo, que tanto define nossa era. (Por "cientismo" entendo a crença de que a ciência é o único modo de explicação possível; por "sobrenaturalismo" entendo a crença de que explicações para alguns dos mistérios que nos cercam necessitam de entidades sobrenaturais, isto é, que existem além do natural.) Em contrapartida a essa dicotomia, proponho um terceiro caminho, baseado no casamento entre a busca por explicações científicas do mundo natural e a busca pelo sentido, sem a falsa crença de que a Natureza é compreensível em sua totalidade ou em promessas infundadas de verdades eternas.

Enquanto a ciência avançar, aprenderemos mais sobre o mundo natural. Por outro lado, teremos também mais a aprender. Novos instrumentos de exploração potencialmente levam a novas perguntas, que, com frequência, nem poderíamos ter imaginado antes disso. Para mencionar dois exemplos famosos, considere a astronomia antes do telescópio (1609) e a biologia antes do microscópio (1674): ninguém poderia ter antevisto as revoluções que esses dois instrumentos e seus "descendentes" provocariam.

Essa existência incerta é a alma da ciência, que precisa falhar para avançar. Teorias precisam ser quebradas, suas limitações precisam ser expostas. Ao acessar a Natureza em maior profundidade, instrumentos de exploração abrem novas janelas para o mundo, expondo a fragilidade das teorias vigentes, permitindo que novas ideias venham à tona. No entanto, não devemos concluir que esse processo de descoberta tenha um fim. Conforme veremos, o conhecimento científico tem limitações essenciais; algumas questões estão além de nosso alcance. Isso significa que certos aspectos da Natureza permanecerão inacessíveis aos nossos métodos. Mais até do que inacessíveis — *incognoscíveis*.

É importante deixar claro que expor os limites da ciência não implica, *de forma alguma*, apoiar o obscurantismo. Pelo contrário, esboço aqui uma autocrítica da ciência que, a meu ver, se faz extremamente necessária em uma época em que a arrogância e a especulação científica são propagadas sem qualquer controle. Ao descrever os limites das explicações científicas, minha intenção é proteger a ciência de ataques à sua integridade intelectual. Busco, também, mostrar como a ignorância, e não o conhecimento, é a mola propulsora da criatividade científica. Conforme escreveu o neurocientista americano Stuart Firestein em seu recente livro *Ignorância: como ela impulsiona a ciência*, pedidos de bolsa de pesquisa são, antes de mais nada, relatórios sobre nossa ignorância atual nesse ou naquele determinado assunto. Declarar que a "verdade" foi encontrada é um fardo pesado demais para cientistas carregarem. Aprendemos com o que podemos medir. A enormidade do que foge aos nossos instrumentos, o mistério que nos cerca, deveria inspirar um profundo senso de humildade. O que importa é o que não sabemos.

Nossa percepção da realidade baseia-se na separação artificial entre sujeito e objeto. Talvez você saiba onde você termina e o mundo "lá fora" começa; ou, ao menos, acha que sabe. Porém, como veremos, a questão é bem mais complexa do que parece. Cada pessoa tem uma perspectiva única do mundo. Por outro lado, a ciência é o método mais concreto que temos para criar uma linguagem universal, capaz de transcender diferenças individuais. Vamos, então, explorar a Ilha do Conhecimento e desbravar suas terras até depararmos com o mar. Lá chegando, poderemos vislumbrar o desconhecido e, com esforço e coragem, o que está ainda mais além.

PARTE I

A Origem do Mundo e a Natureza dos Céus

No início, Deus criou a Terra
e em Sua solidão cósmica olhou para ela.
E Deus disse "Farei do barro criaturas vivas,
para que o barro possa ver o que fiz".
E Deus criou toda criatura que agora se move,
e uma foi o homem. Dentre elas, apenas o barro como
homem podia falar.
O barro como homem sentou-se,
olhou em torno e falou. "Qual o propósito disso tudo?",
perguntou educadamente a Deus, que se aproximava.
"E tudo precisa ter um propósito?", perguntou Deus.
"Certamente", disse o homem.
"Então deixo que você pense em um para tudo isso",
disse Deus.
E, com isso, Ele se foi.
— KURT VONNEGUT,
Cama de gato (Cat's Cradle)

São perguntas sem respostas
que definem os limites das possibilidades humanas,
que descrevem as fronteiras da existência humana.
— MILAN KUNDERA,
A insustentável leveza do ser

O homem sempre foi o seu problema mais angustiante.
— REINHOLD NIEBUHR,
A natureza e o destino do homem

1 Temos que acreditar

(Onde exploramos o papel da crença e da extrapolação
na religião e na criatividade científica)

Será que podemos entender o mundo sem algum tipo de crença? Esta
é uma pergunta central na dicotomia entre a ciência e a fé. De fato, o
modo como um indivíduo escolhe responder a ela determina, em grande
parte, como se relaciona com o mundo e a vida em geral. Contrastando
as explicações míticas e científicas da realidade, podemos dizer que
mitos religiosos buscam explicar o desconhecido com o desconhecível,
enquanto a ciência busca explicar o desconhecido com o conhecível.
Muito da tensão entre a ciência e a fé vem da suposição de que existem
duas realidades mutuamente incompatíveis, uma dentro deste mundo
(e, portanto, "conhecível" através da aplicação diligente do método
científico) e outra fora dele (e, portanto, "desconhecível", relacionada
tradicionalmente à crença religiosa).[1]

Nos mitos, o incognoscível é refletido na natureza dos deuses, cuja
existência transcende as fronteiras do espaço e do tempo. Nas palavras
do historiador da religião Mircea Eliade,

> Para o australiano bem como para o chinês, o hindu e o camponês
> europeu, os mitos são a verdade porque são *sagrados*, porque tratam de
> entidades e eventos sagrados. Consequentemente, ao recitar ou ouvir um
> mito, o crente estabelece contato com o sagrado e com a realidade e, com
> isso, transcende a condição profana, a "situação histórica".[2]

Mitos religiosos permitem que os que neles creem transcendam sua "situação histórica", a perplexidade que sentimos ao compreendermos que somos criaturas delimitadas pelo tempo, cada um com uma história que tem um começo e um fim. Em um nível mais pragmático, explicações míticas de fenômenos naturais são tentativas pré-científicas de dar sentido àquilo que existe além do controle humano, dando respostas a perguntas que parecem irrespondíveis. Por que o Sol cruza os céus todos os dias? Para os gregos, porque Apolo transporta diariamente o astro em sua carruagem de fogo. Para os navajo do sudoeste norte-americano, era Jóhonaa'éí que carregava o Sol nas costas. Para os egípcios, a tarefa era de Rá, que transportava o Sol em seu barco. A motivação por trás dessas explicações não é tão diferente daquela da ciência, já que ambas tentam de alguma forma revelar os mecanismos por trás dos fenômenos naturais: afinal, tanto deuses quanto forças físicas fazem coisas acontecer, mesmo que de formas radicalmente distintas.

Tanto o cientista quanto o crente *acreditam* em causas não compreendidas, ou seja, em coisas que ocorrem por razões desconhecidas, mesmo que a natureza da causa seja completamente diferente para cada um. Nas ciências, o papel dessa crença fica bem claro quando tentamos extrapolar uma teoria ou modelo de seus limites testados. Por exemplo, quando afirmamos que "a gravidade age do mesmo modo em todo o Universo" (não temos evidência de que isso é correto pois não exploramos todo o Universo) ou que "a teoria da evolução por seleção natural é aplicável a todas as formas de vida, inclusive às extraterrestres" (também não temos evidência de que isso é correto pois não encontramos ainda vida extraterrestre), essas extrapolações são cruciais para avançar o conhecimento, permitindo que cientistas possam explorar territórios desconhecidos. Dado o vasto poder das teorias científicas em explicar o mundo natural, essa atitude dos cientistas é perfeitamente razoável. Podemos até dizer, mesmo que um pouco impropriamente, que esse tipo de crença científica é empiricamente validada.[3] A grande vantagem da ciência é que essas extrapolações são testáveis e podem ser refutadas caso estejam erradas.

Eis um exemplo. Em 1686, Isaac Newton publicou sua magnífica obra *Princípios matemáticos da filosofia natural*, ou *Principia*, onde apresenta sua teoria da gravitação universal. No entanto, em um senso mais restrito, a teoria deveria ser chamada de "teoria da gravitação no sistema solar", dado que, no século XVII, não havia testes ou observações além dos seus confins espaciais. Mesmo assim, Newton chamou o Livro III de "O sistema do mundo", supondo que sua descrição da atração gravitacional como uma força proporcional à quantidade de massa em dois corpos que decai com o quadrado da distância entre eles seria aplicável ao *mundo inteiro*, isto é, ao cosmos. Nas suas próprias palavras:

> Portanto, se experimentos e observações astronômicas estabelecem que todos os corpos sobre ou próximos à Terra são atraídos gravitacional-mente por ela em proporção à quantidade de matéria em cada corpo, e se a Lua é atraída pela Terra em proporção à sua matéria, e se nossos oceanos, por sua vez, gravitam em direção à Lua, e se todos os planetas atraem-se mutuamente, e se existe uma atração gravitacional semelhante dos cometas em direção ao Sol, temos que concluir desta terceira regra que todos os corpos atraem-se gravitacionalmente.[4]

Astutamente, Newton evitou especular sobre a causa da gravidade, ou seja, sobre a origem dessa atração entre corpos com massa: "Não avanço hipóteses", afirmou. "Para nós, é suficiente que a gravidade de fato exista, e que aja de acordo com as leis que explicamos, dando conta de forma clara dos movimentos dos corpos celestes e do nosso mar", escreveu no Sumário Geral do *Principia*. Newton não sabia por que massas atraem-se mutuamente, mas sabia como. O *Principia* é um livro que se preocupa com os "comos" e não com os "porquês".

Mais tarde, em carta de 10 de dezembro de 1692 ao teólogo Richard Bentley, da Universidade de Cambridge, Newton estendeu a ação da força da gravidade para especular que o universo fosse infinito, um ponto de transição essencial na história do pensamento cosmológico. Bentley per-guntou a Newton se a atração gravitacional entre os corpos celestes não faria com que toda a matéria do cosmos terminasse em uma grande bola no centro. Newton concordou que esse poderia ser o caso se o cosmos fosse finito. No entanto, escreveu, "se a matéria fosse distribuída pelo espaço infinito, não se acumularia em apenas uma massa central, mas em infinitas massas isoladas, concentradas aqui e ali, e separadas por enormes distâncias na vastidão infinita do cosmos". Portanto, a crença de Newton na natureza universal da gravidade levou-o a especular sobre a extensão espacial do cosmos como um todo.

Pouco mais de dois séculos após a publicação do *Principia*, Einstein fez algo semelhante. Na sua teoria da relatividade geral, que formulou em versão final em 1915, foi além de Newton, atribuindo a gravidade à curvatura do espaço em torno de um corpo massivo (e do tempo, mas vamos deixar isso de lado por ora): quanto maior a massa, mais o espaço curva-se à sua volta, como a superfície de uma cama elástica que se curva um pouco mais ou um pouco menos de acordo com quem está sobre ela. Com isso, Einstein eliminou a misteriosa "ação a distância" que Newton usou para explicar a atração gravitacional entre corpos distantes. (Como o Sol e a Terra, ou a Terra e a Lua, atraem-se mutuamente sem se tocar? Que efeito é esse capaz de se propagar pelo espaço como um fantasma?) Em um espaço curvo, as trajetórias dos objetos não são mais linhas retas. Para ver isso, basta jogar uma bolinha de gude sobre uma cama elástica (ou colchão) deformada por algum peso: quanto mais próxima da região curva a bolinha passar, mais sua trajetória se desviará de uma linha reta.

Einstein nunca ofereceu uma explicação sobre por que massas têm esse efeito sobre a curvatura do espaço. Imagino que, como Newton, teria respondido "Não avanço hipóteses". Para ele, bastava que sua teoria funcionasse, explicando coisas que a teoria de Newton não podia, conforme foi demonstrado em vários testes observacionais.

Em 1917, menos de dois anos após ter publicado a teoria da relatividade geral, Einstein escreveu um artigo revolucionário, intitulado "Considerações cosmológicas sobre a teoria da relatividade geral". Nele, tal como Newton, extrapolou a validade de sua teoria, que na época era testada apenas nos confins do sistema solar, para o Universo como um todo. Seu objetivo era obter a forma geométrica do cosmos. Inspirado por ideias oriundas de Platão e seus seguidores, Einstein supôs que o Universo tivesse a forma mais perfeita que existe, a de uma esfera. Por conveniência, supôs, também, que o Universo fosse estático, o que era razoável na época, dado que não existiam ainda indicações claras de que o Universo mudasse no tempo. Ao resolver suas equações, obteve o universo que queria, estático e com a forma de uma esfera. Porém, a solução veio com uma surpresa: tal como no caso da gravidade de Newton, em um universo esférico e, portanto, finito, a matéria convergiria para um ponto central. Para resolver esse dilema, Einstein não optou por um universo espacialmente infinito, como fizera Newton. Como solução, propôs a existência de uma "constante universal", que adicionou às equações descrevendo a curvatura do espaço. Einstein notou que se o valor numérico dessa constante fosse suficientemente pequeno "ela seria compatível com as propriedades do sistema solar", isto é, não criaria efeitos que contradiriam as observações da época. Essa constante, que "não é justificada pelo conhecimento atual da gravitação", segundo Einstein, hoje é chamada de "constante cosmológica". Surpreendentemente, pode ter um papel essencial na dinâmica cósmica, se bem que bastante diferente daquele inicialmente proposto por Einstein, onde garantia a estabilidade de seu universo esférico e estático. (A constante age contrariamente à atração gravitacional, de modo a contrabalançar a tendência ao colapso.) Confirmando a fé em sua teoria, Einstein não só extrapolou suas equações do sistema solar para o Universo inteiro, como, também, impôs a existência de uma nova entidade hipotética cuja função era equilibrar o cosmos.

Para avançar além do conhecido, tanto Newton quanto Einstein assumiram riscos intelectuais, baseando-se em suposições inspiradas na sua intuição e preconceitos. Mesmo sabendo que suas teorias tinham limitações e eram necessariamente incompletas, sua coragem ilustra o poder da crença no processo criativo de dois dos maiores cientistas de todos os tempos. Toda pessoa engajada no avanço do conhecimento faz o mesmo.

2 Além do espaço e do tempo

(Onde exploramos como as diferentes religiões confrontam
a questão da origem de todas as coisas)

Vamos voltar ao passado, antes do despertar das grandes civilizações ao longo dos rios Tigre e Eufrates, onde hoje é o Iraque. Grupos de humanos, os caçadores-coletores, lutavam contra predadores e as forças da Natureza para sobreviver. Ao divinizar a Natureza, buscavam ter uma certa dose de controle sobre o que era, em essência, incontrolável. Enchentes, secas, terremotos, erupções vulcânicas e maremotos — fenômenos que certas companhias de seguro até hoje chamam de "atos divinos" — eram atribuídos a deuses cuja ira precisava ser aplacada de alguma forma. Era necessária uma linguagem, um dialeto comum entre o homem e as divindades, que aliviasse a enorme diferença de poder entre a humanidade e as forças da Natureza. Na prática, essa linguagem se traduziu em ritos e narrativas míticas, que estabeleciam uma relação entre o conhecido e o incognoscível. Como as várias ameaças à sobrevivência vinham do interior da Terra, da superfície e dos céus, os deuses tinham que estar em todos os lugares. A religião nasceu da necessidade de um contrato social que regulasse o comportamento das pessoas e da reverência pela força inconcebível da Natureza. É muito provável que qualquer ser pensante suponha que existam outros seres com poderes superiores aos seus, sejam eles deuses ou alienígenas. A alternativa, aceitar que desastres naturais ocorrem ao acaso, sem uma premeditação divina, era aterrorizante demais para ser considerada, já que exacerbava a incapacidade e a solidão humanas ao confrontar o desconhecido. Para ter alguma chance de controlar o seu destino, o homem precisava acreditar.

O medo não era a única força que levava à crença no divino, embora possivelmente fosse a principal. Porém, é importante ressaltar que nem tudo era tragédia. Coisas boas também ocorriam: uma boa safra, uma caçada produtiva, o clima calmo, oceanos ricos em peixes e frutos do mar. A Natureza não era só ameaça; era generosa também, e muito. Nesse papel dual de doadora e tomadora, podia tanto manter as pessoas vivas quanto matá-las. Os fenômenos naturais refletiam (e refletem) essa polarização, sendo tanto regulares e seguros (como o ciclo do dia e da noite, as estações do ano, as fases da Lua, as marés) quanto irregulares e aterrorizantes (como os eclipses solares, os cometas, as avalanches e os incêndios florestais). Portanto, não é de todo surpreendente que a regularidade é costumeiramente associada ao bem e a irregularidade, ao mal: com isso, os fenômenos naturais ganharam uma dimensão moral que, através da divinização da Natureza, refletia diretamente as ações de deuses intangíveis.

Em todas as partes, culturas diferentes erigiram monumentos para celebrar e reproduzir a regularidade dos céus. Na Inglaterra, os círculos de monólitos em Stonehenge demarcam o alinhamento da "Pedra do Calcanhar" com a posição do Sol no dia mais longo do ano, o solstício de verão. O monumento, usado como lugar funerário e sacro, estabelecia uma relação entre o retorno periódico do Sol e o ciclo da vida e da morte dos homens. Ainda que os mecanismos por trás dos movimentos cíclicos dos céus fossem desconhecidos — e não havia um desejo de compreendê-los, ao menos como existe hoje —, eram, mesmo assim, seguidos e registrados com dedicação e reverência. A tradição astronômica dos babilônios, por exemplo, data de mais de 3 mil anos, refletida no seu mito de criação *Enuma Elish* ("Quando Acima"). Ao longo dos anos, astrônomos da Babilônia construíram tabelas detalhando os movimentos dos planetas e da Lua através dos céus, anotando todas as regularidades observadas. Um exemplo é a Tábua de Ammisaduqa, que registra a posição do planeta Vênus ao nascer e ao se pôr durante 21 anos.

A repetição acalma e conforta. Se a Natureza dança em um certo ritmo, talvez o mesmo se aplique a nós. Um tempo cíclico traz a promessa de um renascimento, estabelecendo uma conexão profunda entre o homem e o cosmos: nossa existência inseparável da do mundo. Não é por acaso que o mito do eterno retorno ressurja em tantas culturas. Por que não crer que a morte não seja o final, mas o início de uma nova existência? Que a vida se repete em ciclos?

Vejo a dor de meus filhos quando tentam entender a passagem do tempo e o fim da vida. Lucian, que tinha seis anos quando escrevi estas linhas, pensa obsessivamente sobre a morte desde os quatro. A morte parece absurda quando o tempo é eterno. "O que acontece depois que a gente morre?" é uma pergunta que a maioria dos pais escuta. Lucian está convencido de que retornamos. Só não sabe se retornamos a mesma pessoa ou outra. Sua preferência, claro, é que retornemos os mesmos, com os mesmos pais e irmãos, essencialmente revivendo a vida ou, melhor ainda, revivendo-a por toda a eternidade. Caso contrário, como lidar com a perda de uma pessoa amada? Com o coração partido, digo-lhe que o que ocorre conosco é o mesmo que ocorre com a formiga que ele esmaga casualmente sob seus pés. Lucian não se convence. "Como que você sabe, papai?" "Não tenho certeza, filho. Algumas pessoas acham que voltamos, outras que vamos para o Paraíso, onde encontramos todos que já morreram. O problema é que os que se foram não mandam notícias, não nos contam para onde foram e para onde vamos." A conversa costuma terminar com um abraço bem apertado e muitas repetições de "eu te amo". Poucas coisas são tão difíceis quanto contar a um filho que não iremos viver para sempre e que, se as coisas seguirem o curso normal, ele terá que lidar com a nossa morte.

* * *

O advento do judaísmo levou a um modo radicalmente diferente de se pensar sobre a natureza do tempo: em vez de ciclos de criação e destruição, de uma repetição da vida e da morte, o tempo tornou-se linear, com apenas um começo e um fim. "A história profana", conforme a atribuição de Mircea Eliade, é o que ocorre entre o nascimento e a morte, ou seja, a narrativa de nossas vidas. Com o tempo linear aumenta a angústia da existência, já que, com apenas uma vida, temos uma única chance de ser felizes. Para os cristãos e muçulmanos, a noção do Paraíso se apresenta como saída, mesmo que para tal o tempo tenha que ter um aspecto dual, linear em vida e inexistente no Paraíso.

Linear ou cíclico, o tempo é uma medida de transformação. Se o seguirmos em direção ao futuro, chegaremos ao fim das narrativas; se o seguirmos ao passado, chegaremos ao início delas. Em muitas das narrativas míticas, os deuses existem "fora" do tempo, nunca envelhecendo ou adoecendo, enquanto os humanos existem "dentro" do tempo, sujeitos aos caprichos de sua passagem. Como vida leva à vida, na sucessão das gerações decorre uma história que necessariamente começa com a primeira vida, com a primeira entidade viva, seja ela bactéria, homem ou animal. E aqui surge uma questão essencial: como a primeira criatura surgiu, se nada vivo existia para dá-la à luz? O mesmo tipo de raciocínio pode ser extrapolado para o mundo, entendido aqui como o cosmos por inteiro: como o mundo surgiu? A resposta mítica, na maioria dos casos, é em essência a mesma, salvo variações locais: primeiro os deuses criaram o mundo para, então, criar a vida. Apenas uma entidade que existe *fora* do tempo pode originar o que existe *dentro* dele. Embora alguns mitos de criação, como os dos nativos maori da Nova Zelândia, indiquem que o cosmos possa ter surgido sem a interferência dos deuses, na maioria dos mitos o próprio tempo torna-se uma criação, que se origina juntamente com o mundo, conforme Santo Agostinho propôs nas *Confissões* (Livro XI, cap. 13):

> Visto que és o Criador de todos os tempos, se o tempo existira antes de criares o céu e a terra, por que dizem que deixas-Te de trabalhar então? Nenhum tempo poderia passar antes que o houveste criado. De fato, se antes do céu e da terra o tempo não existira, por que demandam o que fazias então? Pois não havia o "então" quando o tempo não existia.

A origem do mundo e a origem do tempo são indissociáveis da natureza dos céus, uma conexão que permanece verdadeira hoje, quando modelos cosmológicos procuram descrever a origem do Universo e astrofísicos estudam a origem das estrelas e das galáxias. Conforme explorei em meu livro *A dança do universo*, não deveríamos nos surpreender ao encontrarmos tanto o tempo linear quanto o tempo cíclico nos modelos da cosmologia moderna. Talvez mais surpreendente seja o reaparecimento de uma característica essencial dos mitos de criação do passado, a profunda relação entre o homem e o cosmos, que, sugiro, está retornando ao pensamento astronômico atual, após um longo hiato pós-copernicano, quando nossa existência era de interesse secundário perante o esplendor material do Universo. Quando Copérnico e, mais efusivamente no início do século XVII, Galileu Galilei e Johannes Kepler removeram a Terra do epicentro da Criação, o homem perdeu seu status de criatura especial para tornar-se apenas um habitante dentre incontáveis outros mundos, cada qual com suas criaturas. Quatrocentos anos mais tarde, a busca por vida extraterrestre vem revelando a raridade de planetas como o nosso e, mais criticamente, a importância da vida humana. Consequentemente, o homem volta a ganhar relevância cósmica: importamos porque somos raros, agregados moleculares com a incrível habilidade de refletir sobre a nossa existência. Os muitos passos bioquímicos e genéticos da não vida à vida, seguidos de tantos outros que levaram da vida unicelular à vida multicelular complexa, são extremamente difíceis de serem duplicados em outros mundos. Ademais, os pormenores dependem crucialmente dos detalhes da história do nosso planeta: se algum evento deixa de ocorrer — por exemplo, a extinção dos dinossauros — isso muda a história da vida. Não significa que podemos concluir que não existam outras formas de vida inteligente em algum canto do cosmos. O que podemos concluir com confiança é que, caso alienígenas inteligentes existam, são raros e estão muito longe de nós. (Ou, caso sejam comuns, certamente sabem esconder-se muito bem.) A verdade é que, na prática, estamos sós e devemos aprender a viver com nossa solidão cósmica e a explorar suas consequências de forma construtiva.

O desejo de conhecer nossas origens e lugar no cosmos é uma das características que mais definem a nossa humanidade. Ao responder a esses anseios, mitos de criação do passado não são tão diferentes da motivação que hoje leva cientistas a ponderar a criação quântica do Universo a partir "do nada" ou apreciar se nosso Universo é parte de um multiverso contendo um número incontável de outros universos. Obviamente, os detalhes das perguntas e de suas eventuais respostas são completamente diferentes. Mas a motivação — entender quem somos e compreender o sentido de nossa existência — é, em essência, a mesma. Para os autores dos mitos de criação, a origem de todas as coisas é apenas compreensível através do sagrado, já que apenas o que existe fora do tempo pode dar origem ao que existe no tempo, seja o cosmos ou suas criaturas. Para os que não acreditam que respostas a essas perguntas pertençam à dimensão do sagrado, o desafio é analisar de forma honesta nossas explicações racionais do mundo e tentar estabelecer até onde podem esclarecer a natureza da realidade e, mais ambiciosamente, até que ponto podem responder a questões sobre a origem de todas as coisas. Essa é a nossa missão.

3 Ser ou devir? Esta é a questão

(Onde encontramos os primeiros filósofos da Grécia Antiga
e exploramos algumas de suas ideias sobre a natureza
da realidade)

Em torno do século VI a.C., uma profunda mudança de perspectiva ocorreu na Grécia Antiga. Embora ideias revolucionárias sobre a dimensão social e espiritual do homem tenham aparecido durante a mesma época na China, com Confúcio e Lao Tsé, e na Índia, com Sidarta Gautama, o Buda, é na Grécia que nos deparamos com o nascimento da filosofia ocidental, um novo método de investigação através do questionamento e da argumentação, desenhado para explorar a natureza fundamental do conhecimento e da existência. Ao contrário dos mitos de criação e da fé religiosa em geral, onde o conhecimento baseia-se essencialmente na natureza intangível da revelação, os primeiros filósofos gregos, conhecidos coletivamente como pré-socráticos (pois a maioria viveu antes de Sócrates), buscaram compreender a natureza da realidade através da lógica e da conjectura. Essa transição, onde a reflexão racional é o veículo central na investigação de questões sobre a existência, redefiniu a relação do homem com o desconhecido, substituindo uma confiança passiva no sobrenatural por uma busca ativa pelo conhecimento e pela liberdade pessoal.

Para o primeiro grupo de filósofos pré-socráticos, conhecidos como iônicos, a preocupação central era a composição material do mundo. "Do que as coisas são feitas?", perguntaram. Dado que essa continua sendo a questão essencial da física de partículas atual, vemos que o poder de uma grande pergunta é sua capacidade de gerar respostas que, com o avanço de nossos métodos de exploração, continuam gerando conhecimento. Embora cada membro da escola iônica tenha sugerido uma resposta diferente, todos tinham uma característica em comum, acreditando que "Tudo é Um", ou seja, que a essência material da realidade consistia em apenas uma única substância ou entidade. Essa *unificação* da realidade deve ser contrastada com as mitologias panteístas que a precederam, onde deuses de vários tipos eram responsáveis por aspectos diferentes da Natureza. Para os iônicos, tudo o que existe é manifestação de uma única essência material capaz de passar por vários tipos de transformação. Tales, que Aristóteles considerou o primeiro filósofo, supostamente declarou que "o princípio de todas as coisas é a água. Pois [Tales] diz que tudo vem da água e para a água todas as coisas revertem".[5] Esse texto, encontrado no fragmento escrito pelo médico bizantino Aécio de Amida, é típico dos vários pensamentos atribuídos a Tales. Infelizmente, nenhuma de suas obras sobreviveu e temos que nos basear em fontes indiretas para conhecer suas ideias. Investigando a literatura disponível, vemos que, de fato, Tales propôs que a água fosse a fonte de tudo, reconhecendo seu papel central nos seres vivos. Para ele, a água simbolizava as transformações incessantes que vemos na Natureza. Ao explicar a força motriz por trás dessas transformações, Tales invocou uma espécie de força-alma: "Alguns dizem que a alma se mistura na totalidade; isso provavelmente explica por que Tales pensava que todas as coisas estão cheias de deuses",[6] escreveu Aristóteles em *Sobre a alma*. Porém, os deuses de Tales não são os mesmos deuses antropomórficos das mitologias passadas, mas forças misteriosas que propulsionam as transformações que vemos na realidade física. Tales, bem como seus sucessores da escola iônica, defendiam uma filosofia do devir, de transformações constantes emergindo da mesma matéria-prima: tudo vem dela e tudo retorna a ela.

É importante notar que, mesmo se os primeiros filósofos do Ocidente viviam em uma cultura onde a religião prevalente acreditava que os vários fenômenos naturais se deviam à ação de deuses, ainda assim buscaram por uma explicação única da realidade, um princípio absoluto da existência. Explicitamente, buscavam por uma teoria unificada da Natureza, a primeira Teoria de Tudo. Bem mais tarde, já no século XX, o historiador de ideias Isaiah Berlin chamou a crença na unidade de tudo, que sobrevive até nossos dias, mesmo com roupas diferentes, de "falácia iônica", declarando-a completamente sem sentido: "Uma frase que começa dizendo que 'Tudo consiste em...' ou 'Tudo é...' ou 'Nada é...', a menos que baseada em fatos empíricos [...] é desprovida de conteúdo, visto que uma proposição que não pode ser significativamente contrastada ou medida não nos oferece qualquer informação."[7] Em outras palavras, declarações autoritárias que pretendem dar explicações únicas à pluralidade do que existe não fazem sentido: são artigos de fé e não da razão. Voltaremos a explorar esse assunto quando investigarmos a busca por explicações finais em ciência. Por ora, seguimos o pensamento protocientífico de Tales e de seu sucessor, Anaximandro de Mileto, considerado o primeiro filósofo científico por sua conceptualização da Natureza em termos mecanicistas.

Ao contrário de Tales, Anaximandro tomou um caminho mais abstrato, propondo um meio primordial que chamou de "O Ilimitado" (*apeiron*), a fonte de todas as coisas: "Dele, todas as coisas surgem e a ele todas as coisas retornam. É por isso que incontáveis mundos são gerados e eventualmente perecem, retornando sempre à sua origem", escreveu Aécio, resumindo as ideias cosmogônicas de Anaximandro.[8] O Ilimitado é o princípio material primordial, indestrutível, existindo na infinidade do tempo e do espaço.

Anaximandro via o mundo como uma cadeia de eventos propiciados por causas naturais.[9] De acordo com várias fontes, em seu tratado *Sobre a natureza* — o primeiro texto conhecido sobre filosofia natural, infelizmente perdido —, Anaximandro ofereceu explicações para uma enorme variedade de fenômenos: desde os raios (que, afirmou, vêm do movimento do ar em nuvens) até a origem dos seres humanos (que, supôs, vêm de formas de vida oriundas dos oceanos que, depois, migraram para a superfície). Nas palavras do historiador de filosofia Daniel W. Graham, "Independente do que aprendeu com Tales, Anaximandro foi um verdadeiro revolucionário que, ao organizar suas ideias como uma teoria cosmogônica (i.e., sobre origens) e escrevendo-a em papiro, criou uma plataforma para pensarmos sobre a Natureza como um domínio autônomo, com entidades materiais e leis de interação. Pelo que sabemos, foi o fundador da filosofia científica".[10]

Em vez de Apolo levar o Sol através dos céus em sua carruagem, Anaximandro propôs um modelo mecânico no qual a Terra era cercada por uma série de rodas girando à sua volta. Cada uma delas tinha fogo em seu interior. O Sol, por exemplo, seria um orifício em uma roda por onde o fogo escapava. O mesmo com a Lua e as estrelas. Ainda que, para nós, o modelo de Anaximandro possa parecer extremamente simplista, sua importância histórica é enorme, já que é o primeiro modelo em que os movimentos celestes foram explicados por relações de causa e efeito e não por intervenção divina.

Anaximandro não se detém aqui, propondo um mecanismo igualmente criativo para a origem do cosmos. Segundo Plutarco em seu *Diversos*, "[Anaximandro] diz que a parte do Ilimitado que gera o frio e o quente separou-se na origem do mundo, criando uma esfera de chamas que circundou o ar como a casca de uma árvore em torno do seu tronco. Esta esfera destacou-se do resto e separou-se em círculos individuais para formar o Sol, a Lua, e as estrelas".[11] O cosmos de Anaximandro era um grande mecanismo, seguindo regras fixas de causa e efeito.

As ideias de Anaximandro, assim como aquelas de todos os filósofos gregos, baseavam-se essencialmente na intuição e no poder de argumentação: não havia interesse em verificá-las experimentalmente. No entanto, constituem um marco na história do pensamento, pela sua coragem intelectual e imaginação. Mesmo que os gregos não tenham sido os primeiros a se perguntar sobre a origem do cosmos e a natureza da realidade, seu método dialético criou um novo modo de se pensar sobre o mundo onde *cada* indivíduo deveria exercer o direito de ponderar essas questões, em busca de maior liberdade pessoal.[12] Como escreveu Lucrécio em sua obra revolucionária, *Da natureza das coisas* (50 a.C.), um poema narrativo baseado na filosofia atomista de Leucipo e Demócrito e uma das defesas mais lúcidas jamais escritas do ateísmo,

Nem mesmo o brilho do Sol, a radiação que sustenta o dia, pode dispersar o terror que reside na mente das pessoas. Apenas a compreensão das várias manifestações naturais e de seus mecanismos internos tem o poder de derrotar esse medo. Ao discutir esse tema, nosso ponto de partida será baseado no seguinte princípio: nada pode ser criado pelo poder divino a partir do nada. As pessoas vivem aterrorizadas porque não compreendem as causas por trás das coisas que acontecem na terra e no céu, atribuindo-as cegamente aos caprichos de algum deus. Quando finalmente entendemos que nada pode surgir do nada, teremos uma visão mais clara de como formas materiais podem ser criadas, ou de como fenômenos podem ser ocasionados sem a ajuda de um deus.[13]

A separação explícita que Lucrécio propunha entre uma compreensão racional do mundo e a crença em atos divinos não era comum na época. Até mesmo para muitos dos pré-socráticos, e certamente mais tarde com Platão e Aristóteles, vemos uma relação entre os dois: o universo físico coexistia com divindades. Isso é bem claro na escola pitagórica, a casta de místicos racionais para quem a essência da Natureza era um enigma codificado em números inteiros e suas frações, como 1/2, 1/3, 2/3, 4/5 etc. Radicados no sul da Itália e, portanto, geograficamente longe de Tales, de Anaximandro e de outros iônicos da costa oeste da Turquia, para os pitagóricos a sabedoria vinha do estudo da matemática e da geometria, as ferramentas usadas pela divindade criadora para construir o cosmos.

De acordo com os escritos de Filolau de Crotona, um famoso discípulo de Pitágoras que viveu por volta de 450 a.C., o centro do universo não era a Terra mas o "fogo central", a Cidadela de Zeus. A justificativa de Filolau para tirar a Terra do centro da Criação quase 2 mil anos antes de Copérnico era tanto prática quanto teológica: apenas Deus podia ocupar o centro de tudo; fora isso, parecia claro que o movimento do Sol nos céus era bem distinto daquele dos planetas. Como escreveu Aristóteles em sua obra *Sobre os céus*, "A maioria das pessoas afirma que a Terra ocupa o centro do universo [...] mas os filósofos italianos conhecidos como pitagóricos acreditam em um outro arranjo. Para eles, no centro está o fogo, e a Terra é apenas uma das estrelas, cujos dias e noites são consequência de seu movimento circular em torno do centro iluminado".[14] É muito provável que as ideias de Filolau tenham influenciado outros pensadores que sugeriram remover a Terra do centro do cosmos, como Aristarco de Samo, em torno de 280 a.C., e o mais conhecido deles, Nicolau Copérnico, no século XVI. Conforme escreveu Copérnico em sua obra *Sobre a revolução das esferas celestes*, publicada em 1543,

> de fato, eu encontrei primeiro na obra de Cícero que Hicetas havia proposto que a Terra se movesse. Mais tarde, li em Plutarco que outros eram da mesma opinião. Copio suas palavras aqui, para que sejam acessíveis a todos: "Alguns pensam que a Terra permanece em repouso; mas o pitagórico Filolau acreditava que, como o Sol e a Lua, gira em torno do fogo central em um círculo oblíquo." Inspirado por esses pensadores, comecei também a considerar a mobilidade da Terra.[15]

As raízes da chamada revolução copernicana são bem mais profundas do que a maioria das pessoas imagina.

Encontramos o famoso teorema de Pitágoras no Ensino Médio, aquele que relaciona os três lados de um triângulo retângulo: "A soma dos quadrados dos catetos é igual ao..." Mesmo que o sábio legendário receba crédito por essa descoberta, é provável que o crédito seja mais por autoridade do que por autoria. De qualquer forma, Pitágoras aparentemente descobriu o que podemos considerar a primeira lei matemática da Natureza, a relação entre os sons em uma escala musical e o comprimento das cordas que os produzem, como em um violão. Pitágoras percebeu que os sons considerados harmônicos aos ouvidos correspondem a razões simples entre os comprimentos das cordas que os produzem. Essas razões contêm apenas os números 1, 2, 3 e 4, que constituem o que os pitagóricos chamavam de *tetractys*, os quatro números sacros, "a fonte e raiz da sempre-fluida Natureza", como mais tarde escreveu Sexto Empírico, ao descrever a ideia central dos pitagóricos.

Por exemplo, se o comprimento de uma corda é L, soando-a apenas na metade de seu comprimento (L/2), temos um som que é uma oitava acima do original; soando-a a dois terços do comprimento (2L/3), temos uma quinta; a três quartos (3L/4), uma quarta. Como o que nos soa harmônico reflete de alguma forma o funcionamento da mente, Pitágoras e seus seguidores construíram uma ponte entre o mundo externo (onde o som é gerado) e sua percepção através dos sentidos. O fato de esta ponte ter sido construída através da matemática estabeleceu os fundamentos da profunda transformação que estava por vir: para compreender o mundo, precisamos descrevê-lo matematicamente. Ademais, como o que é harmônico é belo, a beleza do mundo é expressa através da matemática. Surge, aqui, uma nova estética, que equaciona leis matemáticas com a beleza, e a beleza com a verdade.

Os pitagóricos também contribuíram decisivamente para a visão cosmológica da época, indo além do deslocamento da Terra do centro do cosmos, como propôs Filolau com seu fogo central. Extrapolando a ideia de harmonia em música para as esferas celestes, os pitagóricos acreditavam que as distâncias entre os planetas obedeciam à mesma proporção numérica das escalas musicais. Ao girar pelo firmamento, os planetas criavam música, a "harmonia das esferas", uma melodia do intelecto, inaudível aos ouvidos humanos. (A exceção parecia ser apenas o próprio Pitágoras.) A arquitetura cósmica, desde o prazer sensorial da música até a beleza estética do arranjo celeste, era expressão de proporções estritamente harmônicas: a estrutura da Criação era, em essência, matemática. Nada podia enobrecer mais o espírito humano do que a dedicação ao seu estudo.

* * *

Antes de embarcarmos no estudo das ideias de Platão e de Aristóteles com relação à natureza da realidade, convém rever onde estamos. De um lado, temos os iônicos, propondo que o cerne da Natureza é a transformação e que tudo o que existe é manifestação de uma única essência material. De outro, temos os pitagóricos, propondo que a matemática é a chave de todos os mistérios do mundo natural, o portal para a essência da realidade. Existiam, porém, outras propostas. Também na Itália, Parmênides e seus seguidores, conhecidos como eleáticos (pois estavam na cidade de Eleia, no sul da Itália), pensavam de forma exatamente oposta aos iônicos: para eles, o essencial era justamente aquilo que *não* pode se transformar, aquilo que "é". Consideravam que toda transformação é uma ilusão, uma distorção da realidade causada pela nossa percepção imperfeita do mundo. No debate entre as diversas escolas pré-socráticas, encontramos as primeiras considerações filosóficas sobre a natureza da realidade, ao menos no mundo ocidental. Onde encontrar a essência das coisas? Nas transformações que observamos com nossos sentidos ou em algum domínio abstrato, que só pode ser acessado através da razão?

Para investigarmos o vasto conjunto de transformações e mudanças materiais que ocorrem na Natureza — de uma pedra que cai ao chão até uma galáxia distante —, temos antes que detectá-las. Mas se o que captamos com nossos cinco sentidos não passa de reconstruções imperfeitas do que existe, como podemos ter certeza de que o que apreendemos corresponde, de fato, à realidade? É aquela miopia outra vez... Por outro lado, se seguirmos Parmênides, como podemos compreender essa "coisa" que não muda? Afinal, algo que não muda acaba tornando-se imperceptível, feito um ruído ao fundo que deixamos de ouvir. Pior: se essa realidade imutável existe apenas em algum domínio abstrato, onde só a razão penetra, como podemos ter certeza do que estamos procurando? Os iônicos acusavam os eleáticos de se basearem em especulações abstratas e infundadas, enquanto os eleáticos consideravam os iônicos inocentes e iludidos, pois se fiavam nos sentidos, que não podem ser considerados indicadores da verdade. Complementando o quadro, os pitagóricos ignoravam tanto os iônicos quanto os eleáticos, usando seu misticismo matemático para descrever a harmonia e a beleza racional do mundo.

A riqueza do pensamento pré-socrático é absolutamente fascinante. Os primeiros filósofos do Ocidente ampliaram as fronteiras do conhecimento em todas as direções, criando uma pluralidade de ideias e posturas que constituem, até hoje, o arcabouço do pensamento racional, especialmente no que tange ao tema central deste livro: como compreender a realidade em que vivemos? A Ilha do Conhecimento crescia rapidamente, expondo uma região cada vez mais ampla e convidativa do Oceano do Desconhecido à sua volta.

4 Lições do sonho de Platão

(Onde exploramos as considerações de Platão e Aristóteles sobre as questões da Primeira Causa e dos limites do conhecimento)

Platão, que viveu entre 428 e 348 a.C., foi influenciado tanto por Parmênides quanto por Pitágoras. Tal como Parmênides, não confiava nos cinco sentidos como guias capazes de nos levar ao cerne da realidade; tal como Pitágoras, acreditava na geometria e na matemática como fontes do pensamento puro, onde residia a verdade sobre o mundo. O pensamento abstrato de Platão refletia seu desejo de transcender a realidade mais imediata, que lhe parecia caótica e decadente. Esses eram tempos politicamente instáveis, quando Atenas foi derrotada por Esparta na Guerra do Peloponeso em 404 a.C. Em sua filosofia, Platão buscava por verdades imutáveis, as únicas que acreditava levar à estabilidade e à sabedoria.

Poucas expressões do pensamento de Platão são tão ilustrativas quanto a "Alegoria da Caverna", que aparece no Livro VII do diálogo *A República*. Sendo uma das primeiras meditações dedicada explicitamente à natureza da realidade, a Alegoria é de enorme interesse para nós.

Imagine um grupo de pessoas dentro de uma caverna, acorrentadas na mesma posição desde que nasceram, forçadas a olhar para a parede à sua frente. Vamos chamar esse grupo de "Acorrentados". Os Acorrentados não tinham conhecimento do mundo externo ou mesmo do que existia ao seu lado: sua realidade resumia-se ao que podiam ver projetado na parede. Não sabiam, portanto, do fogo que ardia atrás deles, ou da mureta entre eles e o fogo, ou do caminho ao longo da mureta. Pessoas atravessavam o caminho, carregando estátuas e outros objetos em frente ao fogo. Os Acorrentados viam as sombras dos objetos projetadas na parede à sua frente, que tomavam como sendo reais. Devido à sua inabilidade de olhar para trás e ver o que se passava, não podiam apreender a verdade. Sua realidade era uma grande ilusão.

Platão argumenta que, mesmo se um dos Acorrentados fosse libertado e pudesse ver o fogo e as estátuas às suas costas, a dor e a cegueira temporária causadas pela luz seriam tão severas que retornaria ao seu lugar de costume. Dada a escolha, o Acorrentado optaria por acreditar que as sombras que via projetadas na parede da caverna eram mais reais do que a nova Verdade, que o cegava tão intensamente. A Alegoria traz consigo uma moral (mais de uma, na verdade): o conhecimento tem um preço que nem todos querem pagar. Aprender requer coragem e tolerância, já que pode levar a uma profunda e dolorosa mudança de perspectiva. É bem mais fácil nos apegarmos aos nossos valores, a uma visão acomodada e confortável da realidade, do que mudar o certo pelo incerto. Platão continua, argumentando que, se o Acorrentado fosse carregado para fora da caverna e exposto diretamente à luz do Sol, aproximando-se, assim, ainda mais da Verdade, ficaria tão cego pela luz do conhecimento que imploraria para retornar às sombras confortáveis da parede da caverna. Para Platão, o confronto com a Verdade é um ato heroico.

Platão comparou a ascensão do Acorrentado em direção à luz do Sol "à ascensão da alma em direção à região do intelecto puro", isto é, a uma transcendência do indivíduo em direção à sabedoria mais profunda, baseada apenas no poder da razão. Platão sugeriu que a verdade — proveniente de uma entidade abstrata que chamou de "Forma do Bem essencial" — é extremamente difícil de ser apreendida, dado que estamos acorrentados à nossa percepção sensorial, que nos proporciona apenas uma visão limitada da realidade. Porém, quando estamos prontos para vê-la (ao menos o que podemos vislumbrar dela), nossa curiosidade é insaciável:

No mundo do conhecimento, a Forma do Bem essencial constitui a fronteira dos nossos questionamentos, mal podendo ser percebida. Mas, quando o é, somos forçados a concluir que, em todos os casos, é a fonte do que existe de mais brilhante e belo — no mundo visível gerando a luz, enquanto no mundo do intelecto difundindo a verdade e a razão. Aqueles que agem com sabedoria, seja em público ou na vida privada, inspiram-se na Forma do Bem.[16]

Em seu diálogo *A República*, Platão propôs uma fórmula para a criação de uma sociedade justa, sugerindo, também, quem deveria governá-la. Seu candidato ideal seria o filósofo-rei, alguém capaz de vislumbrar o domínio abstrato das Formas Puras, alimentando sua sabedoria com a luz que lá brilha por toda a eternidade.

As Formas de Platão, seu papel na filosofia e sua influência na filosofia de outros geram muito debate e confusão. Felizmente, não precisamos nos deter nisso. Basta imaginarmos as Formas como ideais de perfeição, a essência abstrata do que existe no mundo. Por exemplo, a Forma da Cadeira contém todas as possíveis cadeiras, o que têm de mais essencial. (Toda cadeira tem um certo número de pernas e uma superfície onde as pessoas se sentam.) Uma cadeira particular é apenas uma mera sombra de sua Forma, uma representação imperfeita e limitada de uma ideia que abrange todas as cadeiras.

As Formas são a essência universal do que potencialmente pode existir, mesmo que sejam conceitos e não uma coisa concreta. Dentro de nossas limitações, vislumbramos apenas um esboço do que realmente são quando criamos algo na nossa realidade do dia a dia. (Por exemplo, construindo uma cadeira.) O mesmo ocorre com a ideia de um círculo (ou qualquer outra figura geométrica) e sua representação no papel. Apenas a ideia do círculo é perfeita; qualquer representação concreta de um círculo na nossa realidade (em um papel, com um arame...) é necessariamente imperfeita.

No seu diálogo *Timeu*, Platão estende essas noções ao cosmos. O Universo é criação de uma entidade divina chamada Demiurgo, que usa as Formas como arcabouços de sua obra: o cosmos é esférico e todos os movimentos celestes são circulares e têm velocidades uniformes, pois são "os mais apropriados para a mente e a inteligência". Platão estava propondo uma estética cósmica, em que a forma geométrica mais perfeita e simétrica era a única adequada para os movimentos das luminárias celestes. A mente dita a trajetória que a matéria deve seguir: o mundo vem de ideias e a matéria deve obedecer a elas. Essa é uma visão cósmica teleológica, uma "cosmoteleologia", em que o Universo tem um propósito próprio ou reflete o propósito de seu Criador. Tal visão choca-se frontalmente com a noção atomista do acaso, em que nada ocorre devido a um plano predeterminado; tudo vem de Átomos viajando pelo Vazio. Citando Lucrécio uma vez mais:

> Vemos, ainda, que o mundo foi forjado pela Natureza devido ao colidir e agregar das sementes das coisas, que se moviam por conta própria — e isso após viajarem aleatoriamente, sem um propósito, em vão. Até que, finalmente, essas sementes juntaram-se, forjando o começo de coisas grandiosas — a terra, o mar, o céu e a raça das criaturas vivas.[17]

A maioria das discussões filosóficas sobre a natureza do Universo após Platão — incluindo as atuais envolvendo a possibilidade de um multiverso que contém uma multidão de universos ou a possibilidade de que nossa existência serve a um propósito cósmico maior — reflete esta antiga dicotomia já tão clara 23 séculos atrás.

O maior desafio para uma explicação teleológica, especialmente quando aplicada ao Universo como um todo, é que não temos como determinar se está correta ou não. Como medir uma "intenção cósmica"? O método científico baseia-se no que chamamos de "validação empírica", em que qualquer hipótese científica precisa ser testável através de experimentos, de modo que cientistas possam determinar se é falsa. Enquanto a hipótese passa nos testes a que é sujeita, devemos considerá-la válida. Por outro lado, mais cedo ou mais tarde, toda hipótese acaba por falhar.[18] Portanto, se alguém afirma que o "Universo tem um propósito", precisamos primeiro identificar que propósito é este (Criar estrelas? Criar vida?) para então verificar se, de fato, ele funciona ativamente. Um exemplo popular nesse contexto concerne à vida consciente: "O Universo tem como propósito criar vida inteligente." Vemos que um Universo-Criador não é tão diferente de um Deus-Criador, sendo apenas uma transposição de uma teleologia sobrenatural (a Criação como obra divina) para uma teleologia supranatural (a Criação além das leis naturais). Essa transposição, em que o Universo passa a ser o Criador, é típica de nossa era, quando os inúmeros triunfos da ciência rendem explicações de fenômenos naturais baseadas na revelação pela fé cada vez mais implausíveis e desnecessárias. Em um mundo de videofones, de aparelhos de GPS e de viagens interplanetárias, um Universo-Criador tem mais credibilidade científica do que um Deus-Criador. Um Universo que intencionalmente cria entidades conscientes reflete, de forma moderna, a antiga necessidade de não sermos apenas criaturas especiais — o que, certamente, somos —, mas *criações especiais*, como nos ensinamentos bíblicos, nos quais o homem é criado à imagem de Deus.

A menos que os "Criadores" enviem uma mensagem explícita explicando suas intenções (como, aliás, Deus fez várias vezes no Antigo Testamento), fica difícil determinar se existe propósito na Natureza. Esse tipo de teleologia naturalista representa o que chamo de um incognoscível categórico: se existe um propósito cósmico, mas não temos ciência dele ou meios concretos para identificá-lo, nada podemos fazer para provar que existe. Temos, no caso, duas opções: ou não acreditamos por falta de evidência, ou, como Platão fez com seu Demiurgo, acreditamos mesmo sem provas.

Quando Aristóteles, o discípulo mais famoso de Platão, entrou em cena, suas intenções eram diametralmente opostas às de seu mestre. Aristóteles, sendo mais pragmático, tentou erguer uma estrutura racional com argumentos interdependentes capazes de explicar como o mundo funciona em todos os níveis. As ideias de Aristóteles serão adotadas entusiasticamente pela Igreja, em particular o seu verticalismo cósmico, onde a Terra ocupava o centro da Criação. Aristóteles sugeriu que o arranjo vertical das quatro substâncias básicas — terra, água, ar e fogo, nesta ordem — explicava o movimento natural dos objetos: bastava um objeto estar fora de seu meio que tenderia naturalmente a retornar a ele. Por exemplo, uma pedra suspensa no ar cairia (retornando, assim, à terra), enquanto uma bolha de ar submersa em um lago subiria (retornando, assim, ao ar). Já o fogo tende naturalmente a subir acima de tudo.

Aristóteles considerava as Formas e o Demiurgo de seu mestre como meras abstrações, sugerindo que o movimento inerente das coisas encontrava-se nelas mesmas, nas suas "naturezas". Sua teleologia, portanto, era embutida nos objetos, sendo dependente da sua composição material, inspirada pelos seres vivos e seu ímpeto interno de movimento. Apesar de seu pragmatismo, Aristóteles também incluiu um princípio divino em seu cosmos. Mesmo que seu Universo não tivesse um Criador e fosse eterno, ele invocou divindades cuja função era cuidar dos movimentos celestes, os que "movem-sem-serem-movidos". Essas divindades imateriais eram imunes a causas físicas, capazes de iniciar movimentos através de uma "aspiração ou desejo" igualmente misteriosos. Como o cosmos de Aristóteles refletia uma hierarquia vertical, com a Terra no centro cercada pelas esferas responsáveis por carregar as luminárias celestes em suas órbitas, a mesma hierarquia era refletida nos que "movem-sem-serem-movidos", com o Primeiro Movedor na periferia cósmica. Sua função era impor os movimentos cósmicos de fora para dentro, uma espécie de Relojoeiro-Mor, o responsável por iniciar a cadeia causal que animava o Universo por inteiro.[19]

Aristóteles precisava do seu conjunto de movedores-imóveis e do Primeiro Movedor para resolver dois desafios que surgem quando tentamos explicar a física do movimento: o que causa o movimento dos objetos e o que os mantém em movimento. De que outra forma podia explicar tanto o movimento inicial quanto sua persistência por toda a eternidade? O que lhe faltava, hoje sabemos, era a noção de *inércia*, a tendência natural de um corpo de permanecer em seu estado de movimento, a menos que seja forçado a alterar esse estado por um agente externo ou interno. Por exemplo, um patinador no gelo, com pouca fricção, continuará a deslizar em linha reta a menos que freie; uma pessoa sentada só se move se botar os músculos para funcionar. Parece óbvio, mas seriam necessários ainda muitos séculos até que o conceito de inércia surgisse.

Sendo eterno, o cosmos de Aristóteles era mais simples do que um cosmos que tenha surgido em um determinado momento do passado, como na narrativa bíblica ou, mais concretamente, no modelo do Big Bang da cosmologia moderna. Como mencionamos, um Universo com uma origem temporal precisa de uma explicação causal que a justifique. Em primeiro lugar, por que o Universo existe? E o que causou sua existência? Religiões diversas tendem a explicar esse enigma supondo uma divindade criadora que existe fora dos limites impostos pelas leis da Natureza. Mesmo que muitos cientistas argumentem que a física moderna — em particular a mecânica quântica — possa explicar a origem cósmica, o fato é que explicar a origem do Universo apenas através da ciência é um enorme desafio conceitual. Promulgar publicamente que a ciência hoje pode fazê-lo não só é incorreto e irresponsável como demonstra uma ignorância alarmante do que a ciência pode ou não fazer ou sobre como ela funciona. Toda ilha é cercada por um horizonte. A Ilha do Conhecimento não é uma exceção.

Voltando a Aristóteles, vemos que seu objetivo era tirar a filosofia da caverna de Platão, dissolvendo a distinção entre o mundo das Formas abstratas e o mundo da percepção sensorial. Mudanças na Terra e na sua vizinhança são consequência de transformações ocorrendo entre as quatro substâncias básicas. Ao ascendermos aos céus, entramos em um outro domínio, o das esferas celestes, responsáveis por carregar a Lua, o Sol e os cinco planetas em suas órbitas em torno da Terra. (Mercúrio, Vênus, Marte, Júpiter e Saturno eram os únicos planetas conhecidos até a descoberta de Urano, em 1781.) Objetos celestes eram completamente distintos daqueles encontrados na Terra, sendo compostos de uma quinta essência, o éter, perfeito e imutável. Apesar da profunda diferença com o esquema platônico, o cosmos de Aristóteles também mantinha uma estrutura dualista, no caso entre o domínio sublunar da matéria ordinária e o domínio celeste dos mundos etéreos. Também encontramos uma teleologia divina, agora incorporada nos movedores-imóveis, entidades imateriais porém capazes de agir sobre o cosmos. Com sua separação entre o mundo terrestre e o celeste, o cosmos de Aristóteles será o arcabouço da teologia medieval cristã.

Nos séculos seguintes, vários modelos baseados no geocentrismo de Aristóteles foram propostos para explicar as irregularidades dos movimentos celestes. Pois como os sumérios já sabiam, os planetas não têm órbitas simples: basta seguir o movimento de Marte nos céus por uns meses para ver que, ocasionalmente, o planeta vai para trás, aparentemente incerto sobre qual direção tomar. Tal movimento, conhecido como *movimento retrógrado*, era uma verdadeira dor de cabeça para os gregos, especialmente quando visto sob o ponto de vista geocêntrico. De acordo com Simplício da Cilícia, o filósofo e comentador de Aristóteles que viveu durante o século VI, Platão propôs aos seus discípulos que explicassem os movimentos retrógrados das várias luminárias celestes usando apenas círculos e velocidades uniformes, um desafio que ficou curiosamente conhecido como "salvar os fenômenos". (Em geral, cientistas não tentam salvar os fenômenos, mas sim suas teorias quando falham na descrição de fenômenos.) "E este é o maravilhoso problema dos astrônomos: usando certas hipóteses, provar que todas as coisas nos céus têm movimento circular e que o movimento não uniforme de cada uma delas [...] é apenas aparente e não real."[20]

Vemos aqui como um preconceito teórico, quando suficientemente enraizado, pode tanto bloquear quanto inspirar a criatividade, que tenta engendrar cenários viáveis respeitando os vínculos existentes. Se, por um lado, o sonho de Platão de um cosmos regido apenas por movimentos celestes circulares e uniformes tenha desorientado a astronomia por quase 2 mil anos; por outro, inspirou a invenção de modelos altamente sofisticados que procuravam explicar as irregularidades orbitais segundo essas condições. Dentre esses modelos, o de maior importância foi aquele de Ptolomeu usando epiciclos, proposto em torno do ano 150 e que sobreviveu, com modificações propostas por astrônomos islâmicos durante a Idade Média, até meados do século XVI.

Resumidamente, um epiciclo é um círculo preso a um círculo maior. Imagine que a Terra ocupe o centro do círculo maior. Imagine, também, um epiciclo preso a esse círculo maior e a Lua presa a este epiciclo. Quando o círculo maior gira, o epiciclo gira com ele, como uma cadeira em uma roda gigante. Mas essa cadeira é especial e pode também dar uma volta completa em torno de si mesma. (Ou seja, o epiciclo também gira.) A combinação desses dois movimentos giratórios, do círculo maior e do epiciclo, gera uma curva encaracolada, que pode simular movimentos retrógrados. Ptolomeu propôs que cada planeta tivesse o seu próprio círculo maior e o seu epiciclo, cada qual com o tamanho adequado para imitar, da melhor forma possível, os movimentos retrógrados observados pelos astrônomos.

Infelizmente, esse esquema não funcionou: as previsões das posições futuras dos planetas não casavam com as observações. Ptolomeu viu-se forçado a adicionar uma pequena modificação ao modelo citado para que fosse capaz de prever com precisão suficiente a posição futura das luminárias celestes. No seu novo modelo, os epiciclos giravam em torno de um ponto imaginário, localizado ao longo do diâmetro do círculo maior, um pouco além do centro. Esse ponto, chamado *equante*, era o novo centro das órbitas celestes. Cada planeta tinha o seu equante, que Ptolomeu ajustou para que seu modelo funcionasse. Com isso, obteve enorme precisão, sendo capaz de prever a posição futura (ou passada) de um planeta com erro menor do que a região que a Lua cheia ocupa no céu.

Ptolomeu e a maioria de seus seguidores islâmicos não acreditavam que os epiciclos fossem reais. Para eles, eram apenas ferramentas que permitiam que as posições futuras das luminárias celestes fossem calculadas com boa precisão. Esse ponto de vista se reflete nos escritos do grande filósofo medieval aristotélico Moisés Maimônides:

> Tudo isso não afeta o astrônomo, pois sua missão não é explicar a natureza real das esferas [celestes], mas apresentar um sistema astronômico capaz de render o que vemos com nossos olhos como produto de movimentos circulares e uniformes, independentemente de sua veracidade.[21]

Ou seja, embora a contemplação dos movimentos celestes aproxime o homem de Deus, a missão da astronomia não é explicar a natureza das coisas, mas sim descrever os movimentos celestes conforme o que "vemos com nossos olhos", isto é, o que captamos através de observações. Existem, portanto, coisas que podem ser compreendidas — aquelas que apreendemos com nossos sentidos — e coisas que não podem ser compreendidas — as que estão além da percepção sensorial. Maimônides continua, argumentando que a natureza real dos céus é incompreensível aos homens:

> Pois nos é impossível tecer conclusões sobre os céus, já que estes estão não só longe em distância como, também, pela sua natureza inescrutável. E mesmo a conclusão geral a que podemos chegar sobre os céus, a saber, que provam a existência do Movedor, é algo cujo conhecimento não é atingível pelo intelecto humano. E fatigar a mente com noções que estão além de seu alcance, ou cujo alcance está além de sua capacidade, é ou um defeito de nascença daqueles que as perseguem, ou alguma forma de tentação.

É claro que aprendemos muito sobre os céus desde os tempos de Maimônides. Mas seria prematuro desprezar suas palavras como sendo antiquadas ou considerá-las derrotistas. Devemos reconhecer que, devido à natureza da busca pelo saber, cada era tem os seus incognoscíveis. A questão que devemos tratar, portanto, é se certos incognoscíveis são, de fato, incognoscíveis ou se, dado tempo suficiente, serão explicados. Será que toda pergunta tem resposta?

Se os epiciclos eram considerados meros artefatos matemáticos, as esferas cristalinas que transportavam os objetos celestes em suas órbitas eram consideradas reais. Talvez nenhuma ideia na história da astronomia tenha sobrevivido por tanto tempo. A primeira menção ("com a aparência de gelo") é atribuída a Anaxímenes, discípulo de Anaximandro, também membro da escola iônica dos pré-socráticos de Mileto. De acordo com o historiador Aécio, "Anaxímenes dizia que as estrelas estavam fixas como pregos em uma superfície com a aparência de gelo, formando assim os padrões que vemos".[22]

Mesmo que alguns defendam que foi Empédocles e não Anaxímenes quem primeiro propôs a existência de esferas revolvendo em torno da Terra, sabemos que, ao chegarmos a Platão e, certamente, ao modelo de seu discípulo, Eudóxio de Cnido, esferas celestes eram a essência da maquinaria cósmica. Até mesmo Copérnico, dezoito séculos mais tarde, estava convencido de que os planetas eram transportados em suas órbitas por esferas cristalinas. Sua obra-prima de 1543, na qual propõe que o Sol, e não a Terra, era o centro do cosmos, tem o título *Sobre as revoluções das esferas celestes*. Não é difícil justificar a persistência das esferas celestes nesses primeiros modelos cósmicos. Sem elas, como explicar o movimento dos objetos celestes? Como explicar que ficavam suspensos nos céus sem cair sobre a Terra, como o resto dos objetos à nossa volta? Na época, a única explicação aceita para a ação da gravidade vinha de Aristóteles, que, como vimos, dividiu o cosmos em dois domínios, cada qual com a sua "física". Ao construir um cosmos que "salvava os fenômenos", Aristóteles usou nada menos do que 59 esferas. Copérnico sabia que tinha um enorme desafio conceitual — criar uma nova física que explicasse o funcionamento de um cosmos onde a Terra era um mero planeta, como Marte ou Saturno. Sabia, também, que não tinha os meios para resolver o problema.

Ao mover o Sol para o centro do cosmos, Copérnico deu início a um enorme cataclismo, uma redefinição da ordem celeste aristotélica que reinava incólume por quase 2 mil anos. O novo arranjo requeria novas explicações, uma nova ciência que Copérnico não tinha ainda como criar. Segundo a física aristotélica, a Terra era o atrator de todos os movimentos materiais, a causa da queda dos objetos ao solo. Já nos céus, as esferas estavam encarregadas de transportar os planetas, a Lua, o Sol e as estrelas em torno do centro em movimentos circulares (incluindo, após Hiparco e Ptolomeu, os epiciclos). Com a Terra relegada a um planeta, como explicar a queda dos objetos? Por que não caíam no Sol, se era ele o novo centro? Para complicar, o Sol e todas as luminárias celestes eram supostamente feitos de éter, enquanto a Terra era feita das quatro substâncias. O éter era eterno e imutável: nada mudava nos céus. Os aristotélicos atribuíam até mesmo asteroides e cometas a distúrbios atmosféricos, ou "meteoro-lógicos".[23] Como que a Terra, que não era feita de éter, podia ter o mesmo status dos outros planetas? Que física poderia explicar essa confusão celeste?

Os problemas também eram de natureza teológica. O novo arranjo planetário removia a verticalidade do cosmos aristotélico que a Igreja havia adotado com tanto entusiasmo. No arranjo geocêntrico, era natural que o homem olhasse para os céus com encantamento, já que era lá o domínio de Deus e de sua corte de anjos e santos. Até o inferno foi deposto de sua posição central, revolvendo agora junto à Terra pelos céus. Vemos por que Martinho Lutero foi um dos primeiros a condenar Copérnico: "Ouvi falar de um novo astrólogo que quer provar que a Terra está em movimento e que gira em torno de si mesma e não os céus em torno dela [...] o tonto quer virar a arte da astronomia de cabeça para baixo."[24]

Copérnico não queria uma revolução. Ao contrário, queria tanto retornar aos ideais platônicos e "salvar os fenômenos" que propôs um cosmos baseado em uma estética centrada no círculo como ideal de beleza e simetria. Era contra o equante de Ptolomeu, já que este impunha irregularidades nos movimentos celestes, que não ocorriam em torno de um centro comum. Copérnico estudou na Itália alguns anos antes de Michelangelo pintar a Capela Sistina e foi influenciado pela nova estética da Renascença. Para ele, o sistema heliocêntrico oferecia uma visão harmônica, uma ordem ausente no sistema de Aristóteles. Seu sistema do mundo ancorava-se no modelo de Filolau, em que o fogo central dos pitagóricos tinha o papel principal, o foco de onde a luz celeste emanava. O modelo de Copérnico dava asas ao sonho de Platão, ao mesmo tempo que servia aos ideais estéticos da Renascença, um cosmos construído em torno da beleza e da simetria, que prestava pouca atenção a novos dados astronômicos. Copérnico fez poucas observações, fiando-se principalmente nas observações de Ptolomeu e de seus sucessores islâmicos, obtidas séculos antes.

A diferença essencial entre Copérnico e seus predecessores era com relação à realidade de seu arranjo cósmico: para ele, o sistema heliocêntrico não era apenas uma ferramenta matemática; era uma descrição do verdadeiro arranjo dos céus. Com Copérnico, a astronomia passa a ser um espelho da realidade física, cuja missão era revelar a verdade sobre os céus. Se não toda a verdade, ao menos a fração dela que podemos perceber com nossos sentidos e instrumentos. Essa é uma mudança crucial de postura; a ciência passa a ter como missão um compromisso com a realidade. A função do astrônomo não é apenas descrever, mas também explicar.

Apesar disso, a revolução copernicana propriamente dita só terá início seis décadas após a publicação do livro de Copérnico, principalmente devido ao trabalho de Galileu e de Kepler. O fator determinante da criatividade de ambos foi um enorme influxo de dados e observações astronômicas propiciadas por novos instrumentos: a vida de Galileu — e o futuro da astronomia — mudaram por completo após ele ter apontado seu telescópio para os céus; e a astronomia física de Kepler não teria sido possível sem os dados altamente precisos do astrônomo dinamarquês Tycho Brahe.

5 Instrumentos transformam visões de mundo

(Onde descrevemos a obra de três cavalheiros excepcionais que, com acesso a novos instrumentos de exploração e dotados de incrível criatividade, transformaram nossa visão de mundo)

No outono de 1608, um telescópio construído na Holanda chegou às mãos de Galileu. Antes disso, Tycho Brahe havia passado as três últimas décadas do século XVI medindo com enorme cuidado e precisão os movimentos dos planetas nos céus. Usando sua vasta riqueza pessoal, adicionada de fundos vindos da corte do rei Frederico II, que em 1576 doou-lhe uma ilha inteira — "com todos os discípulos da coroa e servos que lá habitam, com aluguel e impostos devidos [...] em perpetuidade, enquanto se dedicar aos seus *studia mathematics*"[25] —, Tycho construiu uma série de instrumentos astronômicos com precisão inédita até então. Nesses dias, que pré-datam a invenção do telescópio, a astronomia era praticada inteiramente a olho nu, usando quadrantes, sextantes, astrolábios e outros instrumentos capazes de medir a posição dos corpos celestes nos céus. Na prática, os instrumentos mediam a posição angular dos objetos na abóbada celeste, de forma semelhante à latitude e longitude que usamos aqui na Terra.

Ao olharmos para o céu em uma noite sem Lua e longe das luzes da civilização, vemos uma multidão de estrelas (não mais do que alguns milhares) que parecem manter suas distâncias mútuas, como se estivessem pregadas na abóbada celeste. Com o passar do tempo, notamos que o céu inteiro gira lentamente do leste ao oeste. A imobilidade aparente das estrelas inspirou nossos ancestrais a atribuírem significado aos padrões que parecem criar: as constelações. Mesmo que mitologias diferentes tenham criado significados distintos para uma enorme variedade de arranjos estelares, o impulso de extrair mensagens dos céus faz parte de todas as culturas humanas. Na verdade, e em uma ilustração clara de como nossa percepção sensorial é capaz de nos iludir, as estrelas sequer estão paradas no céu — algumas têm velocidades de milhares de quilômetros por hora —, nem arranjadas em um domo, como se os céus fossem a cúpula de uma igreja. De fato, estão distribuídas pelo espaço tridimensional, muitas vezes a distâncias de milhares de anos-luz uma da outra. Tal como um avião que, quanto mais alto voa mais lentamente parece se mover quando visto do chão, as estrelas visíveis estão tão distantes que aparentam estar em repouso. A visão que temos do céu como um domo estrelado é semelhante à parede da caverna de Platão, uma ilusão causada pela nossa limitada percepção da realidade. (Neste caso, porém, supostamente sem alguém que manipule as imagens atrás do palco.) [26]

Para quem vive no Hemisfério Norte, uma fotografia de exposição longa revela um céu que parece girar em torno de uma única estrela, a Estrela Polar (Polaris). Na verdade, quem gira é a Terra e não o céu: a Estrela Polar está alinhada (por ora, ao menos) com o Polo Norte da Terra. Passados milhares de anos, esse alinhamento circunstancial vai ficando menos pronunciado. A Terra revolve em torno do seu eixo feito um pião inclinado, dando uma volta completa em 26 mil anos, um movimento conhecido como precessão dos equinócios.

Passaram-se milhares de anos até que a noção, certamente contraintuitiva, de que a Terra gira em torno de si própria fosse finalmente aceita. Se alguém sugerisse a rotação terrestre como explicação alternativa do movimento dos céus, os aristotélicos responderiam que se a Terra girasse nuvens e pássaros ficariam para trás; o mesmo ocorreria com uma pedra atirada para cima. Com exceção de alguns poucos pensadores gregos, como Heráclides e Ecfanto, a rotação da Terra só será retomada com firmeza por Copérnico.

Para medir as posições relativas dos planetas e das estrelas, astrônomos dividem a esfera celeste em dois hemisférios, bissectados (separados) pelo equador terrestre. A Estrela Polar está no topo (zênite) do Hemisfério Norte. A elevação acima ou abaixo do equador é chamada de "declinação" (semelhante à latitude na superfície da Terra). Portanto, a Estrela Polar tem declinação de +90°. Em analogia com a longitude terrestre, que marca a distância ao longo do círculo equatorial a partir de um ponto fixo em Greenwich, na Inglaterra, a posição ao longo do círculo do equador celeste é chamada de "ascensão reta". Convencionalmente, o ponto de ascensão zero é marcado quando o Sol cruza o equador celeste durante o início da primavera (o ponto conhecido como equinócio vernal).[27] Uma pequena complicação é que, em vez de ângulos, como é o caso da nossa latitude e longitude (como lemos em um GPS), a ascensão é medida em horas, minutos e segundos. Para conectar medidas de ângulos em graus com medidas em horas, astrônomos usam a rotação da Terra: como a Terra gira ao redor de si mesma, completando 360° em 24 horas, em uma hora gira 360°/24 = 15°; em um minuto, 15°/60 = 15" (15 arcos de segundo). Portanto, a ascensão correspondendo à posição angular de 15° é expressa como 1h (uma hora). Por exemplo, para encontrar a estrela Betelgeuse na constelação de Órion, deve-se buscar pela posição 5h52m0s ao leste do equinócio vernal (ascensão) e a 7°24' ao norte do equador celeste (declinação).

Voltando a Tycho Brahe, seus instrumentos permitiram-lhe medir posições planetárias com uma precisão inédita até então de apenas 8 arco-minutos.[28] Tycho sabia também que, para obter a forma das órbitas planetárias (será que eram mesmo circulares?), a precisão das medidas devia ser combinada com a frequência com que eram tomadas: quanto mais dados referentes à posição de um planeta nos céus, mais fácil seria determinar sua órbita. E foi assim, no dia 11 de novembro de 1572, quando retornava de seu laboratório de alquimia, que Tycho viu uma estrela na constelação de Cassiopeia que antes não estava lá. Ele conhecia essa e centenas de outras constelações como a palma de sua mão. A aparição brilhava tão intensamente que podia ser vista durante o dia. Tal fenômeno — uma estrela nova surgindo nos céus — era impossível, ao menos segundo a filosofia aristotélica, na qual os céus eram imutáveis: mudanças ocorriam apenas abaixo da esfera lunar. Qualquer distúrbio celeste era considerado meteorológico e, portanto, nas vizinhanças da Terra.

Armado com seus instrumentos, Tycho observou a nova aparição celeste até ela desaparecer de vista, em março de 1574. Suas conclusões foram revolucionárias, sacudindo o sistema de mundo prevalente na época: primeiro, a "estrela nova" estava mais distante do que a Lua; segundo, não era um cometa, pois não tinha uma cauda e não mudava de posição no céu. As observações de Tycho apresentaram o primeiro sério desafio observacional aos ensinamentos de Aristóteles. E temos muito que agradecer a Tycho: apenas aqueles pensadores dotados de grande coragem intelectual proclamariam publicamente que a ordem dos céus, que todos consideravam verdadeira por milênios, estava incorreta e que uma nova visão de mundo era necessária. A modernidade de Tycho era evidente em sua busca por observações de alta precisão, na sua insistência de que teorias sem suporte observacional são como conchas vazias, bonitas por fora mas sem o conteúdo que lhes dá a razão para existir.

Hoje, sabemos que Tycho avistou uma explosão de supernova, o fenômeno de morte de uma estrela de massa superior ao nosso Sol: o que imaginou ser uma estrela que nascia era, na verdade, uma estrela que morria. Seus instrumentos permitiram-lhe enxergar melhor do que todos antes dele; por outro lado, como ocorre com frequência na história da ciência — e um ponto central em nosso argumento —, sua visão continuava enturvada pelo tanto que não podia ver. O brado que proferiu exprimindo sua frustração com aqueles que duvidavam de seus achados servia perfeitamente a ele mesmo (e a todos que buscam pelo conhecimento): "Ó mentes opacas. Ó cegos observadores dos céus."

Os céus estavam extremamente ativos na época, como se quisessem provocar as mudanças que estavam por ocorrer. Em 1577, outra aparição inusitada pôs mais lenha na fogueira antiaristotélica: o grande cometa de 1577, visível por toda a Europa e observado por vários astrônomos do continente. Tycho viu-o pela primeira vez no dia 13 de novembro, quando retornava de uma pescaria logo antes do pôr do sol.[29] Observou o cometa por 74 dias, o que lhe permitiu obter dados bem precisos de sua órbita. Comparando seus dados com os de um astrônomo de Praga, Tycho concluiu que o cometa estava pelo menos três vezes mais distante da Terra do que a Lua. Fez isso usando uma técnica conhecida como *paralaxe*, muito útil quando queremos determinar a distância relativa entre objetos distantes.[30] Enquanto a Lua aparecia em posições diferentes para ele e seu colega de Praga, o cometa, mais distante, parecia estar praticamente no mesmo ponto do céu para os dois. Outros astrônomos confirmaram as observações de Tycho, criando mais problemas para a concepção aristotélica dos céus como sendo imutáveis.

Considerando que as descobertas de Tycho ocorreram três décadas após a publicação do livro de Copérnico, seria natural supor que o dinamarquês adotaria o sistema heliocêntrico com entusiasmo. Surpreendentemente, não foi o que ocorreu. Por razões físicas e teológicas, Tycho recusou o sistema de Copérnico, criando outro em seu lugar, um esquema um tanto estranho, mas ainda assim consistente com os seus dados. No sistema de Tycho — uma espécie de híbrido entre o geocêntrico dos aristotélicos e o heliocêntrico de Copérnico — a Terra continuava a ocupar o centro da Criação, com a Lua e o Sol revolvendo à sua volta. Porém, o resto dos planetas girava em torno do Sol. Tycho mediu a posição de certas estrelas em épocas diferentes do ano, tentando mostrar que a paralaxe confirmava o movimento da Terra em torno do Sol. Porém não viu qualquer mudança na posição das estrelas: se a Terra tivesse algum movimento em torno do Sol, em épocas diferentes do ano estrelas mais próximas apareceriam em posições diferentes, enquanto as mais longes apareceriam praticamente no mesmo lugar. O fracasso de Tycho é perfeitamente compreensível, dado que é impossível medir esse tipo de paralaxe a olho nu, devido às enormes distâncias até as estrelas mais próximas. (Apenas no século XIX a paralaxe estelar foi observada.) Para complementar o argumento em prol do modelo híbrido que propunha, Tycho também não podia entender que tipo de física justificaria um cosmos onde o Sol ocupava o centro e a Terra girava à sua volta como outro planeta qualquer.

Por outro lado, Tycho eliminou as esferas cristalinas da astronomia, após um reinado de quase vinte séculos. Em seu modelo assimétrico do sistema solar, algumas esferas se superpunham parcialmente a outras. Fora isso, se cometas viajavam além da Lua, certamente atravessariam tais esferas em suas órbitas, estilhaçando-as como balas em uma vidraceira. Para dar sustentação aos planetas, um cosmos sem esferas cristalinas apresentava um novo problema para os filósofos naturais: como manter as luminárias celestes nos céus? Confiante nos seus dados, Tycho optou por um cosmos sem esferas cristalinas. A física viria depois. Mas, para tal, precisava de um arquiteto, alguém com habilidade matemática única para provar que seu modelo correspondia ao arranjo real do cosmos. Precisava de Johannes Kepler.

* * *

Poucos personagens na história da ciência são tão fascinantes quanto o brilhante e neuroticamente intenso astrônomo alemão, que em seus momentos mais obscuros se imaginava nada mais do que um vira-lata quando na verdade era um gigante intelectual como poucos. Emocionalmente marcado pela sua família altamente disfuncional, vítima das virulentas disputas entre católicos e luteranos que varreram a Europa Central durante as primeiras décadas do século XVII, Kepler olhou para os céus em busca de uma ordem que a vida insistia em negar-lhe.[31]

Kepler foi contratado como assistente de Tycho em 1600. Após várias crises com a corte dinamarquesa, Tycho havia se estabelecido em Praga como matemático imperial de Rodolfo II, que reinava daquela cidade. Como não podia deixar de ser, Tycho continuou vivendo em esplendor, agora em seu castelo situado em Benatky, uma pequena cidade a cerca de 30 quilômetros de Praga.

Ficou logo claro para ambos que seus objetivos eram bem diversos. Enquanto Tycho queria que Kepler usasse suas observações para comprovar seu modelo assimétrico do cosmos, Kepler, um copernicano devoto, queria usá-las para comprovar o modelo heliocêntrico. Embora tenham colaborado por apenas dezoito meses, o confronto entre os dois teve dimensões épicas. Tycho não tinha o menor interesse em entregar o trabalho de toda a sua vida nas mãos do copernicano alemão. Kepler, por outro lado, mal podia esperar para começar. Após muitas disputas e confusões (veja meu romance *A harmonia do mundo* para mais detalhes), Tycho relutantemente cedeu a Kepler os dados do movimento de Marte. Sua intenção era confundir Kepler: sabia que Marte tinha uma órbita excêntrica, isto é, que desviava acentuadamente de um círculo perfeito.[32] A missão de Kepler era explicar a órbita imperfeita de Marte usando apenas movimentos circulares, consistentes com os dados de Tycho.

Kepler explorou os dados de Tycho com impaciência e otimismo juvenis, afirmando que precisaria de apenas duas semanas para deduzir a órbita de Marte. Foram quase nove anos até que publicasse seu livro *Astronomia nova*, no qual demonstra que a órbita de Marte tem a forma de uma elipse. Para chegar a essa conclusão, que contrariava 2 mil anos de astronomia, Kepler se apegou aos dados de Tycho com unhas e dentes. Após anos tentando uma variedade de formas aproximadamente circulares, incluindo ovais e mesmo usando epiciclos, Kepler resolveu aplicar o equante de Ptolomeu ao Sol, deslocando-o ligeiramente do centro das órbitas planetárias. O modelo quase funcionou, não fosse por uma disparidade de apenas 8 arco-minutos, isto é, uma fração de apenas 8/60 de um grau (ou 2/15 de um grau). A maioria dos cientistas teria aceito o resultado, declarando que o modelo era uma excelente aproximação dos dados. Mas não Kepler. Ele sabia que podia melhorar seu modelo e que apenas assim honraria a precisão dos dados de Tycho.

Kepler continuou tentando até que se deparou com a elipse. Já a havia considerado antes, mas preferiu deixá-la de lado, visto que era radical demais como solução para o problema das órbitas. Às vezes, a solução do problema está na nossa frente e simplesmente não estamos preparados para aceitá-la. O novo muitas vezes assusta. Nas mãos de Kepler, os dados meticulosos de Tycho irão provocar uma profunda revolução no conhecimento humano. Poucos exemplos na história da ciência ilustram tão claramente o poder catalisador de dados de alta precisão, capazes de forçar uma nova visão de mundo. Na história de Tycho e Kepler, vemos o potencial transformativo da aliança entre observação e teoria. Parafraseando a famosa frase de Einstein sobre ciência e religião, "dados sem teoria são vazios; teoria sem dados é cega".

Kepler não parou por aqui. Para causar uma revolução na astronomia, tinha que ir além de uma mera justificação do modelo de Copérnico usando os dados de Tycho: tinha, também, que prover uma nova física que justificasse o arranjo celeste. O subtítulo de seu livro revela sua posição: *Uma nova astronomia baseada na causalidade, ou uma física dos céus obtida das investigações do movimento da estrela Marte a partir das observações do nobre Tycho Brahe*. Uma "nova astronomia baseada na causalidade, ou uma física dos céus"! Ao contrário de seus antecessores, Kepler não buscava apenas uma astronomia descritiva. Convencido de que os movimentos planetários eram causados por forças atrativas entre o Sol e os planetas, queria explicar as observações astronômicas como consequência de leis físicas. Sua posição era realmente revolucionária: pela primeira vez na história da astronomia, as órbitas planetárias eram vistas como consequência de causas físicas, resultantes de forças agindo através da vastidão do espaço.

Inspirado na obra de William Gilbert, o médico da corte da rainha Elizabeth I que descreveu a Terra como um ímã gigantesco, Kepler sugeriu que a força entre o Sol e os planetas fosse de origem magnética. Ora, raciocinou Kepler, se a Terra é um ímã, o Sol também deve ser. Isso explica como uma força atrativa entre o Sol e os planetas pode atuar no espaço vazio entre eles, mesmo se separados por grandes distâncias. Em 1605, Kepler escreveu: "Meu objetivo é mostrar que a máquina celeste é como um mecanismo de relógio e não um organismo divino [...] em que a enorme variedade de movimentos é consequência de uma única força de origem magnética..." A ideia de que os movimentos planetários são consequência de causas físicas terá um papel essencial no pensamento de Isaac Newton, em particular na sua teoria da gravitação universal, desenvolvida no final do século XVII.

Antes de deixarmos Kepler, menciono outro exemplo de sua incrível modernidade, ainda no título de seu livro: "[...] uma física dos céus [...] obtida das observações [...]" Mesmo que, com frequência, seu misticismo pitagórico o remetesse a devaneios infundados sobre o arranjo cósmico, Kepler soube discernir a importância essencial dos dados como árbitros finais das teorias que criamos para descrever a Natureza. Isso pode nos parecer óbvio hoje, mas certamente não o era então. Kepler deve ser visto como uma ponte entre o velho e o novo, um profeta de uma nova era. Mas não estava sozinho. Em 1609, o ano em que publicou o seu *Astronomia nova*, outro visionário estava pronto para declarar o seu copernicanismo, agora da distante Itália.

* * *

Em 1610, um ano após a publicação do livro de Kepler, Galileu Galilei publicou o seu *Siderius Nuncius*, em geral traduzido como "Mensageiro das estrelas". Nesse pequeno livro, Galileu tentou transformar a visão cósmica prevalente em sua época. Para tal, fez uso de um novo instrumento, que lhe permitiu enxergar mais longe e de forma mais nítida do que qualquer outro antes dele: o telescópio. E o que viu revelou um céu de inusitada beleza e complexidade, radicalmente distinto do arranjo aristotélico de esferas etéreas circulando por toda a eternidade em um firmamento imutável. Da mesma forma que os instrumentos de Tycho permitiram-lhe medir os céus com uma precisão única, com seu telescópio Galileu pôde ver os céus com uma clareza sem precedentes. Como ocorre com frequência na história da ciência, um novo instrumento de observação revelou aspectos completamente inesperados da realidade física. No caso do telescópio, essas observações forçaram uma nova visão de mundo. Muitas vezes, a Ilha do Conhecimento cresce de forma imprevisível, expandindo em direção ao desconhecido ao mesmo tempo que algumas de suas regiões vão sendo soterradas por novas descobertas.

Em outubro de 1608, o artesão de lentes holandês Hans Lipperhey procurou obter uma patente para assegurar os direitos do telescópio que havia construído. (A patente não foi autorizada.) Galileu recebeu um exemplar de presente de um amigo diplomata e logo percebeu seu enorme potencial de uso. Produzindo e polindo suas próprias lentes, em julho de 1609 construiu um telescópio com poder de magnificação de três vezes. Em agosto, doou um instrumento com poder de magnificação de oito vezes ao Senado de Veneza, o que lhe valeu uma posição permanente como professor na Universidade de Pádua com salário dobrado. Em outubro, apontou um telescópio com poder de magnificação de vinte vezes para o céu. Galileu não foi o único a ter essa ideia. Na Inglaterra, Thomas Harriot observou a Lua com um instrumento com magnificação de seis vezes em agosto. Porém Harriot não publicou suas descobertas e poucos sabem delas.[33] A fama do telescópio deve-se a Galileu e aos seus estudos meticulosos, que irão criar um novo modo de se fazer astronomia.

Muitos volumes foram escritos sobre o conflito entre Galileu e a Igreja católica. Eu mesmo conto a história em detalhe no capítulo 4 de meu *A dança do universo*. Aqui, nosso foco será no impacto de suas descobertas e no papel essencial de Galileu como criador da metodologia empírica que fundamentará a ciência moderna.

No *Mensageiro das estrelas* (parece claro que Galileu se via neste papel profético), Galileu descreve as três descobertas principais que fez com seu telescópio, todas contradizendo os ensinamentos de Aristóteles: a superfície da Lua, longe de ser perfeita, é repleta de montanhas e crateras, sendo, portanto, mais parecida com a superfície da Terra do que com uma esfera perfeita e constituída de éter; apontando seu telescópio na direção do aglomerado de Plêiades e da constelação de Órion, viu pelo menos dez vezes mais estrelas do que aquelas visíveis a olho nu, concluindo que o aspecto nebuloso da Via Láctea e de outras "nebulosas" era uma ilusão; viu, também, que Júpiter tinha quatro satélites, batizados astutamente de "estrelas de Medici", tentando seduzir Cosimo II de' Medici, o grão-duque da Toscana, a virar seu patrono.

Essas descobertas, junto a outras que fez mais tarde, como as fases do planeta Vênus e a existência de manchas solares, convenceram Galileu de que Copérnico estava correto e Aristóteles errado.[34] Mesmo que por si sós essas observações não fossem prova definitiva do arranjo de Copérnico (o modelo de Tycho também era consistente com elas), como seria a observação da paralaxe, Galileu decidiu que eram robustas o suficiente para serem reveladas ao mundo, ao mesmo tempo que argumentava com os líderes da Igreja de que era hora de mudarem sua visão geocêntrica do cosmos, baseada em uma interpretação literal da Bíblia. A audácia de Galileu acabou valendo-lhe a ira da Inquisição: ele foi condenado à prisão domiciliar após ter sido forçado a renunciar seu copernicanismo.

Apesar de sua modernidade e ímpeto revolucionário, em sua astronomia Galileu mostrava um conservadorismo um tanto surpreendente. Por exemplo, nunca adotou as órbitas elípticas de Kepler ou a noção de que os movimentos celestes eram consequência de forças agindo entre os planetas e o Sol. Adaptando ideias do acadêmico Jean Buridan — ativo na Universidade de Oxford durante o século XIV —, Galileu propôs uma estranha lei de inércia circular para justificar os movimentos planetários em torno do Sol. (Para Galileu, os movimentos circulares eram os únicos naturais nos céus, ecoando não outro pensamento que o de Aristóteles.) A partir dessa lei, fez uma extrapolação para uma lei de inércia linear: "Um corpo em movimento sobre uma superfície plana continuará na mesma direção a menos que seja perturbado." (Imagine, por exemplo, um patinador no gelo, deslizando sobre a superfície lisa de um lago congelado.) Mais tarde, Newton irá adaptar essa lei em sua primeira lei do movimento, porém introduzindo uma modificação essencial, o conceito de força: "A menos se sujeito à ação de uma força não balanceada, um objeto mantém velocidade constante." Aliás, a palavra "inércia" aparece pela primeira vez no livro de Johannes Kepler, *Epítome da astronomia copernicana*, publicado em três partes entre 1618 e 1621. Nessa obra-prima da revolução astronômica, Kepler generaliza suas órbitas elípticas para todos os planetas e testa suas fórmulas usando os dados de Tycho. Para ele, inércia representava a resistência de um objeto ao movimento, a partir de um estado de repouso (semelhante ao uso coloquial de inércia como sinônimo de preguiça).

Para Kepler e Galileu, o cosmos permanecia fechado, contido na esfera das estrelas fixas. Kepler considerava a possibilidade de um universo infinito abominável: "Essa cogitação parece carregar consigo algum tipo de segredo ou terror oculto; vemo-nos vagando na imensidão do espaço, perdidos, sem que haja um centro e, portanto, qualquer lugar determinado."[35]

Kepler acreditava que um cosmos criado por Deus deveria ter ordem e simetria, e não ser infinito e sem forma. Chegou até a equacionar o cosmos com a Santíssima Trindade: o Sol, no centro, seria o Pai; a periferia das estrelas fixas seria o Filho; e o espaço entre os dois, pleno de luz proveniente do Sol (de Deus), seria o Espírito Santo. Para evidenciar seu argumento teológico, sugeriu que um cosmos infinito contradizia as observações, citando a supernova de 1604 como exemplo (conhecida como "Supernova de Kepler", a última a ser vista a olho nu): aqueles que defendiam um cosmos infinito argumentavam que a "estrela nova" tornou-se visível ao descer das profundezas do espaço, desaparecendo ao retornar ao seu lugar de origem. Kepler ridicularizou essa hipótese, argumentando que estrelas não se movem. Ademais, propôs que um cosmos infinito deveria ser homogêneo — tendo o mesmo aspecto em todas as direções —, algo que era claramente falso, dados os arranjos das estrelas em constelações. (Hoje, sabemos que as estrelas se movem, mesmo que não necessariamente subindo e descendo das profundezas do espaço. Sabemos, também, que o cosmos é homogêneo, mesmo que essa aproximação só seja válida quando tomamos distâncias muito maiores do que as que Kepler e seus contemporâneos poderiam contemplar.)

É possível que Kepler e especialmente Galileu tenham defendido a finitude cósmica ao menos em parte devido ao trágico fim de Giordano Bruno, que, em 1600, morreu queimado em Roma pela Inquisição. Apesar de a condenação de Bruno ter sido causada mais por motivos teológicos do que pelo seu copernicanismo — por ter sugerido, por exemplo, que Jesus não era filho de Deus, mas sim um mágico muito habilidoso, ou que o Espírito Santo fosse a alma do mundo —, sua defesa de um cosmos infinito e das estrelas como outros sóis colidia com a centralidade da Terra e a crença de que a humanidade era favorecida por Deus.

Após Kepler e Galileu terem aberto as portas para um novo cosmos, a próxima grande transição na concepção da realidade ocorrerá nas mãos de Isaac Newton, que não só desenvolveu uma teoria da gravidade precisa e aplicável a qualquer objeto no Universo como também abriu o domo celeste, argumentando pela extensão infinita do espaço. Nenhuma outra mente até então havia causado tal expansão na Ilha do Conhecimento. E poucas o fariam depois.

6 Despedaçando a redoma celeste

(Onde exploramos o gênio de Isaac Newton e sua física, emblema do intelecto humano)

Galileu morreu em 1642, o mesmo ano em que Newton nasceu. Para sorte de Newton, o iconoclasta italiano não havia restringido seu trabalho aos céus. Na Terra, também, ruiu as fundações do sistema aristotélico, provando, para a surpresa de muitos e o desgosto da Igreja, que as aparências, de fato, enganam. Em sua descoberta mais espetacular, Galileu revelou um aspecto inusitado da gravidade. Mesmo hoje, quando leciono sobre a gravidade mostrando, em particular, como nossa intuição nos engana, vejo o olhar incrédulo de meus alunos, que custam a acreditar no que veem. Aristóteles dizia, e o senso comum parece confirmar, que objetos têm um movimento natural em direção ao seu "lugar de origem". Os "lugares de origem" foram organizados hierarquicamente, de acordo com os quatro elementos básicos. De baixo para cima: terra, água, ar e fogo. O arranjo faz bastante sentido, já que vemos uma pedra suspensa no ar (ou na água ou no fogo) cair naturalmente ao chão quando é largada, enquanto o fogo sobe resolutamente pelo ar. Em consequência desse arranjo, Aristóteles concluiu que, quanto mais pesado um objeto, mais rápido ele cai ao chão: a gravidade responderia à constituição do objeto, sendo mais potente para aqueles mais pesados. E por que não, visto que uma pena cai muito mais lentamente do que uma pedra?

Em uma série de experimentos brilhantes, Galileu mostrou que a intuição aristotélica estava equivocada. Todos os objetos, independentemente do peso, formato ou constituição, caem exatamente da mesma forma. Diferenças nos tempos de queda se devem à fricção do ar ou a pequenas variações nos tempos de largada. Mais precisamente, podemos afirmar que todos os objetos caem da mesma forma (com a mesma aceleração) no vácuo (na ausência de ar), embora a distinção entre peso e massa tenha que esperar por Newton.

Galileu descreveu a cinemática dos objetos em queda, medindo quanto tempo demoravam para cair de certa altura. Para quantificar seus experimentos, teve uma ideia genial: deixou bolas rolarem de planos inclinados, variando o ângulo de inclinação para controlar sua velocidade (como uma bola descendo ladeiras diferentes). Com isso, podia contar quanto tempo uma bola demorava para rolar do alto de planos com diferentes inclinações, mesmo antes da invenção do relógio: para marcar a passagem do tempo, usou o seu pulso, marchas musicais (seres humanos podem marcar ritmo com enorme precisão) e até água caindo em um balde (o volume da água coletada no balde é proporcional ao tempo que passou). Para resolver de vez a questão, Galileu realizou mais dois experimentos históricos: em um deles, deixou bolas de chumbo e de madeira caírem do alto da Torre de Pisa, mostrando que chegavam praticamente ao mesmo tempo, mesmo que as bolas de chumbo fossem muito mais pesadas.[36]

O outro foi realizado bem antes, na catedral de Pisa, em 1602. Em meio à missa, a atenção de Galileu fixou-se sobre o coroinha que acendia as velas do candelabro. Galileu notou que o candelabro, após o coroinha tê-lo largado, oscilava de forma regular. Passou a medir o tempo que o candelabro demorava para ir e vir. Para sua surpresa, mesmo que a amplitude das oscilações diminuísse aos poucos, o tempo de uma oscilação completa (o *período* de oscilação) permanecia aproximadamente o mesmo. (Isto é apenas verdade para oscilações de pequena amplitude, como em um relógio de parede.) Mais tarde, Galileu mostrou que o período de oscilação é independente da massa do objeto: quando largados da mesma posição (o mesmo ângulo em relação à vertical) e na ausência de ar, pêndulos pesados ou leves oscilam com o mesmo período. O que, finalmente, determina o período de um pêndulo é o comprimento da corda que o sustenta e o valor da gravidade no local onde o movimento ocorre. (Nos experimentos de Galileu, ou em qualquer outro local na superfície da Terra, a gravidade é aproximadamente a mesma.)

Dado que o movimento pendular é uma espécie de queda controlada, o fato de objetos com massas diferentes oscilarem com o mesmo período é consistente com os experimentos com bolas que rolam em planos inclinados ou que são largadas do alto da Torre de Pisa: cair é um exercício democrático, onde todas as massas são tratadas com igualdade. As diferenças que vemos quando, por exemplo, uma pena e um fusca caem de 20 metros de altura vêm da fricção do ar. Durante sua visita à Lua, o astronauta americano da missão Apolo 15, David Scott, deixou cair um martelo e uma pena para testar os resultados de Galileu na ausência de ar. O vídeo do experimento lunar é imperdível. Mesmo que o resultado não seja surpreendente para aqueles que conhecem a física da queda livre, ver uma pena e um martelo caírem ao mesmo tempo parece um truque mágico.[37] O mais incrível é que não é. A única mágica aqui se deve à inventividade humana, capaz de desenvolver teorias sobre como funciona o mundo e de testá-la em outros.

Enquanto Kepler obtinha as primeiras leis matemáticas descrevendo as órbitas planetárias, Galileu obtinha as primeiras leis matemáticas descrevendo o movimento nas vizinhanças da Terra. A partir daí, tornou-se possível estudar a Natureza de forma racional, combinando dados observacionais com descrições matemáticas. Tanto Kepler quanto Galileu chegaram aos seus resultados após terem analisado cuidadosamente os dados que tinham ao seu dispor, obtendo o que chamamos de *leis empíricas*, formulações matemáticas que descrevem quantitativamente as observações. Dentre outras coisas, aprendemos com eles que a precisão experimental é essencial para vislumbrar a ordem matemática que existe na Natureza: Kepler, com sua insistência na análise daqueles 8 arco-minutos nos dados de Tycho Brahe, e Galileu, com seus experimentos de queda livre.

As ciências físicas requerem uma metodologia que emprega instrumentos de alta precisão e equações matemáticas. As equações descrevem uma possível tendência dos dados. (Por exemplo, como a distância ao chão diminuir com o tempo em uma queda de uma certa altura.) Uma medida é um número; uma sequência de medidas pode indicar uma tendência. O papel do cientista é descobrir se existe alguma tendência nos dados colhidos, explorando regularidades e expressando-as através de equações matemáticas que podem, então, ser aplicadas a sistemas semelhantes. Por exemplo, as leis de Kepler descrevendo o movimento planetário funcionam para qualquer objeto em órbita, neste ou em qualquer outro sistema planetário (contanto que a gravidade local não seja muito forte e exista apenas uma estrela como centro de atração), enquanto os resultados de Galileu sobre a queda dos objetos são válidos em qualquer campo gravitacional (constante).

Newton entra em cena como o grande unificador, o homem que conectou a física da Terra com a física dos céus. Em sua lei universal da gravitação, Newton mostrou que a lei de Galileu descrevendo a queda de objetos e as leis de Kepler descrevendo as órbitas planetárias são, em essência, expressões da mesma física, resultante da atração gravitacional entre dois corpos. Com isso, Newton aproximou os céus da Terra, permitindo que mentes humanas pudessem explorar os mistérios do cosmos. Se as leis de seus antecessores expressavam comportamentos regulares nos céus e na Terra, sua lei gravitacional expressava uma coesão no funcionamento da Natureza sem precedentes na história do pensamento. Sendo um alquimista devoto, Newton deve ter celebrado o fato de a sua lei expressar o famoso aforismo do Tábua de Esmeralda — considerado o código fundamental da alquimia, supostamente de autoria do legendário Hermes Trismegistus: "Aquilo que está acima encontra-se também abaixo."[38] Para Newton, existia uma complementaridade essencial entre os princípios matemáticos da filosofia natural, a busca alquímica da união entre a matéria e o espírito, e o papel de Deus como Criador e mantenedor da ordem universal.

Os mecanismos do relógio cósmico, dos planetas mais distantes até a maçã que cai ao chão, obedecem a uma série de regras fixas, expressas em uma única equação. Não é, portanto, surpreendente que Newton seja considerado o grande arquiteto da ciência moderna, o homem que, mais do que qualquer outro antes dele, encarna o poder da razão para desvendar os segredos do mundo natural.

O que muitos esquecem é que Newton não era um exemplo típico do físico teórico, enclausurado no mundo acadêmico buscando por leis matemáticas. Que ele era um recluso enquanto jovem, evitando ao máximo contatos sociais, mesmo com seus colegas acadêmicos, é fato bem documentado em diversas biografias. O que talvez seja menos conhecido é o seu lado experimentador, que devotou longas horas ao estudo das propriedades da luz e, com fervor dobrado, à busca alquímica das transformações materiais e espirituais. Em breve, voltaremos às explorações alquímicas de Newton. Na ótica, Newton desvendou a natureza da luz visível — mostrando que é uma superposição de (infinitas) cores, entre o violeta e o vermelho do arco-íris — e inventou um novo tipo de telescópio, bem superior ao telescópio refrator que Galileu havia usado décadas antes. Com seu telescópio "refletor", Newton obteve imagens com maior resolução e com menos distorções de cor conhecidas como "aberrações". O telescópio refletor, usando um espelho curvo para focar a luz em um ponto, e dirigindo-a de lá ao olho do observador, catapultou Newton à fama, ainda antes de sua descoberta das três leis do movimento e da lei universal da gravitação. Em 1669, com apenas 27 anos, Newton era o segundo na Universidade de Cambridge a ocupar a cátedra de professor lucasiano de matemática, que continua ativa ainda hoje. O famoso físico Stephen Hawking ocupou-a de 1979 até 2009; hoje é ocupada por Michael Green, conhecido por seu trabalho na teoria de supercordas.

Em dezembro de 1671, Isaac Barrow, o primeiro professor lucasiano e admirador de Newton, levou o telescópio refletor a Londres para mostrá-lo aos membros da reputada Royal Society, uma organização cuja missão era (e é) fazer avançar o conhecimento científico da Natureza. Um mês após a visita de Barrow, Newton foi eleito membro, selando sua entrada na elite científica inglesa. Com a fama, entretanto, veio maior exposição — e, com maior exposição, vieram os ciúmes e a competição profissional, jogos em que Newton, ao menos inicialmente, não estava disposto a participar. Apenas após a publicação do *Principia* — sua obra-prima, na qual descreve e aplica as leis do movimento e da gravitação, considerada um dos grandes feitos da história intelectual da humanidade — é que Newton voltou à esfera pública, então coberto pelos louros da glória.

Com exceção de poucos escolhidos, como o pioneiro da química moderna Robert Boyle, Newton manteve suas explorações alquímicas sob sigilo absoluto. O mesmo com suas explorações teológicas, que também ocuparam enorme parte de seu tempo, mais ainda do que a ciência ou a alquimia. Porém, era inevitável que sua nova teoria do mundo atraísse a atenção não só dos cientistas, mas também a de toda a intelectualidade europeia. Uma teoria que explica a dinâmica celeste a partir de forças invisíveis que se manifestam desde os menores objetos até os confins do Universo necessariamente seria de interesse dos teólogos. Qual o crente que não veria a ação de um Deus onipotente e onipresente na operação universal da gravidade? Conforme Newton explicou em carta a Richard Bentley, o teólogo da Universidade de Cambridge com quem se correspondeu sobre a intepretação de sua teoria, apenas um cosmos infinito faria justiça ao poder infinito de Deus. Mesmo antes da correspondência com Bentley, Newton já sugeria, no Escólio Geral do *Principia*,[39] como interpretar sua teoria teologicamente: "[Deus] existe sempre e em todas as partes e, existindo sempre e em todas as partes, constitui a duração temporal e a extensão espacial."

A teoria de Newton despedaçou a redoma celeste, estendendo o espaço ao infinito. Sua visão inspirava beleza e um terror profundo, agora que vivíamos em um cosmos com incontáveis mundos "situados a distâncias enormes entre si", a Terra nada mais do que um grão precário, sem uma posição que podemos considerar especial e confortante, perdida na vastidão de um cosmos sem centro. Décadas antes de as ideias de Newton terem atingido a esfera pública, o matemático e filósofo francês Blaise Pascal, ecoando Kepler, antecipava a angústia existencial que um cosmos infinito e eterno provocaria nas pessoas — "O silêncio eterno desses espaços infinitos me aterroriza":

Quando considero a curta duração da minha vida, engolida pela eternidade que passou e passará antes e após o pequeno intervalo que preencho, ou que possa ver, engolfado pela imensidão infinita de espaços que me são inescrutáveis e que não me conhecem, tenho medo, e me surpreendo de estar aqui e não acolá, agora e não antes ou depois. Quem me pôs aqui? Quem deu a ordem e direção para que este espaço e este intervalo de tempo sejam ocupados por mim?[40]

Ainda hoje o terror de Pascal reflete a reação de muitos quando se deparam com as revelações da ciência que, três séculos mais tarde, confirmou de forma extraordinária a vastidão espacial e temporal do cosmos. Se não através da religião, conforme Pascal propõe em sua defesa do cristianismo, como encontrar sentido em uma existência tão efêmera?

7 A ciência como a grande narrativa da natureza

(Onde argumentamos que a ciência é uma construção humana cujo imenso poder vem de sua abrangência e flexibilidade)

Newton, Galileu e Kepler buscavam esse sentido existencial ao tentar entender a Natureza. Muitos dos que os seguiram fizeram o mesmo. Se Deus foi o criador do Universo e das suas leis, tentar desvendar os segredos de Seu trabalho era um ato de devoção: a maior aspiração da mente humana, imbuída de uma motivação religiosa e armada com as ferramentas da matemática e com dados de alta precisão, era decifrar o plano divino da Criação. Mesmo hoje, cientistas que são, também, pessoas de fé, reconciliam sua crença e sua ciência dessa forma, argumentando que, quanto mais aprendem sobre a Natureza, mais admiram a obra divina. E muitos daqueles que não professam qualquer tipo de fé sucumbem à noção da unidade de todas as coisas como essência fundamental da Natureza e motivação principal de seu trabalho científico, conforme explorei em meu livro *Criação imperfeita*.

Vimos como a atividade científica se transformou nas mãos de Galileu, Kepler e Newton. Vimos, também, como a ciência passou a depender cada vez mais de instrumentos de exploração e como os limites do que podemos saber sobre o mundo são reflexo da eficiência desses instrumentos. Na nova ciência, as regularidades da Natureza devem ser expressas através de leis matemáticas, obtidas a partir de observações detalhadas dos fenômenos naturais. A cada descoberta, a Ilha do Conhecimento cresce. No entanto, cresce também o conjunto daquilo que é desconhecido, as novas perguntas que cientistas são capazes de formular sobre o mundo.

O método teve tal eficiência que, em 1827, apenas cem anos após a morte de Newton, o conhecimento científico havia se transformado profundamente. Novos conceitos, como energia e leis de conservação, foram reconhecidos como parte essencial da narrativa da Natureza, assim como correntes elétricas e sua relação com o magnetismo. Lado a lado com o desenvolvimento da física, telescópios cada vez mais poderosos estudavam os céus. Em 1781, William Herschel adicionou mais um planeta ao nosso sistema solar, Urano; um número cada vez maior de cometas era visto cruzando o firmamento, enquanto nebulosas distantes revelavam uma riqueza deslumbrante de cores e formas. Os céus eram vibrantes e dinâmicos, cheios de surpresas. As intuições dos antigos sábios iônicos, de um Universo em constante fluxo e transformação, eram confirmadas a cada dia. Inevitavelmente, as intuições antagônicas dos eleáticos, de perfeição e imutabilidade, também ressurgiram com toda a força. Para dar sentido à narrativa cósmica, era necessário um balanço entre as noções de simetria, beleza e leis de conservação, de um lado, e de mudança, decaimento e renascimento, de outro.

Enquanto aumentava o conhecimento acumulado do mundo, aumentava, também, a percepção de nossa ignorância. Novos instrumentos permitiam uma enorme melhoria de nossa visão miópica, revelando tremenda variedade e riqueza em todos os níveis, do micro ao macro. Teorias, quando bem-sucedidas, podem prever a existência de novos objetos e mesmo de novas propriedades do mundo natural. Porém, toda teoria tem limites e é incapaz de "enxergar" além deles. Com muita frequência, ao ampliarmos nossa visão da Natureza com novos instrumentos, ficamos pasmos com o tanto que não conhecemos ou com o que fomos incapazes de prever com nossas teorias. Um exemplo clássico se deu no século XVII, com o mundo do muito pequeno, quando os holandeses Zaccharias Jensen e Anton van Leeuwenhoek inventaram e aperfeiçoaram o microscópio, aproximadamente na mesma época em que Galileu estudava os céus com o seu telescópio. Em particular, após ter encontrado bactérias examinando amostras de sujeira que havia tirado de seus dentes, Van Leeuwenhoek revelou um novo universo microscópico pleno de formas de vida que ninguém havia antecipado.

A descoberta de criaturas vivas de tamanho tão diminuto gerou uma série de perguntas novas: "Qual o tamanho mínimo de um ser vivo? Qual a diferença entre matéria viva e não viva? Como surgiu a vida?" Questões antigas sobre a extensão e a idade do cosmos foram ecoadas no outro extremo: "Qual o tamanho mínimo da matéria viva? Por quanto tempo pode existir? Será que nossa mortalidade é pré-ordenada por Deus? Ou será que é uma consequência natural da vida?" A possibilidade de que a vida tenha surgido sem a mediação de um ser divino era mais uma ameaça ao poder criador de Deus. Newton revelou o mesmo tipo de preocupação sobre a natureza da gravidade — material ou não? — conforme escreveu em sua quarta carta a Richard Bentley:

> É inconcebível que matéria bruta e inanimada (sem a mediação de algo que não é material) possa afetar e operar sobre outras formas de matéria sem um contato mútuo [...] Que a gravidade seja inata, inerente e essencial à matéria [...] é, para mim, tal absurdo que não acredito que um homem que tenha competência em questões filosóficas possa contemplá-la.[41]

Newton claramente defendia que a gravidade não poderia ter uma explicação material, visto que a matéria inerte é, afinal, inerte. Existe algo de intangível na matéria, que dá origem à sua atração gravitacional. Newton deve ter suposto que Deus tinha algo a ver com isso, mesmo que tenha sido cauteloso (e um pouco contraditório) em seu último comentário a Bentley sobre o assunto: "A gravidade deve ser causada por um agente agindo constantemente segundo certas leis. Mas se esse agente é material ou imaterial é uma questão que deixo para a consideração de meus leitores."

A partir de Newton, forças agindo em todas as distâncias, do mundo subatômico ao astronômico, vêm fornecendo explicações pragmáticas para o comportamento de corpos materiais, os "comos" que descrevem a fração do que observamos do mundo com nossos sentidos e instrumentos de exploração. Na nova "filosofia experimental", usando o termo introduzido por Newton para a nova física, onde "não há lugar [...] para o que não é deduzido dos fenômenos", não cabe a especulação metafísica.[42]

Até hoje, esse é o credo da ciência. Em uma descrição ontológica do mundo natural a partir de forças fundamentais agindo sobre entidades materiais, não existe uma explicação para a causa dessas forças ou do porquê de sua existência: massas atraem outras massas com uma intensidade que cai com o quadrado da distância entre elas; cargas elétricas atraem ou repelem outras cargas com o mesmo tipo de intensidade. Essa formulação permite aos físicos descrever o comportamento de massas e cargas em um enorme número de situações. Mas não sabemos *o que é* uma carga elétrica ou *o que é* massa, ou por que algumas entidades fundamentais da matéria, como elétrons e quarks, têm tanto massa quanto carga. Esses atributos de entidades materiais, descobertos através de instrumentos de observação, são rótulos que usamos para distinguir suas propriedades físicas. Massa e carga não existem *per se*; existem apenas como parte da narrativa que nós humanos construímos para descrever o mundo natural. Da mesma forma que, quinhentos anos atrás, esses conceitos não existiam, provavelmente serão superados por outros daqui a quinhentos anos. Em outras palavras, se outras inteligências existirem no cosmos, sem dúvida terão também explicações sobre os fenômenos que observam. Mas supor que seus conceitos sejam idênticos aos nossos é lamentavelmente preconceituoso e antropocêntrico, pois pressupõe que existe algo de universal nas descrições que inventamos.

* * *

O estudo da matéria e de suas interações transformou-se radicalmente após a introdução e disseminação do conceito de "campo" como ferramenta descritiva — uma nova ontologia. Durante o século XX, as partículas de matéria passaram a ser vistas como flutuações localizadas de campos fundamentais, minúsculas protuberâncias energéticas que surgem e desaparecem repentinamente, como bolhas em uma sopa fervendo. Segundo tal interpretação, as partículas deixam de ser entidades isoladas e passam a pertencer ao seu campo, este sim a entidade fundamental. Embora nossa compreensão da matéria e de suas interações tenha avançado enormemente com o uso de campos como o novo substrato da realidade física, devemos ainda interpretá-los como outro tipo de descrição — não como a explicação definitiva do que sejam massas e cargas ou de como se comportam. Podemos afirmar apenas que, segundo nosso conhecimento atual, massas e cargas são propriedades mensuráveis das excitações energéticas dos campos fundamentais que associamos a partículas. É essencial ter em mente que o sucesso da explicação atual não exclui a possibilidade de que outra ainda melhor venha a ser proposta no futuro. De fato, dado o que sabemos de como o conhecimento científico avança, temos razão para supor que este será o caso: como vimos, o elétron de cem anos atrás era muito diferente do elétron de hoje; e o elétron de hoje será diferente do elétron do século XXII.[43]

Vamos retornar ao final do século XIX, cerca de duzentos anos após a ciência de Newton ter redefinido nossa visão de mundo, transformando o conhecimento da Natureza. Essa revolução ocorreu devido à incrível criatividade de inúmeros cientistas que realizaram experimentos cada vez mais abrangentes e precisos. Como exemplo, se em 1865 o teórico escocês James Clerk Maxwell mostrou matematicamente que dezenas de descobertas aparentemente desconexas sobre as propriedades da eletricidade e do magnetismo eram, na verdade, manifestações diversas de um único campo eletromagnético, em 1886 o alemão Henrich Hertz confirmou experimentalmente a previsão de Maxwell que predizia que as ondulações do campo eletromagnético propagavam-se pelo espaço, transportando energia e momento. (Sabemos que ondas transportam energia e momento; basta ficar na frente de uma em uma praia; o que Hertz mostrou foi que ondas eletromagnéticas também têm essa propriedade, se bem que com sutilezas.) Logo em seguida, Hertz mostrou que as ondulações eletromagnéticas propagavam-se com a velocidade da luz, confirmando outra previsão de Maxwell. Teoria e experimento formaram uma parceria essencial para o progresso da ciência. Para distanciar ainda mais as novas explorações da antiga filosofia natural, o termo "ciência" começou a ser usado. O venerado dicionário da língua inglesa publicado pela Universidade de Oxford data o primeiro uso da palavra "cientista" em 1834.

O cientista busca conhecer o mundo natural utilizando uma metodologia específica, o método científico baseado em hipóteses e sua validação experimental. Seu objetivo é claro: descrever os fenômenos da Natureza usando explicações racionais, verificáveis experimentalmente e aprovadas pelo consenso da comunidade científica. Especulações são permitidas quando levam a previsões testáveis através de experimentos. Como o próprio Newton havia assinalado, não existe espaço na ciência para especulações metafísicas. Uma separação drástica foi erigida entre a antiga filosofia natural e a nova ciência: aqueles que ousam questioná-la, retornando a especulações metafísicas em seu trabalho científico, o fazem sob grande escrutínio. De fato, a maioria dos pesquisadores nas ciências físicas explora questões de natureza bem prática, como as propriedades da matéria condensada, das partículas elementares de matéria, dos fluidos e dos plasmas, e dos objetos celestes, desde planetas e estrelas até as galáxias e seus aglomerados.

Apesar disso, o desenvolvimento da cosmologia e da física quântica durante os séculos XX e XXI força muitos cientistas — ao menos aqueles com interesses em uma temática de caráter mais fundamental — a confrontar questões de natureza metafísica que ameaçam comprometer a "confortável" separação entre ciência e filosofia. Infelizmente, a maioria dos cientistas que se manifesta publicamente sobre suas especulações metafísicas o fazem de forma superficial e muitas vezes incoerente, criando mais confusão e sensacionalismo do que conhecimento. Quando cosmólogos famosos pronunciam que "A filosofia é inútil" ou que "A cosmologia quântica prova que Deus não é necessário", apenas ajudam a piorar as coisas. Para entendermos como essa situação embaraçante surgiu e usá-la em nossa exploração dos limites do conhecimento, devemos, antes, visitar algumas das ideias essenciais da cosmologia moderna, do Big Bang ao multiverso.

8 A plasticidade do espaço

(Onde exploramos as teorias da relatividade especial e geral de Einstein e suas implicações para a nossa compreensão do espaço e do tempo)

No dia 7 de novembro de 1919, os cidadãos de Londres acordaram com as manchetes dramáticas do jornal *The Times*: "Revolução na Ciência. Nova Teoria do Universo. Ideias de Newton Estão Ultrapassadas." Três dias mais tarde, nos EUA, o *New York Times* relatou: "Luzes Distorcidas nos Céus; Homens de Ciência Mais ou Menos Perplexos com os Resultados das Observações do Eclipse. A TEORIA DE EINSTEIN TRIUNFA. As Estrelas Não Estão Onde Achamos ou Calculamos Que Estejam. Mas Não é Necessário se Preocupar." Da noite para o dia, as notícias transformaram Einstein em um *superstar*. Dois times de astrônomos confirmaram a previsão de sua teoria da relatividade geral, observando um eclipse total do Sol na costa oeste da África e na cidade de Sobral, no Ceará.

Em sua teoria, Einstein propõe um novo modo de se pensar a gravidade. Descartando a ação a distância da teoria de Newton, Einstein sugeriu que a gravidade, sua atração universal, se deve à curvatura do espaço em torno de um corpo massivo. O espaço tornou-se elástico, deformável de acordo com a quantidade de matéria (e/ou energia) que existe em certa região: corpos com massa pequena criam deformações pequenas à sua volta, enquanto aqueles com mais massa criam deformações maiores. Portanto, se em torno de uma pessoa a deformação do espaço é imperceptível (mesmo que existente), em torno do Sol é bem maior.

O teste realizado pelos astrônomos durante o eclipse mediu o desvio da luz vinda de estrelas distantes ao passar na vizinhança do Sol. O teste foi realizado durante o eclipse, pois assim a luz do Sol (que é coberto temporariamente pela Lua) desaparecia quase por completo, permitindo que os astrônomos pudessem enxergar as estrelas e medir sua posição. Comparando com a posição das estrelas à noite, quando seus raios de luz não passam na vizinhança do Sol, os astrônomos puderam então medir se o Sol de fato distorcia sua trajetória. Einstein usou sua teoria para calcular qual a mudança aparente na posição das estrelas causada quando o Sol se interpunha no caminho. Os resultados das medidas não foram extremamente claros, mas suficientes para confirmar a previsão de Einstein: as equações da teoria da relatividade geral podem ser usadas para calcular a deformação do espaço causada pela presença de uma massa. A luz de um objeto distante viajando em nossa direção terá sua trajetória desviada de acordo com os obstáculos que encontrar pelo caminho, sejam eles estrelas, galáxias ou qualquer outra coisa.

Em mais um teste de sua teoria, Einstein usou a curvatura do espaço em torno do Sol para explicar anomalias conhecidas na órbita do planeta Mercúrio. Enquanto a teoria de Newton falhava na explicação, a de Einstein mais uma vez triunfou. Não demorou para que a teoria da relatividade *geral* fosse merecidamente considerada um dos maiores triunfos do intelecto humano em toda a história.

A presença de matéria afeta não apenas o espaço, mas também a passagem do tempo. Na sua teoria da relatividade *especial*, formulada em 1905, Einstein mostrou que o espaço e o tempo não deviam ser vistos como entidades rígidas e absolutas, como na teoria de Newton. Logo ficou claro que o espaço e o tempo deveriam ser considerados partes de um todo, o "contínuo do espaço-tempo", não entidades separadas. O tempo passou a ser visto como uma quarta dimensão, ganhando um status semelhante (mas não igual) ao espaço. Portanto, é mais correto afirmar que a presença de matéria deforma o espaço-tempo. (Ou, em geral, a presença de energia, já que a matéria pode ser vista como uma forma de energia.)

A noção de um contínuo espaço-temporal é mais simples do que parece. Imagine que, em um determinado momento, você vê uma mosca voando e, cinco segundos mais tarde, você a mata. Quando você viu a mosca pela primeira vez, ela ocupava um ponto no espaço e seu "cronômetro-mosca" marcava zero segundo. Quando você matou a mosca, ela estava em outro ponto do espaço e cinco segundos tinham passado. Para determinar o local e o momento em que a mosca encontrou seu terrível fim, são necessários uma posição no espaço e um momento no tempo. Para transformar tempo em distância, multiplique o tempo por uma velocidade. Einstein escolheu a velocidade da luz, que, assumiu, era a maior possível na Natureza. No espaço vazio (ou vácuo), a velocidade da luz, representada pela letra "c", é de 299.792,458 quilômetros por segundo, que arredondamos para 300.000 quilômetros por segundo. (Por que "c"? Porque *celeritas*, em latim, significa velocidade. Note que *celeritas* é também a raiz da palavra aceleração.) Em um piscar de olhos, um raio de luz dá sete voltas e meia em torno da Terra. Se multiplicarmos uma medida de tempo, representada pela letra "t", pela velocidade da luz, obtemos o produto "ct", que tem unidade de distância. Um ponto em um espaço-tempo de quatro dimensões tem coordenadas (ct, x, y, z), onde x, y, e z são as locações de um ponto no espaço normal de três dimensões (norte-sul, leste-oeste, acima-abaixo). Uma sequência de pontos no espaço-tempo conta uma história — por exemplo, os cinco segundos transcorridos entre você ter visto a mosca e sua trajetória até tê-la matado.

Para construir seu argumento, Einstein focou sua atenção no observador, isto é, na pessoa (ou instrumento) tomando medidas de distância e de intervalos de tempo. Mostrou que dois observadores em movimento relativo obtêm resultados diferentes quando medem o mesmo intervalo de tempo ou distância no espaço. Na sua teoria da relatividade especial, Einstein concentrou-se em movimentos relativos com velocidades constantes, como um observador parado na calçada e outro em um carro viajando em linha reta a 60 quilômetros por hora, por exemplo. (A teoria geral incluirá movimentos acelerados, ou seja, com velocidades variáveis.) A teoria da relatividade especial nada mais é do que um método para que observadores em movimento relativo com velocidades constantes possam comparar seus resultados e resolver suas diferenças.

As discrepâncias são, em geral, minúsculas, determinadas pela razão da velocidade relativa entre os observadores (v) e a velocidade da luz (c), ou seja, v/c. Apenas movimentos em que a velocidade v se aproxima da velocidade da luz terão consequências mais óbvias. Mesmo que, nas velocidades do nosso dia a dia, tais diferenças sejam muito pequenas, elas existem, mostrando, mais uma vez, os equívocos da nossa percepção sensorial do mundo. Objetos encolhem na direção de seu movimento, enquanto relógios batem mais devagar. Por exemplo, um objeto a 60% da velocidade da luz aparece 20% mais curto. Para um relógio com a mesma velocidade, o tempo passaria 20% mais devagar. Com o aumento da velocidade, o objeto encurtaria ainda mais e o tempo passaria mais devagar até que, na velocidade da luz, o tempo pararia de passar e o objeto encolheria ao nada.

Felizmente, essa situação bizarra nunca ocorre. Einstein mostrou que outra grandeza física é afetada pelo movimento, a massa de um objeto: quanto maior a velocidade, maior a massa. Na velocidade da luz, a massa teria um valor infinito. Já que acelerar um objeto cuja massa cresce com a velocidade requer progressivamente mais energia, a teoria nos diz que é impossível para um objeto com massa atingir a velocidade da luz. Apenas algo que não tem massa é capaz de fazê-lo, como é o caso da própria luz. Fora isso, e para completar a bizarrice, a velocidade da luz em um determinado meio — digamos, ar, água, ou vácuo — é sempre a mesma, mesmo se sua fonte estiver em movimento. Isso é bastante contraintuitivo. Se chutamos uma bola contra o vento, ela terá velocidade menor do que se o vento estiver a favor. Se um goleiro corre com a bola na mão para então chutá-la, para os espectadores a velocidade da bola será a soma das duas, a do goleiro e a resultante do chute. A luz, entretanto, sempre viaja na mesma velocidade. Dizemos que a velocidade da luz é uma constante da Natureza, algo que nunca muda. Vemos que a teoria da relatividade é, na realidade, uma teoria de absolutos, de coisas que nunca mudam na Natureza: a velocidade da luz e as leis da física, sempre as mesmas para todos os observadores.[44]

A teoria da relatividade especial permite que observadores diferentes possam comparar seus estudos sobre fenômenos naturais, supondo que a velocidade da luz seja sempre a mesma e que é a maior velocidade possível para a transmissão de sinais (e, portanto, de informação). Se, na mecânica de Newton, o espaço e o tempo eram absolutos (os mesmos para todos os observadores) e não existia um limite para as velocidades, ao impor a velocidade da luz como limite de velocidades na Natureza Einstein nos força a abandonar a rigidez do espaço e do tempo. Retornando a Platão e sua Alegoria da Caverna, a teoria de Newton seria uma projeção na parede, uma ilusão que criaturas que desconhecem os efeitos da velocidade constante da luz percebem. Essa é a parede que determina a realidade em que vivemos, dado que não podemos perceber as correções vindas da velocidade da luz. Entretanto, e este é um ponto essencial para nós, a construção da realidade a partir da teoria da relatividade especial, mesmo que mais abrangente, não passa de outra projeção na parede da caverna, corrigida apenas quando incluímos observadores com movimentos acelerados, como fez Einstein em sua teoria da relatividade geral. E aqui também o que vislumbramos é mais uma projeção na parede.

A caverna tem muitas paredes, não sabemos — ou podemos não saber — quantas, uma dentro da outra como bonecas russas. Mesmo que cada nova teoria ofereça uma perspectiva única da natureza da realidade, o que vemos não passa de projeções na parede da caverna. Platão sonhara com uma caverna cuja saída levaria à luz da sabedoria perfeita. Mas nos parece mais prudente aceitar que tal saída não existe, que o conhecimento jamais poderá ser completo ou perfeito.

* * *

Como algo sem massa pode existir? A luz, talvez, seja o maior dos mistérios. O próprio Einstein, que tanto fez para elucidar as propriedades físicas da luz, frequentemente confessava sua perplexidade. Não sabemos como a luz é capaz de ondular através do espaço vazio, enquanto outras ondas, como as de água ou som, precisam de um meio material para lhes dar suporte. Não sabemos por que a luz tem a velocidade que tem ou por que é a maior velocidade possível na Natureza. O que podemos afirmar é que, até agora, nenhuma dessas hipóteses foi contrariada por observações. Como vimos, as propriedades da luz dão origem a efeitos extremamente bizarros: distâncias que encolhem, um tempo que passa mais devagar, uma massa que aumenta... todos esses efeitos foram confirmados em centenas de experimentos. A precisão do GPS no seu relógio de corrida ou no seu carro vem de correções baseadas tanto na teoria da relatividade especial quanto na geral. Fomos levados a uma nova forma de pensar sobre o espaço, o tempo e a matéria. E fomos levados a uma nova forma de pensar sobre o Universo. Mais uma vez, o primeiro passo foi dado por Einstein.

9 O universo inquieto

(Onde exploramos a expansão do Universo e o aparecimento de uma singularidade na origem do tempo)

"Se o espaço é plástico", pensou Einstein, "e se sua plasticidade responde à quantidade de matéria contida nele, se eu souber a quantidade total de matéria no cosmos e como está distribuída posso usar minhas equações para calcular a forma do Universo." Como já vimos, apenas um ano após ter publicado sua teoria da relatividade geral, Einstein deu um passo corajoso ao aplicá-la ao cosmos por inteiro. Tal como Newton havia feito com sua teoria da gravitação universal, Einstein extrapolou sua nova teoria da gravidade — testada apenas no sistema solar — para o Universo como um todo, confiante de que os mesmos princípios físicos seriam aplicáveis por todo o espaço. Para simplificar os cálculos, e como bom herdeiro de Platão, supôs que o espaço fosse estático e com a geometria de uma esfera. Como era impossível mapear em detalhes a distribuição da matéria em todo o Universo (imagine saber a posição de centenas de bilhões de galáxias com precisão), Einstein propôs que, em média, e tomados volumes suficientemente grandes, a matéria cósmica é distribuída da mesma forma. Ou seja, se consideramos uma região grande do cosmos, ela não será muito diferente de outra região com as mesmas proporções.[45]

A aproximação funciona apenas quando tomamos volumes gigantescos, com extensão de milhões de anos-luz e incluindo muitas galáxias. Matematicamente, isso significa que a densidade de matéria — a quantidade de matéria em um dado volume — é aproximadamente constante:

volumes maiores contêm mais matéria na mesma proporção. Nesse caso, e como as equações da teoria de Einstein determinam a geometria do espaço baseadas na distribuição de matéria, a geometria responderia a esse arranjo simples, sendo a mais simétrica possível — a saber, uma esfera. Einstein calculou o "raio" do cosmos esférico e, para dar estabilidade ao seu modelo, adicionou uma nova constante bem estranha, que hoje chamamos de "constante cosmológica". Apesar de não ter ficado muito satisfeito com a introdução de uma nova constante nas suas equações, Einstein sentiu-se justificado em fazê-lo, provando que sua teoria podia, ao menos em princípio, responder a uma das questões mais antigas da ciência: a forma do cosmos.

Em 1929, apenas doze anos após a publicação desse trabalho pioneiro na história da cosmologia moderna, tudo havia mudado. O astrônomo americano Edwin Hubble, através de observações meticulosas e de realização muito difícil, demonstrou que galáxias estavam se afastando da nossa Via Láctea com velocidades que cresciam proporcionalmente com sua distância: uma galáxia duas vezes mais longe afastava-se duas vezes mais rápido. Para obter esse resultado surpreendente, Hubble utilizou o maior telescópio da época, o refletor de 100 polegadas no topo do monte Wilson, nos arredores de Los Angeles.[46] Munido desse instrumento, pôde enxergar mais claro e mais longe do que seus colegas e rivais. Por volta de uma década antes, o americano Vesto Slipher havia mostrado que a luz proveniente de galáxias distantes parecia desviar-se em direção ao vermelho, quando comparada com a luz de outras mais próximas, um efeito conhecido como "desvio para o vermelho". Mas qual seria o seu significado?

A resposta havia sido encontrada no século XIX pelo físico austríaco Johann Christian Doppler, em uma situação bastante diferente. Toda onda é "esticada" quando sua fonte está se distanciando do observador (ou, equivalentemente, do observador da fonte). Basta ouvirmos uma ambulância se afastando que percebemos como o som da sirene fica mais grave (a frequência da onda sonora diminui). Quando a ambulância se aproxima, o som da sirene fica mais agudo (sua frequência aumenta). Doppler havia proposto esse efeito em 1842 e pôs uma banda de músicos viajando sobre um trem aberto para testá-lo em 1845.[47] O mesmo "efeito Doppler" aparece nas ondas de luz. A diferença entre um raio de luz azul e um vermelho está apenas na frequência da onda luminosa, a cor azul tendo frequência mais alta do que a vermelha. Portanto, quando astrônomos falam de "desvio para o vermelho", estão se referindo à diminuição na frequência da luz de uma fonte que se afasta de nós. Um desvio para o azul assinala o oposto — que a fonte está se aproximando. Graças a Doppler, uma associação um tanto implausível fica estabelecida entre o mundano e o grandioso: toda vez que você ouve uma ambulância se afastando, lembre-se dos bilhões de galáxias viajando para os confins do espaço.

Mais uma vez, um instrumento de maior precisão provocou uma revolução no conhecimento científico. Antes de Hubble, alguns teóricos haviam especulado que talvez o Universo não fosse estático, que pudesse mudar no tempo. O primeiro a fazer isso foi o holandês Willem de Sitter, que criticou o universo estático de Einstein: "[...] toda extrapolação é incerta [...] temos apenas uma foto do cosmos e não podemos ou devemos concluir [...] que tudo deve permanecer como no instante em que a foto foi tirada."[48] Buscando compreender o comportamento da matéria em um universo infinito, em 1917 De Sitter propôs um modelo rival ao de Einstein, no qual considerava o espaço destituído de matéria, isto é, praticamente vazio. Em seu modelo, a única contribuição para a geometria do espaço-tempo vinha da constante cosmológica que Einstein havia inventado. Resolvendo as equações ditadas pela teoria, De Sitter mostrou que, nesse universo hipotético, um objeto material se afastaria de um observador com aceleração cada vez maior.

Alguns anos mais tarde, o russo Alexander Friedmann, um meteorologista que havia se apaixonado pela teoria de Einstein, mostrou matematicamente que nada nas equações da teoria da relatividade geral forçava o universo a ser estático: a geometria cósmica podia tanto crescer como encolher no tempo, feito um balão de aniversário com mais ou menos ar. Nesse caso, a densidade de matéria também mudaria no tempo, decrescendo com a expansão (como ocorre se nos mudamos para um apartamento maior e nossa mobília ocupa menos espaço) e crescendo com a contração. A lei da expansão linear descoberta por Hubble (onde a velocidade de afastamento das galáxias aumenta proporcionalmente à sua distância) mostrou que Friedmann estava correto: não existia qualquer razão para impor um universo estático ou uma nova constante que garantisse sua estabilidade.[49]

A noção de um Universo em expansão tende a gerar muita confusão. A imagem (errada) que as pessoas têm é a de uma bomba explodindo, com as galáxias sendo os estilhaços atirados pelo espaço afora. O erro vem de pressupor que o espaço permaneça fixo, como o palco de um teatro, e que são as galáxias que se movem nele, como atores. O que ocorre é justamente o oposto: como se fora feito de borracha, é o espaço que está estirando, carregando as galáxias como se fossem rolhas flutuando em um rio. Somada a esse movimento natural, a atração gravitacional entre duas ou mais galáxias pode causar desvios locais, conhecidos como "movimentos peculiares". Por exemplo, a galáxia Andrômeda, nossa gigantesca vizinha, está em rota de colisão com a Via Láctea: cálculos baseados em dados obtidos com o Telescópio Espacial Hubble (outro instrumento revolucionário) indicam que uma colisão é provável em aproximadamente 4 bilhões de anos.[50]

A descoberta de Hubble deu novas asas à noção de que o espaço é mesmo plástico. Dos desvios na trajetória da luz em torno de estrelas — como o causado pelo Sol — até o Universo como um todo, vemos que a geometria do espaço, como havia proposto Einstein, responde à distribuição de matéria. As coisas ficam ainda mais interessantes quando nos perguntamos sobre o que ocorreu no passado cósmico: se o espaço está crescendo hoje, no passado as distâncias entre as galáxias eram menores. Quanto mais retornamos no tempo, menores vão ficando as distâncias até que, presumivelmente, chegamos a um momento em que as galáxias (ou a matéria do que são feitas) estavam todas espremidas no mesmo ponto do espaço. Mas isso é inconcebível! Como tudo que existe pode ocupar um simples ponto no espaço? A nossa perplexidade aumenta ainda mais quando nos lembramos de que pontos, sendo idealizações matemáticas, não ocupam lugar no espaço. Como lidar com esse dilema? A expansão descoberta por Hubble prevê que a história cósmica começou em um determinado momento do passado distante. Esse ponto é conhecido como "singularidade", em que nada faz muito sentido.

Durante a década de 1960, os físicos Stephen Hawking e Roger Penrose provaram matematicamente que, dadas certas suposições razoáveis sobre as propriedades da matéria, todo universo em expansão teve uma singularidade no seu passado. Isso cria um problema: como retornar no tempo implica um espaço com menor volume, a densidade da matéria aumenta com a contração espacial. Imagine o que ocorreria em um metrô entupido de gente se o vagão encolhesse até o tamanho de uma lata de sardinhas; e, então, até o tamanho de uma semente de melancia; e, novamente, até o tamanho de um átomo e assim por diante — obviamente, a densidade de matéria cresceria sem limites, atingindo um valor infinito na singularidade. Ao mesmo tempo, a curvatura do espaço, causada pela densidade de matéria, também chegaria a um valor infinito. O tempo deixaria de fazer sentido, pois a singularidade é atingida no início do tempo, "$t = 0$". Nenhuma teoria física sabe lidar com valores infinitos. E agora?

Quando matemáticos encontram uma singularidade (por exemplo, ao dividir um número por zero), exploram sua "vizinhança" para tentar encontrar uma saída. Se você não dividir um número por zero, mas por um número muito pequeno, a singularidade não é encontrada. Em outros casos, você escolhe um caminho que evita a singularidade e, mesmo assim, chega ao objetivo desejado, como quando nos desviamos de um buraco em uma estrada. Na física, uma singularidade indica um problema sério, em geral assinalando que a teoria em questão está sendo usada além do seu limite de validade. Algo de novo é necessário e este algo provavelmente envolve novos conceitos físicos, adequados a essas situações mais drásticas. Como ilustração, se usarmos a mecânica de Newton para descrever o movimento de objetos com velocidades próximas à da luz, obteremos resultados errados. Na ausência de movimentos acelerados, devemos usar a teoria da relatividade especial de Einstein. O mesmo ocorre com a gravidade: a teoria de Newton funciona excepcionalmente bem quando a força gravitacional não é excessiva.

Mas, na vizinhança do Sol, por exemplo, precisa ser modificada pela teoria da relatividade geral.

Nenhuma teoria é final ou completa, visto que novas situações extremas (ou imprevistas) requerem novas ideias que, com frequência, levam a novas teorias. Além disso, novas hipóteses requerem novos tipos de experimentos que, por sua vez, requerem novas tecnologias. Ter uma ideia é bem diferente de comprová-la no laboratório. Quando cientistas buscam por um efeito previsto por uma teoria, muitas vezes preferem achar algo inesperado, que os forçará a repensar suas suposições. A esperança é que esse algo leve a uma nova teoria. Por exemplo, a maioria dos físicos envolvidos na busca do famoso bóson de Higgs no Grande Colisor de Hádrons em Genebra, na Suíça, preferiria encontrar uma partícula diferente daquela prevista pelo Modelo Padrão da física de partículas elementares (o que não parece ser o caso). Mesmo que encontrar exatamente o que foi previsto seja sempre gratificante, pois dá validade à teoria original, encontrar algo de novo pode provocar uma revolução no conhecimento. A incerteza é a mola propulsora da criatividade.

A existência da singularidade cósmica indica a necessidade de uma nova física, capaz de ir além da teoria da relatividade geral de Einstein. Por outro lado, como próximo da origem do tempo as distâncias eram minúsculas, essa nova física precisa explicar como o espaço, o tempo e a matéria se comportam em escalas subatômicas: a física do muito grande (do Universo) encontra a física do muito pequeno. Essa é a província da "gravitação quântica", que resulta do casamento entre a relatividade geral e a física quântica. Vimos que o estudo da história cósmica nos força a investigar o comportamento dos menores constituintes da matéria e a questionar a estrutura do espaço e do tempo. De acordo com o conhecimento atual, as duas estão profundamente interligadas: não podemos compreender a origem do Universo antes de compreender como a física quântica influencia a geometria do espaço-tempo. Antes de explorarmos essa questão, precisamos investigar como a cosmologia moderna impõe limites ao conhecimento humano. Tudo começa com a noção do "agora" e as restrições impostas pela velocidade da luz.

10 O agora não existe

(Onde argumentamos que a noção do agora é uma
fabricação do aparato cognitivo humano)

O que ocorre quando você vê algo como este livro que está lendo agora?
Deixando de lado a questão de como o cérebro processa a informação
visual, vamos nos concentrar na transmissão de informação através da
luz. (Para simplificar as coisas, vamos considerar apenas a transmissão
de luz descrita pela física clássica, sem nos preocupar com como átomos
absorvem e reemitem fótons de luz.) Com a janela aberta ou a lâmpada
acesa — ou ambas —, a luz ricocheteia por todos os objetos da sala onde
estamos. Parte dessa luz colide com a superfície do livro que seguramos
e é tanto absorvida quanto refletida em várias direções. O papel e a tinta
usada na impressão absorvem e emitem luz de forma diferente. Uma fração dessa luz refletida viaja do livro aos nossos olhos e, graças à incrível
habilidade do cérebro em decodificar informação sensorial, vemos as
palavras impressas na página do livro.

Tudo isso parece ocorrer instantaneamente. Você afirma: "Estou
lendo esta palavra *agora*." Na realidade, as coisas não são tão simples.
Como a luz viaja com velocidade finita, ela demora um tempo para rico-
chetear no livro e chegar a seus olhos. Consequentemente, uma palavra
vista "agora" é, na realidade, vista como era momentos antes. Para ser
preciso, se você está segurando o livro a 30 centímetros de seus olhos,
a luz demora aproximadamente um nanossegundo para viajar do livro
aos seus olhos — ou um bilionésimo de segundo.[51] O mesmo ocorre

com todos os objetos à sua volta ou com uma pessoa com quem você conversa. Você a vê no passado.

Dê uma olhada em torno. Você acha que está vendo todos esses objetos ao mesmo tempo, "agora", mesmo que estejam a distâncias diferentes. No entanto, não é isso o que ocorre, pois a luz refletida de cada um deles demora um tempo diferente para chegar aos seus olhos. O cérebro integra as diferentes fontes de informação visual e, dado que as diferenças nos tempos de chegada da luz vinda dos vários objetos aos seus olhos são muito menores do que o cérebro pode processar, você não percebe a diferença. O "presente" — a soma de todos os estímulos sensoriais que dizemos estar ocorrendo "agora" — não passa de uma ilusão extremamente convincente.

Mesmo que impulsos nervosos viajem rapidamente através de fibras nervosas, sua velocidade é muito menor do que a da luz. Considerando que existem variações, dependendo do tipo de fibra nervosa e da pessoa, um valor médio razoável dessa velocidade é de 20 metros por segundo. Portanto, para cobrir uma distância de 30 centímetros, um impulso nervoso normal precisa de 15 milésimos de segundo. Como comparação, a luz viaja 300 mil quilômetros em um segundo — quase a distância até a Lua, que é, em média, de 370 mil quilômetros. (A distância até a Lua varia, já que sua órbita é elíptica, não circular.) Em 15 milésimos de segundo, enquanto o impulso nervoso cobre 30 centímetros, a luz viaja 4.500 quilômetros, aproximadamente a distância de Porto Alegre até Bogotá, na Colômbia. Vamos adotar esse intervalo de tempo, 15 milésimos de segundo, como um tempo típico de nossa agilidade sensorial para um experimento imaginário que ilustra bem a consequência dessas diferenças.

Imagine duas lâmpadas programadas para piscar juntas a cada segundo. Uma das lâmpadas está a 10 metros do observador e a outra pode ser deslocada para mais longe ou mais perto em um trilho reto alinhado na direção do observador. Imagine que vamos aumentando a distância entre as lâmpadas enquanto continuam piscando a cada segundo. Segundo nossa estimativa, o observador vai começar a perceber uma diferença no tempo em que as lâmpadas piscam quando a distância entre elas passar de 4.500 quilômetros, longe demais para que possamos enxergar a lâmpada que foi sendo afastada. Para distâncias menores, as lâmpadas parecerão piscar simultaneamente, mesmo que não seja o caso. Por isso, eventos que percebemos como simultâneos podem estar separados por enormes distâncias — como um carro passando na nossa frente e um urubu voando no alto da montanha, por exemplo.

Considere uma alternativa para esse experimento, que pode ser testada no laboratório: programe duas lâmpadas posicionadas lado a lado para que pisquem em instantes ligeiramente diferentes e meça quando o observador percebe alguma diferença. Se minha conjectura estiver correta, um observador típico começará a perceber uma diferença quando o intervalo entre as piscadas for maior do que aproximadamente 15 milésimos de segundo. Essa escala define o limite de simultaneidade visual para seres humanos.

Os argumentos acima levam a uma conclusão surpreendente: a sensação do presente existe porque nossos cérebros têm uma percepção limitada da realidade. Um cérebro artificial, dotado de uma percepção visual ultrarrápida, perceberia uma diferença no piscar das duas lâmpadas bem antes: para este cérebro, o "agora" seria uma experiência bem mais restrita, distinta da experiência humana. Portanto, além da relatividade da simultaneidade entre dois observadores em movimento que Einstein descreveu em sua teoria, existe, também, uma relatividade da simultaneidade em nível cognitivo, que se deve à percepção do "agora" para um indivíduo ou, de forma mais geral, para qualquer cérebro ou aparato capaz de detectar a luz.[52]

Cada um de nós é uma ilha de percepção; da mesma forma que chamamos a linha em que o mar e o céu se encontram de "horizonte" — estabelecendo um limite do que podemos ver —, nosso horizonte perceptual consiste em todos os fenômenos que nosso cérebro percebe como simultâneos, mesmo que não o sejam. Em outras palavras, nosso horizonte perceptual define a fronteira de nossa "esfera do agora". Como a velocidade-limite de transmissão de informação é a velocidade da luz, eu a uso para definir a esfera do agora. (Se tivesse usado a velocidade do som, de apenas 340,29 metros por segundo ao nível do mar, a esfera do agora teria um diâmetro bem menor. Como sabemos, dois raios que caem a quilômetros de distância são vistos simultaneamente mas não soam simultâneos.)

Resumindo, dado que a velocidade da luz é enorme mas não infinita, qualquer informação visual demora um tempo para chegar até nós, mesmo que este tempo seja muito pequeno. Nunca vemos algo como é "agora". Por outro lado, o cérebro demora para processar informação e não consegue distinguir (ou ordenar temporalmente, como em "antes" e "depois") dois ou mais eventos que ocorram próximos um do outro. O fato de que vemos muitas coisas ocorrendo *agora* (ou simultaneamente) é uma ilusão, causada pela nossa captação ineficiente da realidade física à nossa volta. Como não existem dois cérebros iguais, cada pessoa terá seus próprios limites de percepção e sua "esfera do agora". Porém, através de experimentos na área da cognição humana é razoável supor que o tempo de percepção sensorial fique em torno de 10 ou 20 milésimos de segundo. A distância que a luz viaja nesse intervalo de tempo é o raio aproximado da esfera do agora de um indivíduo, em torno de 5 mil quilômetros. Cérebros com tempo de processamento diferente, sejam eles biológicos ou mecânicos (por exemplo, aparatos capazes de captar e analisar a luz), têm esferas do agora com raios diferentes. Consequentemente, cada um terá uma percepção distinta da realidade.

O "agora" não é apenas uma ilusão cognitiva; é, também, um truque matemático, consequência de como definimos o espaço e o tempo quantitativamente. Vemos isso ao reconhecer que o "presente" — definido como o momento sem duração comprimido entre o passado e o futuro — não pode existir. O que existe é a memória do passado recente e a expectativa do futuro próximo. Costumamos encadear o passado e o futuro usando a noção conceitual do presente, do "agora". Entretanto, o que temos não passa do acúmulo de memórias do passado — armazenadas em nossos neurônios e em vários aparelhos de registro — e a esperança de um depois. O agora existe apenas como ideia.

O tempo é uma construção que usamos para descrever as várias transformações que vemos no mundo. Quando vemos um objeto em movimento através do espaço, podemos acompanhar como sua posição muda com a passagem do tempo. Digamos que o objeto seja uma bola de futebol. Enquanto a bola estiver em movimento, descreverá uma curva no espaço, a sequência de pontos imaginários ligando sua posição inicial (A) à sua posição final (B). Ordenando a posição da bola sequencialmente no tempo, podemos determinar onde a bola se encontra quando viaja entre os pontos A e B: no início, no tempo t = 0, estava deixando o pé do jogador — o ponto A; passado um segundo, estava atingindo a rede bem no ângulo esquerdo — o ponto B. A curva ligando A e B descreve a posição da bola durante o intervalo de tempo entre zero e um segundo. A bola, entretanto, não ocupa um ponto no espaço, pois é grande demais para isso; o tempo, por sua vez, não pode ser medido com precisão infinita, pois depende da precisão do relógio utilizado. (Os relógios mais modernos usam transições eletrônicas em átomos para atingir uma precisão de alguns bilionésimos de segundo por dia.) Matematicamente, porém, deixamos esses detalhes de lado e calculamos como a posição da bola muda *instantaneamente* no tempo: afirmamos qual a sua posição a cada instante.

Obviamente, essa construção conceitual é uma idealização da situação concreta, que usamos para modelar o que ocorre na realidade. Representamos o fluxo do tempo de forma contínua, identificando cada instante do tempo com um número real. Fazemos o mesmo com o espaço, ao medirmos a posição. No exemplo da bola de futebol, o tempo cobre a linha dos números reais entre zero e um. Quantos instantes de tempo existem entre zero e um segundo? Matematicamente, o número é infinito, já que existem infinitos números entre zero e um. (É sempre possível dividir o intervalo entre dois números para obter um número menor: um décimo de segundo, um centésimo, um milésimo etc.) Porém, mesmo os relógios mais precisos têm limites: podemos representar o tempo como sendo contínuo, mas medimos sua passagem em intervalos discretos que dependem da precisão dos nossos instrumentos. Consequentemente, a noção do "presente" como um intervalo de tempo sem duração não passa de uma conveniência matemática que nada tem a ver com a maneira como medimos ou percebemos a passagem do tempo. Essa discussão será importante na Parte II, quando abordaremos as consequências da física quântica — onde nada é contínuo — para a nossa percepção da realidade.

11 Cegueira cósmica

(Onde exploramos o conceito de horizonte cósmico e como ele limita o que podemos conhecer do Universo)

Ao explorarmos a cosmologia moderna, encontramos novos desafios, inexistentes no antigo universo estático. Como veremos, a combinação de um Universo com idade finita — o tempo passado desde o Big Bang — e a velocidade da luz limita de forma insuperável o quanto podemos conhecer do cosmos. É um novo tipo de limitação, diferente das que encontramos até agora, pois não depende da precisão de instrumentos, tampouco é consequência da nossa visão míope da realidade. É uma limitação absoluta do quanto podemos conhecer do mundo físico. O Universo pode ter extensão infinita, mas nunca saberemos ao certo. Vivemos dentro de uma bolha de informação, prisioneiros como peixes em um aquário. Existe um além, podemos vislumbrá-lo a distância, mas não sabemos ou não podemos saber o que existe lá. O pensador francês do século XVII Bernard de Fontenelle sabia já que muito da agonia e do êxtase da existência vem da sede de querermos saber sempre mais, além do que a nossa visão nos permite. Tal como nossos antecessores, queremos avançar em direção ao desconhecido, enfrentando os mistérios um a um até resolvê-los todos. Só que, ao contrário deles, sabemos agora que essa é uma missão impossível. À nossa frente, existe não só o que desconhecemos, mas o que não podemos conhecer.

As teorias de Einstein impõem restrições definitivas a viagens no tempo, especialmente ao passado. A teoria da relatividade especial, por exemplo, proíbe tal feito, já que, à medida que o viajante aumenta sua velocidade, sua massa aumenta sem limites. No dia em que escrevia essas linhas, meu filho Lucian fez um sério pronunciamento, durante uma de nossas conversas metafísicas a caminho da escola: "Papai, descobri que só tem uma coisa que pode viajar na velocidade da luz." "O quê, filho?", perguntei. "A própria luz, claro!", respondeu Lucian. Exatamente. E o faz porque não tem massa. Ao contrário da matéria comum que, mesmo em repouso, tem uma energia (E) igual à sua massa (m) multiplicada pelo quadrado da velocidade da luz (c^2) — a famosa expressão $E = mc^2$ —, a luz nunca está em repouso. Sua energia é dada exclusivamente pela sua frequência (f), em uma fórmula extremamente simples, $E = hf$, onde h é a constante de Planck, uma constante da Natureza associada a efeitos quânticos. No caso da luz, a fórmula nos diz que, quanto maior a sua frequência, maior a sua energia. A luz azul, por exemplo, possui mais energia do que a vermelha; os raios X possuem mais energia do que a luz azul — e assim por diante. Essa fórmula, aparentemente tão inofensiva, oculta um mistério, um dos maiores da ciência moderna.

Einstein deduziu essa expressão para a energia da luz em 1905, o mesmo ano da sua teoria da relatividade especial. Para chegar a ela, propôs uma hipótese que, na sua própria opinião, foi a mais ousada de sua carreira: a luz não só pode ser interpretada como sendo uma onda — a opinião prevalente na época —, mas também como sendo composta por partículas. Esses corpúsculos (ou *quanta*, plural de *quantum*) de luz são conhecidos como fótons. A fórmula $E = hf$ refere-se à energia de um único fóton, relacionado com luz de frequência f. Raios de luz com uma única frequência (ou monocromáticos) contêm muitos fótons idênticos, cada qual com energia $E = hf$. A intensidade (ou potência) do raio de luz é dada pelo número de fótons que ele contém por unidade de área por unidade de tempo, multiplicada pela energia do fóton (ou seja, a intensidade da luz equivale ao número de fótons com certa energia que "colidem" com um quadrado de um centímetro de lado em um segundo). Portanto, um raio de luz de maior intensidade tem um número maior de fótons com a mesma energia: a energia do raio de luz é um múltiplo da energia de cada fóton individual. O mesmo ocorre com dinheiro: cada transação monetária, não importa se de alguns centavos ou de bilhões, ocorre sempre em múltiplos de 1 centavo. É claro que transações muito grandes perdem o seu caráter quântico — sua ligação com um mísero centavo, o "quantum monetário". Porém, da mesma forma que todo centavo é dinheiro, todo fóton é luz.[53]

Na prática, raios de luz podem combinar fótons de várias frequências. A luz do Sol, por exemplo, consiste em todas as cores visíveis, do vermelho ao violeta, cada cor com sua frequência e seu fóton. Na nossa analogia monetária, a luz do Sol seria equivalente ao cliente que vai a uma casa de câmbio com moedas de muitos países (cada qual equivalente a uma cor diferente), cada moeda tendo sua versão de centavo (o fóton com energia hf).

A maior parte da informação que temos do Universo é algum tipo de radiação eletromagnética coletada por telescópios e detectores diversos. A astronomia ótica, a nobre tradição que coleta fotos da luz visível tanto a olho nu quanto com telescópios, é apenas o exemplo mais conhecido. Astrônomos vasculham os céus examinando todos os tipos de radiação eletromagnética, das ondas de rádio aos raios gama. Em todos os casos, o limite imposto pela velocidade da luz é o mesmo.[54] Da mesma forma que você vê este livro como era um bilionésimo de segundo atrás, quando olhamos para o céu também olhamos para o passado. A Lua, por exemplo, é vista como era 1,282 segundo atrás, pois sua distância média até a Terra é de 1,282 segundo-luz. O Sol, vemos como era 8,3 minutos atrás, pois a distância média entre a Terra e o Sol é de 8,3 minutos-luz. Se o Sol explodisse *agora*, você só iria descobrir em 8 minutos e 20 segundos. Seria sua última descoberta...

Partindo para os planetas, as coisas complicam um pouco, já que suas distâncias até a Terra variam bastante, dependendo de onde se encontram em suas órbitas ao redor do Sol. Por exemplo, a distância da Terra até Marte varia entre 4,15 minutos-luz (no ponto de maior proximidade, quando os dois planetas estão do mesmo lado do Sol) até 20,8 minutos-luz (o ponto de maior afastamento, quando os planetas estão diametralmente opostos ao Sol). A menos que você seja um engenheiro projetando uma viagem interplanetária, é melhor nos referirmos a distâncias até o Sol. Marte encontra-se a aproximadamente 12 minutos-luz do Sol, enquanto Netuno, o planeta mais distante, a 4,16 horas-luz. Vemos que os 8,3 minutos-luz entre a Terra e o Sol são uma pequena correção quando olhamos para os planetas da periferia. A estrutura mais longínqua que conhecemos no sistema solar é a Nuvem de Oort, um cinturão de bolas de poeira e gelo situado a um ano-luz do Sol — restos da nuvem de gás que, 4,6 bilhões de anos atrás, contraiu-se para formar o Sol e sua corte de planetas e luas.

Todos os objetos celestes contidos dentro dessa bolha centrada no Sol com diâmetro de dois anos-luz têm a mesma origem. Ao nos distanciarmos ainda mais, entramos em território alienígena, onde encontramos outras estrelas com seus planetas e luas, cada qual com sua própria origem e história em comum. Cada um desses sistemas estelares é como uma família, com suas crianças dividindo o mesmo progenitor (a nuvem de gás que deu origem ao sistema estelar). O sistema estelar mais próximo da Terra fica na constelação do Centauro, identificada já por Ptolomeu no século II d.C., que pode ser vista a olho nu no céu do Hemisfério Sul. (Você pode tentar se convencer de que, de fato, o arranjo das estrelas sugere uma criatura que é metade homem e metade cavalo.) Nessa constelação, a uma distância de mais ou menos 4,4 anos-luz, ou 40 trilhões de quilômetros, encontramos as estrelas mais próximas ao Sol, o tripleto conhecido como Alfa Centauri. Das três, a que está mais perto é chamada de Próxima, localizada a 4,24 anos-luz do Sol. Portanto, quando olhamos para Alfa Centauri (e pensamos ser uma única estrela no céu), estamos, na realidade, recebendo informação que deixou o trio de estrelas em torno de 4,4 anos atrás. As estrelas podem nem mais existir e não saberíamos disso! (Se bem que, conhecendo o tipo de estrelas e a sua idade, sabemos o ponto onde estão no seu ciclo de vida e podemos inferir por quanto tempo continuarão brilhando no céu.) O ponto é que não temos — e não podemos ter — prova direta de que estejam ainda lá. O céu é uma coleção de passados.

A constelação do Centauro abriga o famoso Cruzeiro do Sul, parte da nossa identidade como brasileiros, ocupando o coração da nossa bandeira. (E também das bandeiras da Austrália, da Nova Zelândia, de Papua-Nova Guiné e de Samoa, mostrando a diversidade cultural de nossos vínculos com o céu.) O Cruzeiro do Sul deve ter inspirado os viajantes portugueses que aqui chegaram no século XVI, pios e ambiciosos, convencidos de que a cruz celeste era um sinal divino, de que haviam "descoberto" uma terra prometida, plena de beleza e riquezas. Inspirados por seu nobre espírito cristão, nossos colonizadores não hesitaram em saquear a terra e seus habitantes.

Traçar uma linha vertical entre as duas estrelas ligando o topo e a base do Cruzeiro do Sul e estendê-la para baixo leva a um ponto perto do polo celestial do sul, em torno do qual a Terra gira. (O polo celestial norte é indicado pela estrela Polaris.) Toda vez que volto ao Brasil, olho instintivamente para o céu, buscando pelo Cruzeiro. Só então (e, durante o dia, com o canto do bem-te-vi) é que me sinto novamente em casa. Curioso pensar que, na verdade, as estrelas que fazem parte dessa ou de qualquer outra constelação estão separadas por enormes distâncias, que podem atingir centenas de anos-luz (isso tanto em distâncias angulares quanto radiais). Falta a terceira dimensão — a profundidade. A cruz que vemos no céu é uma ilusão, uma projeção imaginária em um domo celeste que não existe. Mas quando olhamos para uma noite estrelada dá para entender por que os astrônomos da Antiguidade imaginavam que o cosmos era uma grande esfera.

Para os entusiastas de viagens espaciais e seres extraterrestres, as novas não são boas. Arredondando, nossa espaçonave mais rápida atinge velocidades que se aproximam a 50 mil quilômetros por hora. Nessa velocidade, uma expedição até Alfa Centauro demoraria em torno de 100 mil anos. Mesmo imaginando que, no futuro, teremos uma tecnologia que nos permita viajar a um décimo da velocidade da luz (30 mil quilômetros por segundo), levaríamos 44 anos para chegar lá. Portanto, a menos que organizemos uma expedição migratória em uma nave-biosfera que dure milhares de anos — como explorou meu amigo Luís Giffoni em seu romance *Infinito em pó* — ou que tenhamos tecnologias de propulsão extremamente eficientes, teremos que esperar *muito* tempo até começarmos a visitar outros sistemas estelares. E note que cosmicamente falando Alfa Centauro é aqui ao lado!

Nossa galáxia, a Via Láctea, tem um diâmetro de 100 mil anos-luz. Se você acende uma lanterna (imaginária, claro) em uma extremidade, são necessários 100 mil anos para a luz chegar em outra. Ou seja, a luz das estrelas que vislumbramos nos confins da nossa galáxia viajou dezenas de milhares de anos até chegar aos nossos olhos. Como referência, 100 mil anos atrás o *Homo sapiens sapiens*, a subespécie de "humanos modernos" a que pertencemos, estava começando a conquistar as regiões equatoriais e tropicais da Terra. Já Andrômeda, nossa galáxia vizinha, é vista por nós como era cerca de 2 milhões de anos atrás, quando, aqui na Terra, nossos primeiros ancestrais *Homo* começavam a se espalhar pela África.

Quando astrônomos olham para o espaço, olham para o passado, coletando luz que deixou sua fonte milhões — e, muitas vezes, bilhões — de anos atrás. Essa ideia continua válida em um universo em expansão como o nosso, se bem que as coisas ficam um pouco mais complicadas. Em um universo estático, isto é, que não muda no tempo, se você sabe a distância até um objeto não é difícil calcular o tempo que a luz gastou para viajar de lá até aqui — basta dividir a distância pela velocidade da luz. Como a expansão cósmica carrega galáxias e outras fontes de luz como se fossem rolhas boiando em um rio, a distância que a luz cobre é maior do que em um universo estático. Para entender isso, imagine uma pessoa nadando em um rio a favor da correnteza durante 10 minutos. Claramente cobrirá uma distância maior do que se nadasse em uma piscina no mesmo intervalo de tempo. No nosso Universo em expansão, a luz de um objeto que se encontra a 2,6 bilhões de anos-luz de distância saiu dele 2,4 bilhões de anos atrás — não 2,6 como esperaríamos. A diferença aumenta com a distância. Quando escrevia estas linhas, o recorde de distância era de uma galáxia a 32,1 bilhões de anos-luz do Sol. A luz desse objeto viajou durante 13,2 bilhões de anos para chegar até nós, cobrindo uma distância quase que duas vezes e meia maior do que a que cobriria em um universo estático. Considerando que o Universo tem em torno de 13,8 bilhões de anos, a luz desse objeto viajou em nossa direção durante a maior parte da história cósmica, deixando sua fonte 600 milhões de anos após o Big Bang, durante o que podemos chamar de infância cósmica.

Imagino que o leitor saiba aonde quero chegar. Em algum momento, encontramos uma barreira intransponível, o vidro do aquário. Em princípio, essa é a singularidade inicial, a origem do tempo. Na prática, a barreira vem antes de atingirmos a singularidade inicial, ao menos quando limitamos a informação que coletamos à radiação eletromagnética. Isso porque por volta de 400 mil anos após o Big Bang o Universo passou por uma profunda transformação. Para ver isso, imagine o Universo primordial como uma sopa de partículas elementares, colidindo furiosamente entre si: fótons, prótons, elétrons, nêutrons e alguns núcleos atômicos leves.[55] Quanto mais perto da singularidade, mais quente era o Universo e mais intensas as colisões entre as partículas. Portanto, ao avançar no tempo, o Universo foi se resfriando: com a expansão cósmica, as partículas vão perdendo energia gradativamente. Em um determinado momento, essa perda de energia acabou permitindo algo que era bastante improvável antes: elétrons e prótons se juntarem para formar átomos de hidrogênio. Os fótons que, antes, impediam essa ligação, acabaram por ceder. Termina o triângulo amoroso e, finalmente, os átomos mais simples puderam surgir. No meio-tempo, livres das dificuldades do amor dividido, os fótons espalharam-se pelo espaço afora. Esse processo, conhecido como "recombinação", marcou a transição de um universo opaco (onde a radiação — os fótons — não podia avançar livremente) para um transparente.[56] Essa transição marca o início da astronomia.

Antes da recombinação, os fótons estavam tão envolvidos no triângulo amoroso com os prótons e elétrons que não podiam viajar livremente pelo espaço. E se fótons não podem se propagar livremente não conseguimos detectá-los. O Universo primordial era opaco a todos os tipos de radiação eletromagnética: tentar ver algo antes da recombinação é como tentar enxergar em meio a uma densa neblina. Logo após a recombinação, os fótons ficaram livres para viajar pelo espaço. O termo usado é "desacoplamento" (entre matéria e a radiação). São esses fótons desacoplados, cruzando o espaço na velocidade da luz, que constituem o que chamamos de "fundo cósmico de micro-ondas" (ou radiação cósmica de fundo), os restos da luz que existia quando se formaram os primeiros átomos. Na época da recombinação, a temperatura da radiação era de aproximadamente 4.000 graus centígrados — o Universo brilhava como uma lâmpada fluorescente (ao menos na parte visível do espectro). Faça-se a luz! Após 13,8 bilhões de anos de expansão e resfriamento, a temperatura associada a esses fótons caiu para –270,4 Celsius (ou 2,75 Kelvin). Com a idade, o cosmos perdeu o seu brilho de infância. O espaço interstelar é hoje imerso em uma profunda e fria escuridão.

Podemos ver agora como o conceito de horizonte entra em cosmologia. Na praia, o horizonte marca o limite do que podemos ver; sabemos que o mar continua além do horizonte, embora não possamos vê-lo. O mesmo ocorre com o Universo. Existe um horizonte, o ponto mais longínquo de onde a luz pode nos atingir após viajar por 13,8 bilhões de anos, a idade do Universo. Podemos visualizá-lo como uma redoma que nos cerca, como se vivêssemos no centro de uma gigantesca esfera de vidro. Não podemos receber qualquer sinal além dessa esfera, mesmo que o espaço se estenda além dela. Quando combinamos a velocidade da luz com um Universo cuja idade é finita, somos forçados a confrontar um novo tipo de limitação do quanto podemos conhecer do cosmos. O Universo físico é uma ilha de informação, que delimita a Ilha do Conhecimento.

A possibilidade de viajarmos mais rápido do que a luz em foguetes convencionais é muito remota. Não temos qualquer indicação de que as previsões da teoria da relatividade especial estejam erradas. Por outro lado, fiel à mensagem deste livro, nunca podemos saber ao certo; devemos sempre contemplar a possibilidade de que nossa construção atual da ordem temporal baseada na velocidade da luz não seja a última palavra no assunto. Ao mesmo tempo que devemos construir argumentos científicos sólidos, baseados no conhecimento atual, precisamos manter a mente aberta para surpresas. Nunca devemos cair na armadilha de acreditar que argumentos científicos são imunes a mudanças. Como deve estar claro após nosso estudo das transformações de nossa visão cósmica da Antiguidade até a era moderna, nenhuma construção científica é inviolável. Pelo contrário, o avanço de amanhã precisa do erro de hoje.

Tudo o que sabemos (e que podemos saber) sobre o Universo vem da informação contida dentro de nossa bolha cósmica, a região delimitada pela velocidade da luz e pela história do Universo. Ironicamente, vivemos em um cosmos esférico — não necessariamente limitado espacialmente, como Aristóteles, Copérnico e mesmo Einstein sugeriram, mas sim temporalmente. Somos efetivamente cegos para o que existe "lá fora", além do horizonte cósmico, a menos que algum sinal de lá chegue até nós de forma desconhecida. Elefantes-robôs rosas podem estar dançando samba no planeta Mamba e não saberíamos disso. Perdemos todos os shows além do nosso horizonte.

O fundo cósmico de micro-ondas — os fótons liberados durante a recombinação — é a fonte de informação mais preciosa que temos hoje sobre a infância do Universo. Duas décadas de observações extremamente sofisticadas, combinando tanto dados colhidos por sondas espaciais — o Explorador do Fundo Cósmico de Micro-ondas (COBE), a Sonda Wilkinson de Anisotropia de Micro-ondas e, recentemente, o satélite Planck da Agência Espacial Europeia — como por detectores na superfície da Terra, permitiram que astrônomos construíssem um mapa detalhado do cosmos em sua infância. A confirmação dos resultados obtidos através desses estudos do fundo cósmico de micro-ondas com outros obtidos por telescópios e diversos métodos mostra que a cosmologia moderna é uma ciência de alta precisão, muito distinta do que foi no passado, marcado pela pura especulação matemática. Hoje, sabemos que a atração gravitacional pela qual passou a matéria durante a era da recombinação é fielmente retratada em minúsculas flutuações de temperatura sofridas pelos fótons do fundo cósmico de micro-ondas, traçando de forma espetacular a atual distribuição de galáxias pelo espaço. Existe uma história cósmica que somos capazes de reconstruir através do estudo dos fótons deixados para trás quando surgiram os primeiros átomos, fósseis do Universo primordial.

E o que aprendemos com essas medidas? Primeiro, que a geometria do Universo é plana, uma versão tridimensional do topo de uma mesa (que é bidimensional): a menos que a luz passe perto de uma estrela ou galáxia, viaja em linha reta em qualquer direção. Note que a geometria plana é apenas uma de três opções possíveis. A outra é uma geometria *fechada*, como a superfície de uma esfera, onde uma viagem na mesma direção retorna ao ponto de partida (não tente ver isso em três dimensões); e uma geometria *aberta*, que podemos imaginar como uma representação tridimensional de uma sela de cavalo (que é bidimensional), encurvando em direções opostas. (No caso da sela, para baixo ao longo das pernas do cavaleiro e para cima ao longo das costas do cavalo.)

Os vários tipos de matéria e radiação que existem no Universo e suas quantidades relativas determinam a geometria cósmica, a forma do Universo como um todo. Duas tendências disputam a liderança: a expansão, causada pela concentração inicial de matéria e radiação em um volume diminuto, e a contração, causada pela atração gravitacional que a matéria exerce sobre si mesma. A tendência vencedora determina o futuro do Universo: a expansão pode prosseguir indefinidamente ou, se houver matéria suficiente, reverter e transformar-se em uma contração do espaço. Nesse caso, a Grande Explosão (Big Bang) viraria a Grande Espremida (Big Crunch).

Como Einstein nos ensinou que a matéria determina a geometria do espaço, existe uma relação direta entre a quantidade de matéria e a geometria cósmica. Um universo relativamente vazio, onde a atração gravitacional da matéria não é forte o suficiente, continuará sua expansão para sempre e terá uma geometria do tipo aberta. Existe uma quantidade crítica de matéria (ou melhor, de energia por volume, ou densidade de energia), conhecida como densidade crítica, de aproximadamente 5 átomos de hidrogênio por metro cúbico de espaço. Medidas atuais indicam que a contribuição vinda da matéria comum (feita de átomos como nós) é de apenas 0,2 átomo por metro cúbico, bem abaixo do valor crítico (mais precisamente, 4,8% do valor crítico).[57]

Surpreendentemente, a matéria comum é apenas um dos ingredientes da receita cósmica. A ela, devemos adicionar outro tipo de matéria, cuja composição permanece ainda misteriosa: a "matéria escura". Por que "escura"? Porque esse tipo de matéria não brilha; ou melhor, não emite qualquer tipo de radiação eletromagnética. Inferimos sua existência a partir de seus efeitos gravitacionais, como na rotação das galáxias — sim, galáxias também giram e a matéria escura se agrega em torno delas como uma nuvem invisível. Astrônomos também medem outro efeito devido à matéria escura: a distorção que causa no espaço em torno das galáxias. Do mesmo modo que lentes óticas distorcem a trajetória da luz visível ao passar perto de uma galáxia, a trajetória de raios de luz vindos de uma fonte distante é distorcida. Esse efeito espetacular, chamado apropriadamente de "lente gravitacional", é usado para determinar a quantidade e a distribuição de matéria escura em torno de galáxias. Analogamente, se olharmos para o céu noturno através de uma garrafa, veremos uma imagem distorcida das estrelas. O incrível aqui é que a distorção da imagem é causada pela distorção da geometria do espaço devido à concentração de matéria escura. Mais uma vez, o invisível se faz presente de forma inusitada.

Usando a rotação das galáxias, juntamente com a distorção causada por lentes gravitacionais e dados do fundo cósmico de micro-ondas, astrônomos concluem que a matéria escura contribui com mais ou menos 25,9% da quantidade total de matéria no Universo — portanto, um pouco acima de cinco vezes a mais do que a matéria comum. Vale repetir que a natureza dessa matéria escura, isto é, sua composição, permanece um dos mistérios centrais da física moderna. Felizmente, ao contrário da existência do horizonte cósmico — um limite ao conhecimento que não podemos ultrapassar —, esse é um mistério que temos esperança de resolver no futuro próximo, usando instrumentos mais precisos.

Os candidatos para a matéria escura de maior popularidade dentre os físicos são partículas previstas por teorias ditas supersimétricas, extensões de teorias atuais da física de partículas que incluem uma nova simetria da Natureza. O leitor talvez reconheça o prefixo "super" de supersimetria da teoria de *super*cordas, outra extensão das teorias atuais que inclui a gravidade e visa a unificar a relatividade geral com a mecânica quântica e, de quebra, fornecer uma teoria unificada das quatro forças da Natureza. Até o inverno de 2014, não há qualquer evidência de que as partículas previstas pela supersimetria existam, mesmo após uma intensa busca que perdura por décadas. A essa altura, é incerto, e mesmo duvidoso, que a supersimetria seja realizada na Natureza.

Outra explicação possível para os efeitos observados em galáxias é descartar a matéria escura por completo e "culpar" a teoria da relatividade geral de Einstein. Explicações desse tipo impõem uma modificação da teoria efetiva apenas a distâncias da ordem do diâmetro de uma galáxia, ou seja, de dezenas a centenas de anos-luz. Infelizmente, esse tipo de explicação também não tem um respaldo observacional e parece ser inconsistente com algumas observações astrofísicas. A misteriosa natureza da matéria escura — e sua contribuição material para a composição do Universo — ilustra claramente como o aumento na precisão de instrumentos de observação pode levar a descobertas inesperadas. Paradoxalmente, a mesma precisão limita nosso poder de explicação: sabemos que a matéria escura existe, mas, como um vulto a distância, não podemos determinar suas características.

Se considerássemos apenas a massa total proveniente da matéria comum e da matéria escura, o Universo teria uma geometria aberta, com apenas 30% de sua densidade crítica. Mas a história é mais complexa. A constante cosmológica, se existir, também afeta a geometria e a evolução do espaço. Vimos antes que Einstein sugeriu essa constante para dar estabilidade ao seu universo esférico, abandonando-a após Hubble ter descoberto a expansão cósmica. Para surpresa geral da comunidade científica, em 1998 dois grupos de astrônomos fizeram uma descoberta que sugere que algo como uma constante cosmológica não só existe como *domina* a receita cósmica. Inicialmente, ninguém queria acreditar em tal coisa. Mas o tempo passou e as observações sobreviveram a incontáveis testes e análises críticas. Como em tantas outras ocasiões na história da ciência, instrumentos poderosos permitiram a descoberta de uma nova característica do mundo natural, tornando o cosmos ainda mais exótico. Sabemos que uma "presença fantasmagórica" permeia o espaço como um todo; sabemos o quanto essa presença contribui para a densidade total de energia do cosmos; mas não sabemos o que ela é. Seguindo a trilha da matéria escura, a nova entidade foi batizada de "energia escura".

Em 2011, coroando o que muitos físicos consideram uma das maiores descobertas de todos os tempos, três líderes dos dois grupos que acharam a energia escura receberam o Prêmio Nobel de Física. Sabemos que a energia escura age de forma semelhante (talvez idêntica, ainda não temos certeza) a uma constante cosmológica, provocando uma expansão acelerada do espaço. Ademais, quando sua contribuição total para a energia cósmica é estimada a partir de observações astronômicas, chega-se ao surpreendente valor de 70%, isto é, a energia escura domina a receita cósmica. Mais surpreendente ainda é o que descobrimos ao somar as três contribuições principais à receita cósmica (outras contribuições, como a radiação cósmica de micro-ondas ou os neutrinos, são bem menores): observações atuais indicam que o total é idêntico à densidade crítica, com uma precisão de 0,05%. Ou seja, de todos os valores possíveis para a quantidade de matéria/energia no cosmos, o valor medido é o que produz um Universo com geometria plana.

À primeira vista, um cosmos com densidade de energia tendo exatamente o valor crítico parece ser produto de algum tipo de interferência divina. Porém, uma reflexão mais cuidadosa revela que universos capazes de gerar vida precisam satisfazer uma série de premissas: se tiverem densidade de energia muito baixa, sua taxa de expansão será tão rápida que a matéria não conseguirá condensar-se em galáxias e estrelas; se, caso contrário, a densidade de energia for muito alta, tal universo entra em colapso muito antes da formação das primeiras estrelas. Universos capazes de gerar vida devem chegar a idades avançadas, de modo a poder abrigar várias gerações de estrelas. Com isso, produzem com abundância suficiente os elementos químicos pesados que são necessários à vida. Esse tipo de condição limita o valor da densidade total de energia do universo e, consequentemente, o valor da energia escura. Em um universo ideal, a densidade de energia teria exatamente o valor crítico, como parece ser o nosso caso. O físico e autor Paul Davies chamou esse modelo de universo de "Universo dos Cachinhos Dourados", fazendo referência ao conto de fadas no qual tudo tinha de estar na medida certa. Como veremos adiante, ofereço uma intepretação diferente para essa coincidência cósmica.

As medidas atuais nos permitem conhecer as contribuições da matéria e da energia escura com precisão de 0,5%. A menos que algo dramático ocorra no futuro e a contribuição da energia escura diminua progressivamente (uma possibilidade concreta), os dados indicam que vivemos em um cosmos com geometria plana, fadado a expandir com aceleração cada vez maior. Se for o caso, um futuro um tanto deprimente está reservado aos nossos descendentes (bem distantes). À medida que o espaço continua a se expandir, carregará consigo a maior parte das luminárias celestes — as galáxias que vemos hoje com nossos telescópios. Com o tempo, a velocidade de recessão das galáxias ultrapassará a velocidade da luz e pouco existirá dentro de nosso horizonte cósmico.[58] Apenas as galáxias do grupo que chamamos de Superaglomerado Local — que inclui a nossa Via Láctea e Andrômeda, atraídas pela sua gravidade — serão visíveis à noite. O restante estará na escuridão. E mesmo o que for possível ver não será como agora.

Por exemplo: em alguns bilhões de anos, a Via Láctea e sua vizinha Andrômeda deverão se unir em uma única supergaláxia. Mais localmente, por volta de 4 bilhões de anos o Sol se transformará em uma gigante vermelha e a vida na Terra será impossível. (Na verdade, a vida aqui tem seus dias contados antes disso, devido ao aumento crescente da atividade solar. Mas não é coisa para agora, estamos falando de 1 ou 2 bilhões de anos.) Se astrônomos desse futuro distante não tiverem acesso às descobertas de seus colegas do passado (como as nossas), concluirão que vivem em um Universo muito diferente do nosso: sem galáxias em recessão, não poderão deduzir que vivem em um Universo em expansão ou, consequentemente, que o Universo tem uma história que começou com o Big Bang. Ironicamente, sua cosmologia retornará àquela de um cosmos estático, consistindo nas galáxias do Superaglomerado Local, cercado por trevas vazias. Nesse futuro longínquo, a Ilha do Conhecimento encolherá, espelhando as trevas à sua volta. Com o tempo, as poucas estrelas capazes de produzir luz irão se extinguir e desaparecerão de vista, como brasas em um fogo abandonado. O cosmos será apenas escuridão, como na terrível visão apocalíptica do poeta inglês lorde Byron:

> Tive um sonho, que não era de todo um sonho.
> O Sol estava extinto e as estrelas
> Vagavam pelas trevas eternas,
> Sem raios, sem rumo. A Terra, congelada,
> Girava às cegas no ar que escurecia, sem Lua;
> Manhã veio e se foi — e retornou sem trazer o dia.
> Em meio à desolação, os homens esqueceram-se de suas paixões;
> E corações enregelados entregaram-se a uma prece egoísta pela luz.[59]

Felizmente, esse terrível futuro só ocorrerá em trilhões de anos. Não menciono a possibilidade para assustar o leitor, mas para ilustrar meu argumento. Tal como para nossos descendentes do futuro, o Universo que medimos hoje também nos conta apenas parte da história, baseada na informação que chega até nós (limitada pela existência de um horizonte cósmico) e no quanto desta informação somos capazes de obter (limitada pela tecnologia que temos a nosso dispor). Os pobres cosmólogos do futuro, se basearem sua visão de mundo apenas no que são capazes de medir, construirão uma narrativa equivocada, deixando de conectar sua triste realidade com uma história que começou trilhões de anos no passado. O cosmos estático em que julgam viver é uma ilusão, consequência de um horizonte cosmológico onde as galáxias não estão em expansão, como é o nosso caso. A lição aqui, mesmo que inquietante, é essencial: fora os limites causais e tecnológicos que determinam o quanto podemos saber do mundo, a informação que somos capazes de obter pode nos levar a uma visão de mundo completamente falsa. O que medimos conta apenas uma pequena parte da história — que, aliás, pode ser a parte completamente irrelevante. Vivemos todos na caverna de Platão.

Para evitar essa visão niilista da ciência moderna, devemos aprender a celebrar o que somos capazes de assimilar do mundo, mesmo sabendo do pouco que podemos estar certos. Declarações grandiosas, como "Esta é a verdadeira natureza do Universo", feitas por tantos cientistas atuais e do passado, precisam ser recalibradas para algo como "Isto é o que podemos inferir da natureza do Universo". A palavra "verdade" não tem muita utilidade se não podemos saber no que consiste. Veja que isso não implica que o que conhecemos não tenha valor. Pelo contrário, o que podemos inferir do cosmos já é bastante espetacular e é a este corpo de conhecimento, o trabalho acumulado de milhares de cientistas e engenheiros, a que devemos dar valor. Por outro lado, não devemos nos dar por satisfeitos. Além do mensurável, existe sempre o caminho da imaginação, que busca enxergar além das fronteiras do horizonte cósmico. E é para lá que vamos agora, iniciando nossa exploração do misterioso multiverso.

12 Dividindo infinitos

(Onde iniciamos nossa exploração do infinito e sua aplicação à cosmologia)

— Pai, quanto é infinito mais infinito? — perguntou meu filho Lucian, quando tinha seis anos.

— Infinito — respondi, sobriamente.

— Mas como um número mais ele mesmo é igual a ele mesmo? — Lucian insistiu. — Achei que isso só acontecia com zero.

— É que infinito não é bem um número; é mais uma ideia — disse eu. Lucian suspirou fundo, pensando na minha resposta.

— Então, infinito mais um é infinito, mesmo se infinito é o oposto de zero?

— Isso mesmo, filho.

— Que estranho, pai.

— Eu sei...

Infinito é o que está além do contável, mesmo que matemáticos considerem diferentes tipos de infinito, os contáveis e os incontáveis. Pois é, existem infinitos diferentes. Por exemplo, o conjunto dos números inteiros (..., –3, –2, –1, 0, 1, 2, 3, ...) é um conjunto infinito contável. Outro exemplo é o conjunto dos números racionais, números da forma geral p/q, construídos a partir de frações de números inteiros, como 1/2, 3/4, 7/8 etc. (excluindo a divisão por zero). O número de objetos em cada um desses conjuntos (também conhecido como o "cardinal" do conjunto) é chamado de "alef-0". Alef é a primeira letra do alfabeto hebreu e tem a interpretação cabalística de conectar o céu e a terra: $\aleph$. Aleph-0 é infinito, mas não é o maior infinito possível. O conjunto dos números reais, que inclui os conjuntos dos números racionais e o dos números irracionais (aqueles que não podem ser representados por uma fração de inteiros, como $\sqrt{2}$, π, e), tem cardinal alef-1. Alef-1, conhecido como o "contínuo", é maior do que alef-0; pode ser obtido multiplicando alef-0 um número alef-0 de vezes: $\aleph_1 = \aleph_0{}^{\aleph_0}$. O matemático alemão Georg Cantor, o pioneiro que inventou a teoria dos conjuntos e desenvolveu esses conceitos, propôs a "hipótese do contínuo": não existe um conjunto com cardinal entre alef-0 e alef-1. No entanto, resultados atuais indicam que a hipótese do contínuo é "indecidível", isto é, não pode ser provada como verdadeira ou falsa. Vemos que mesmo dentro da rigidez formal da matemática abstrata a mente humana se complica com ideias sobre o infinito. Mais tarde, retornaremos à questão do que significa uma hipótese indecidível. Por ora, vamos considerar o que acontece quando aplicamos a noção de infinitos contáveis e incontáveis à cosmologia.

Será que o espaço é infinito? Isto é, será que o Universo se estende ao infinito em todas as direções? Ou será que se curva sobre si mesmo, como a superfície de um balão? Em outras palavras, será que podemos determinar a forma do espaço, a geometria cósmica? A existência de um horizonte cósmico e o fato de que podemos apenas coletar informação dentro de nossa bolha de luz limitam dramaticamente o que podemos saber sobre o que existe além do nosso alcance. Quando cosmólogos afirmam que o Universo é plano, o que querem (ou deveriam querer) dizer é que a porção que podemos medir do Universo é plana, ou praticamente plana, dentro da precisão de nossas medidas atuais. Por outro lado, um Universo com uma geometria plana necessariamente estende-se além de seu horizonte cósmico, sendo bem maior (infinitamente maior?) do que a porção que podemos medir. Encontramos, portanto, uma situação bastante curiosa: podemos inferir que o Universo é bem maior do que a porção que podemos "ver"; mas nada podemos afirmar de concreto sobre o que existe além de nossa bolha de informação ou sobre a geometria cósmica como um todo.

Obviamente, podemos sempre especular e, com isto, talvez aprender algo sobre o que existe "lá fora" daqui de dentro. Vamos voltar à praia. A menos que você acredite, como os mesopotâmios, que o horizonte seja o fim do mundo e que além dele exista apenas o nada, sabemos que se estivermos na praia o horizonte marca apenas o limite do que podemos ver: o mar não termina lá. De fato, quando um navio passa ao longo do horizonte, sua parte inferior é invisível, devido à curvatura da Terra. Também podemos identificar uma ilha distante e notar sua posição com relação ao horizonte. Subindo uma montanha e usando a ilha como referência, veremos mais mar "aparecer" ao além, concluindo que o horizonte visto da praia não delimita o fim do mar. Por outro lado, mesmo de uma montanha muito alta ninguém pode deduzir os detalhes da geometria terrestre, com seus múltiplos oceanos e continentes, ou afirmar que a Terra é uma esfera oblata, ou seja, ligeiramente achatada nos polos.

Historicamente, a concepção da geometria terrestre foi limitada pela nossa mobilidade ao longo e acima da superfície. A aliança entre a matemática e a astronomia ajudou muito, como vemos pela estimativa da circunferência da Terra, feita por Eratóstenes em torno de 200 a.C., ou pela sombra encurvada que a Terra projeta na Lua durante um eclipse lunar. Os exemplos são muitos. Mas a prova definitiva da esfericidade da Terra veio apenas em 1521, quando os navegadores Fernão de Magalhães e Sebastião Elcano completaram a primeira volta em torno do planeta. Mesmo aqueles que não compreendem uma prova matemática da esfericidade terrestre ou que desconfiem de sombras projetadas a distâncias astronômicas têm de aceitar que uma viagem na mesma direção que retorna ao ponto de partida se dá em uma curva fechada. Infelizmente, repetir tal feito circum-navegando o horizonte cósmico é impossível.

Uma analogia em duas dimensões talvez seja útil. Imagine a superfície de uma bola bem grande. Imagine ainda que existam galáxias nessa superfície (pequenas manchas), habitadas por criaturas inteligentes. Tal como com o nosso Universo, esse universo-bola bidimensional também teve um Big Bang no passado remoto. Portanto, seus habitantes saberão da existência de um horizonte cósmico, que, nesse caso, tem a forma de um círculo circundando sua galáxia. Quanto mais velho o universo-bola, maior o raio do horizonte. Se o universo-bola for imenso e o círculo do horizonte não tão grande, as criaturas concluirão que seu universo é plano e infinito. (Para visualizar isso, basta desenhar um pequeno círculo na superfície de uma bola bem grande. A região circunscrita pelo círculo aparentará ter uma geometria plana.) No entanto, sabemos que essa conclusão é falsa, criada pela disparidade nos tamanhos do universo-bola e do horizonte. Será que nossas criaturas bidimensionais podem determinar a geometria de seu universo sem poder se aventurar além de seu horizonte?

Esse é o mesmo desafio que enfrentamos: tentar inferir a geometria global do cosmos de dentro do nosso horizonte finito, de nossa bolha de informação. Se o Universo tiver a geometria de uma esfera, talvez não seja possível chegar a uma resposta definitiva. Dados atuais, que apontam para uma geometria plana dentro do nosso horizonte, implicam uma esfera de raio gigantesco; seria praticamente impossível determinar sua curvatura ou se o cosmos é, de fato, plano. Uma outra possibilidade, um tanto exótica, é que a geometria cósmica tenha uma forma complicada, o que geômetras chamam de "topologia não trivial". A topologia é a área da matemática que estuda como formas podem ser deformadas continuamente, como tiras elásticas. "Continuamente" aqui significa sem cortar ou rasgar. (Essas transformações contínuas de um espaço são chamadas de homeomorfismos.) Por exemplo, uma bola sem furos pode ter seu formato deformado para o de um elipsoide — um dirigível, um cubo ou uma pera; mas não na forma de uma rosquinha. Uma bola com um furo pode ser deformada em qualquer tipo de chapéu, contanto que o chapéu também tenha apenas um furo. Uma rosquinha, por sua vez, pode ser alterada para uma forma de uma xícara com uma alça.

Voltando à cosmologia, a ideia é que uma topologia cósmica não trivial deixaria algum sinal que podemos medir. Por exemplo, se a topologia cósmica tiver um ou mais furos (como uma rosquinha, por exemplo) a luz vinda de objetos distantes pode produzir certos padrões no fundo cósmico de micro-ondas. Em particular, se o Universo tivesse a forma de uma rosquinha e seu raio fosse pequeno em relação ao tamanho do horizonte a luz vinda de galáxias distantes teria tido tempo para dar múltiplas voltas em torno do espaço, resultando em imagens múltiplas, como as que vemos em dois espelhos em paralelo. Essas imagens falsas poderiam ser detectadas, produzindo, assim, informação sobre a geometria global do espaço.

A menos que tenhamos certeza absoluta de que a curvatura de nossa região cósmica é exatamente zero (e como podemos ter certeza absoluta de algo?), devemos considerar a possibilidade de que a topologia do Universo não é a de um espaço plano tridimensional. Afinal, é sempre possível que imagens falsas sejam detectadas no futuro, dando-nos assim informação sobre a geometria global do cosmos. Considere, no entanto, a possibilidade oposta: a de que nenhuma imagem fantasma seja detectada. Será que, com isso, poderemos concluir que a geometria do Universo é mesmo plana? Dado que nunca podemos efetuar uma medida com precisão *absoluta*, mesmo que os dados atuais apontem resolutamente para uma curvatura nula dentro do nosso horizonte cósmico, nunca poderemos estar certos. Ao menos que a curvatura do espaço seja detectada, a questão da geometria do Universo como um todo é, na prática, irrespondível. Pelo que tudo indica, é também uma questão incognoscível.

Se o Universo tivesse a forma de uma esfera, como queria Einstein, e se, em um futuro distante, entrasse em colapso e implodisse sobre si mesmo, testemunhas desses momentos finais (se existissem, o que é difícil de imaginar) veriam a parte posterior de suas cabeças. A luz teria dado uma volta completa em torno do cosmos, como fez o navio de Fernão de Magalhães com a Terra. Nos seus últimos instantes de existência, tais criaturas compreenderiam que o cosmos é, afinal, finito. Com os corações transbordando de esperança (se tivessem corações), tais criaturas sonhariam com um novo ciclo de existência, em que a energia que antes era parte delas encontraria meios de coalescer em formas materiais complexas — algumas talvez até capazes de contemplar o sentido da vida.

Outra possibilidade, bem popular entre físicos modernos, é que uma teoria fundamental — talvez a que resulte da união entre a relatividade geral e a mecânica quântica— determine, de forma inequívoca, a geometria cósmica. Seria mesmo genial se a forma do cosmos como um todo fosse a solução de uma equação. Pois um dos grandes desafios da física moderna é justamente resolver as dificuldades impostas pelas singularidades que, inevitavelmente, aparecem tanto na origem cósmica (no Big Bang) quanto nos últimos momentos do colapso de estrelas, quando surgem os buracos negros. Em ambos os casos, as singularidades são previstas pela teoria da relatividade geral de Einstein. Por outro lado, sabemos que a teoria falha quando aplicada a distâncias muito pequenas ou para densidades muito altas de matéria, justamente as situações nas quais precisamos aplicá-la ao Big Bang e ao estudo de buracos negros. A única saída é olhar para a teoria quântica, que descreve processos que ocorrem a distâncias diminutas, atômicas e subatômicas, e tentar aplicá-la a espaços com curvaturas e densidade de matéria muito altas. A ideia é promissora, já que a teoria quântica oferece uma distância mínima que podemos estudar, consequência do princípio da incerteza de Heisenberg.

A ideia, mais bem explorada na Parte II, é que um observador interessado em medir a posição de um objeto só pode fazê-lo com precisão limitada. Note que esse limite não se deve à tecnologia usada, mas, como com a velocidade da luz, é algo inerente à Natureza. No caso, é consequência da indeterminação da própria matéria, que, a distâncias muito curtas, deixa de ser descritível como tendo extensão fixa. No mundo do muito pequeno, a natureza difusa dos objetos torna-se uma característica explícita, como se tudo perdesse o foco. No caso extremo, não existem partículas "pontuais", já que toda estrutura material deve ocupar um volume determinado pela incerteza quântica. Esse volume é a barreira que divide o que podemos e o que não podemos saber sobre a natureza da realidade física, um obstáculo intransponível ao conhecimento. Consequentemente, no mundo quântico, querer ir além dos limites impostos pela incerteza não faz qualquer sentido. Esse tipo de situação, onde existe um limite absoluto e intransponível ao quanto podemos conhecer do mundo, levou Einstein e outros quase ao desespero.

Se aplicarmos a incerteza quântica ao espaço, é natural supor que os mesmos limites aparecerão: existe uma distância mínima no espaço para além da qual nenhuma outra distância pode ser menor. A noção que temos do espaço como uma estrutura contínua é apenas uma aproximação; se pudéssemos ampliá-lo com um supermicroscópio imaginário, veríamos um caos difuso, como bolhas de sabão amontoadas umas sobre as outras, vibrando, colidindo. Nessas distâncias minúsculas, muito menores do que o tamanho de um núcleo atômico, a própria noção de movimento como um processo contínuo deixa de fazer sentido; todo movimento é descontínuo, consistindo em saltos. Ora, se não existe continuidade, não podemos contemplar uma singularidade, já que esta ocorre quando encolhemos um volume até determinado ponto — uma região de volume zero, o que é impossível devido à incerteza quântica. Essa é a visão proposta por Abhay Ashtekar, Lee Smolin, Martin Bojowald e vários outros físicos trabalhando nos aspectos geométricos da gravitação quântica. Existe uma suposição essencial aqui: a de que é possível extrapolar o conceito de incerteza quântica, obtida originalmente para descrever propriedades da matéria e da luz, para o espaço e o tempo, ferramentas conceituais usadas para descrever objetos materiais e seus movimentos. Será que essa suposição é razoável? Será que devemos mesmo "quantizar" o espaço e o tempo? Apenas se considerarmos o espaço e o tempo como entidades físicas, com existência concreta, e não como mera criação das nossas mentes. Retornaremos a essa questão na Parte II.

Uma visão alternativa propõe que em vez de dividir o espaço em pequenos retalhos flutuantes é melhor abandonar a noção de partícula pontual. A ideia é simples: se as menores coisas que existem têm uma extensão espacial mínima, não podem ser encolhidas até tornarem-se pontuais. Esta é a lição da mecânica quântica: objetos materiais (e a luz) são tanto partícula quanto onda (ou, melhor, nem uma coisa nem outra), já que têm uma extensão mínima dada pela incerteza. Baseando-se nessa ideia, as teorias de supercordas sugerem que as menores entidades na Natureza não são elétrons, quarks e as outras partículas que observamos em aceleradores como o Grande Colisor de Hádrons na Suíça, mas sim tubos unidimensionais de energia com padrões fixos de vibração e ondulação. Dado que esses tubos vibrantes são como linhas (daí o nome "cordas") capazes, também, de ter uma forma circular, vemos que não podem simplesmente desaparecer em um ponto sem extensão espacial. Ou seja, se as supercordas dominaram os primeiros instantes da história cósmica, o Universo não teria uma singularidade inicial.

As teorias de supercordas têm ainda a distinção de ser, ao menos em princípio, "teorias de tudo", já que se propõem a oferecer uma descrição unificada de todas as partículas de matéria — representadas como padrões distintos de vibração das cordas — e das quatro forças da Natureza que, através das partículas que transferem as atrações e repulsões entre as partículas de matéria, também são descritas como padrões de vibração das cordas. Indico ao leitor interessado meu livro *Criação imperfeita*, no qual apresentei uma crítica detalhada às noções de unificação final e teorias de tudo, bem como às teorias de supercordas em particular. Aqui, noto apenas que teorias finais são incompatíveis com o método científico, como a imagem da Ilha do Conhecimento deve tornar claro. Dado que, em última instância, o conhecimento científico acumulado vem de observações detalhadas de fenômenos naturais e do seu confronto com teorias, é, por definição, impossível sabermos se o conjunto de forças da Natureza que conhecemos *em um dado momento* é, de fato, o conjunto completo. Da mesma forma, não podemos nos certificar de que as partículas de matéria conhecidas *em um dado momento* são as únicas que existem. Novos instrumentos podem sempre fazer revelações inesperadas, forçando-nos a revisar nosso conhecimento. Propostas de visões unificadas da Natureza, teorias que a tudo englobam, não passam de fantasias românticas que, além de filosoficamente errôneas, são também extremamente arrogantes. Na melhor das hipóteses, a teoria de supercordas, ou sua descendente, poderá oferecer uma teoria completa do que é conhecido *no momento* sobre as partículas fundamentais e suas interações. Mas não deve ser tomada como uma teoria final, a conclusão de nossa exploração dos constituintes fundamentais da matéria.[60]

Para ilustrar meu argumento, voltemos aos pobres cosmólogos do futuro distante, aqueles presos e isolados em um cosmos estático, imersos em uma escuridão quase que completa. Qual seria a sua "teoria final"? Seja qual for, teria enorme apelo emocional para eles, mesmo se profundamente equivocada quando vista sob a nossa ótica atual, forjada em um Universo em expansão acelerada. Da mesma forma, o que nos dá o direito de supor que sabemos tanto, que nossa narrativa cósmica não está profundamente incompleta? A ciência funciona bem quando busca descobrir aquilo que existe; porém, não pode determinar com autoridade absoluta aquilo que não existe. A única coisa que podemos afirmar com certeza absoluta é que temos muito a aprender, que encontraremos muitas surpresas pela frente. O que nos leva ao maior dos mistérios na fronteira do conhecimento: será que nosso Universo é o único que existe? Ou será que existem outros, coexistindo em um multiverso eterno? E como podemos confirmar se algo como o multiverso existe? Será que pode ser "detectado"? Para abordarmos essas questões com um mínimo de sobriedade, temos antes que examinar que tipo de combustível poderia promover essa proliferação de universos. Vamos, então, dedicar algumas páginas para explorar o bóson de Higgs e ver como estados diversos da matéria podem ter afetado a infância cósmica.

13 Rolando ladeira abaixo

(Onde explicamos a "energia do vácuo falso", sua relação com o bóson de Higgs, e como pode alimentar a aceleração da expansão cósmica)

A teoria da relatividade geral de Einstein descreve a gravidade como resultado da curvatura do espaço, causada pela presença de matéria e energia. Não sabemos *por que* a matéria (ou, equivalentemente, a energia) encurva o espaço, mas podemos usar as equações da teoria para calcular *como*. Essencialmente, a belíssima teoria de Einstein oferece um nível adicional de descrição pragmática quando comparada à teoria de Newton, que, como vimos, é baseada em uma misteriosa ação a distância. Sem dúvida, a teoria de Einstein é um grande avanço, já que um espaço curvo é algo local, não uma influência distante. Mesmo assim, a causa da relação entre matéria e curvatura permanece obscura. Se perguntássemos a Einstein por que a matéria encurva o espaço, imagino que ele não arriscaria uma resposta.

A teoria baseia-se no chamado princípio de equivalência: um objeto responde de forma idêntica à atração gravitacional e a uma força qualquer, contanto que essa força provoque a mesma aceleração que a atração gravitacional. Até o momento, o princípio de equivalência sobreviveu a todos os testes a que foi submetido. Um observador que não conheça a fonte de sua aceleração (por exemplo, se estiver em uma espaçonave sem janelas) não saberá discernir se essa aceleração progressiva foi causada pela gravidade ou por uma força qualquer. Einstein gostava de outra formulação do princípio de equivalência: um observador caindo livremente não sente o próprio peso.[61] Basta entrarmos em um elevador que desce rapidamente para nos sentir mais leves. Se o elevador despencasse, o passageiro teria a impressão de "flutuar" no espaço — até, claro, o fatídico encontro com o fundo do poço.

A teoria de Einstein faz previsões inusitadas. Por exemplo, observações atuais mostram que a matéria que preenche o Universo (isto é, as galáxias e os grupos de galáxias) pode, ao menos em média, ser considerada como sendo distribuída de forma homogênea e isotrópica (aproximadamente igual em todos os pontos do espaço e em todas as direções). Ou seja, tomando um volume suficientemente grande, o céu é aproximadamente o mesmo em todos os lugares. Usando tal simplificação, a teoria faz previsões quantitativas sobre a geometria do cosmos como um todo. Na prática, cosmólogos modelam tanto a radiação quanto a matéria como um gás homogêneo com certa densidade de energia (isto é, a massa e/ou energia dado um volume) e pressão (isto é, a força que o gás exerce por metro quadrado, como quando enchemos um balão soprando ar dentro dele: a pressão do gás faz com que o balão infle). Na teoria de Einstein, tanto a densidade de energia quanto a pressão do gás contribuem para a curvatura do espaço. Com isso, a combinação das duas influências determina a dinâmica do cosmos.[62] Para tipos normais de matéria e radiação representadas por um gás, tanto a densidade de energia quanto a pressão do gás dão contribuições positivas às equações que modelam a evolução de um universo. O resultado é um universo que cresce (expande), mas com uma taxa de expansão que vai aos poucos diminuindo. Dependendo da quantidade total de matéria, o Universo pode continuar sua expansão indefinidamente ou, após chegar a um tamanho máximo, entrar em um período de contração. Mas nem sempre o "normal" é o que ocorre na Natureza. E são as exceções que tornam as coisas interessantes.

Na teoria da relatividade geral, onde a pressão influencia a curvatura do espaço-tempo, coisas estranhas podem ocorrer: alguns tipos de matéria podem causar efeitos gravitacionais bizarros. Antes, um pequeno passeio pela cozinha, um excelente laboratório de física (e de química e de biologia também). A água existe em três estados: sólido (gelo), líquido e gasoso (vapor). Para transformar a água de um estado a outro, basta mudar sua temperatura. Portanto, para fazer água líquida tornar-se gelo, podemos pô-la no congelador, onde a temperatura é menor do que zero grau Celsius. Dizemos que a água líquida, quando dentro do congelador, não está no seu estado mais natural. Tanto é assim que ao perder energia gradualmente para o ambiente à sua volta (o ar do congelador) acabará por se congelar. Simplificando as coisas, uma amostra de água líquida no congelador está no que chamamos de estado "metastável", um estado no qual sua energia não é tão baixa quando poderia ser. A mudança de um estado metastável para um estado estável é chamada de "transição de fase".[63] Outros tipos de matéria também podem passar por transições de fase, mudando de um estado a outro: basta que estejam sujeitos a condições apropriadas de temperatura (e/ou de pressão).

Ideias semelhantes aparecem na física de partículas. As partículas de matéria também têm fases diferentes, em que suas propriedades mudam. Claro, as propriedades aqui são mais abstratas do que vapor ou gelo, mas o conceito é essencialmente o mesmo. Por exemplo, nós existimos em uma fase da matéria onde os elétrons são em torno de 2 mil vezes mais leves do que os prótons. Na nossa fase, partículas diferentes têm massas diferentes. Vamos chamar essa nossa fase da matéria de fase "gelada". Quando examinamos as propriedades da matéria a energias cada vez mais altas, notamos que começam a mudar, do mesmo modo que a água muda a temperaturas diferentes. No caso das partículas de matéria, observamos que, ao aumentarmos a energia, suas massas vão diminuindo até que, a um determinado valor da energia, suas massas vão para zero, como ocorre com os fótons de luz. Vamos chamar essa fase da matéria sem massa de fase "líquida". Imagine que seja possível segurar na mão uma amostra dessa fase líquida da matéria. Nesse caso, como estamos a energias bem mais baixas, a situação seria equivalente a pôr água líquida no congelador. Essa amostra de elétrons e prótons sem massa (ou melhor, de elétrons e quarks sem massa, pois prótons são feitos de partículas chamadas quarks) estaria em um estado metastável. Não demoraria muito para que essa amostra voltasse ao seu estado "normal", com elétrons e prótons com massas diferentes. Mesmo que nossos aceleradores atuais não possam produzir tais amostras de matéria sem massa, temos boa razão para crer que poderemos realizar essa transformação no futuro. Tal como com a invenção do congelador, esse tipo de avanço tecnológico toma tempo e muita criatividade (e dinheiro, muito dinheiro).

Felizmente, existe outro lugar onde esse tipo de matéria em estado metastável existiu em abundância: o Universo primitivo. Quanto mais próximo do Big Bang, mais altas as energias e, portanto, mais quente e denso era o cosmos. Antes de o relógio cósmico marcar um trilionésimo de segundo, as condições eram perfeitas para que a matéria existisse no estado (metastável) em que todas as partículas tinham massa nula.[64] É nessa situação que ocorre o efeito que queríamos: quando a matéria está em um estado metastável, dá contribuição *negativa* para a pressão nas equações que descrevem a expansão cósmica. De acordo com a teoria da relatividade geral, pressões negativas causam uma expansão acelerada da geometria; o estado metastável é uma espécie de reservatório de energia que, quando liberada, força a expansão do espaço. (Em uma analogia sugestiva mas limitada, imagine uma massa conectada a uma mola comprimida. A tendência é que a mola, quando liberada, empurre a massa para longe. A pressão negativa faz algo semelhante com a geometria do espaço.)

Somos, então, levados a uma conclusão surpreendente: se a matéria primordial tiver passado por estados metastáveis, o que é muito provável, o Universo primordial terá experimentado períodos de expansão acelerada. O efeito é tão geral que nem necessita de estados propriamente metastáveis: a geometria cósmica será acelerada sempre que a matéria estiver deslocada de seu estado "normal", isto é, de seu estado de menor energia. Podemos visualizar isso imaginando que a matéria "deslocada" de seu estado normal é como uma bola em uma ladeira; ela irá rolar ladeira abaixo até chegar ao seu ponto de repouso. Esse ponto de repouso é o que chamo de estado "normal". Qualquer outra posição ao longo da ladeira corresponde a um estado "deslocado", em que existe energia extra.

(No caso da bola, esta energia chama-se "energia potencial gravitacional".) Da mesma forma, um universo em que a matéria que domina sua energia esteja em um estado deslocado terá uma expansão acelerada. O período de expansão só termina quando a matéria chegar ao seu estado normal de menor energia, isto é, quando rolar até o fim da ladeira.

O leitor atento se lembrará de que quando discutimos a constante cosmológica mencionamos que ela causa uma expansão acelerada. Se a matéria que preenche o cosmos estiver em um estado deslocado (em qualquer posição ladeira acima), terá efeito idêntico ao de uma constante cosmológica na expansão cósmica. A diferença essencial é que, no caso da constante cosmológica, a aceleração cósmica é sempre a mesma (daí o nome!), enquanto a aceleração, no caso da matéria, aumenta ou diminui de acordo com a posição da matéria na "ladeira", ou melhor, dependendo de quanta energia extra a matéria tiver acima de seu estado normal. Com frequência, essa energia extra é chamada de "energia de vácuo falso", embora seja mais apropriado chamá-la de "energia extra", pois equivale justamente ao excesso de energia acima do estado normal.[65] Quanto maior a energia extra da matéria, mais rápida a aceleração cósmica.

Para completarmos a descrição, precisamos de mais um ingrediente: o herói capaz de modificar as propriedades das partículas, trazendo-as de um estado a altas energias em que não têm massa (estado de alta energia extra) a um estado a baixas energias adquirem massa (o estado normal). De acordo com nosso conhecimento atual da física de partículas, resumido no chamado modelo-padrão, o herói capaz desse efeito incrível é o famoso bóson de Higgs, que também é uma partícula (mais precisamente, a partícula chamada bóson de Higgs é uma excitação energética do campo de Higgs). Em julho de 2012, cientistas do Grande Colisor de Hádrons, na Suíça, anunciaram que o Higgs havia sido encontrado. (O leitor interessado deve consultar o livro *O cerne da matéria*, de Rogério Rosenfeld.)

Podemos imaginar o campo de Higgs como uma espécie de meio material por onde todas as partículas se deslocam, como nós nos deslocamos pelo ar a nossa volta. À primeira vista, um meio que preenche todo o espaço nos lembra o éter eletromagnético. Existem, porém, diferenças essenciais. Por exemplo, o éter tradicional era inerte e imutável, enquanto o campo de Higgs pode mudar e interagir com a matéria comum. Tal como ocorre com as partículas de matéria, a temperatura também afeta as propriedades do Higgs. De fato, os modelos atuais da física de partículas usam justamente essas mudanças no campo de Higgs para induzir mudanças nas propriedades das partículas de matéria.

Voltando à imagem do Higgs como um meio material (como o ar, a água, ou o mel), a temperaturas elevadas, o campo de Higgs é um meio transparente, de modo que as partículas de matéria passam através dele sem sentir sua presença. Essa é a fase em que as partículas de matéria não têm massa. A temperaturas mais baixas, o campo de Higgs "engrossa" e as partículas de matéria têm dificuldade maior em atravessá-lo. Essa dificuldade age como uma espécie de viscosidade e pode ser interpretada como uma massa efetiva para as partículas. Por isso afirmamos que o Higgs "dá massa" às partículas de matéria.

Temos, ainda, que explicar por que quarks, elétrons e as outras partículas do Modelo Padrão têm massas diferentes. A razão é que cada partícula sente a presença do campo de Higgs com intensidade própria. Quanto mais "sensível" a partícula for ao campo de Higgs, maior será a sua massa na fase normal. Na formulação matemática do Modelo Padrão, essa "sensibilidade" é representada pela intensidade da interação da partícula com o campo (ou com a partícula) de Higgs. Por exemplo, o quark tipo top — a partícula elementar mais pesada que conhecemos — tem uma massa 339.216 vezes maior do que a do elétron. Dizemos que o quark do tipo top interage muito mais fortemente com o bóson de Higgs do que o elétron (ou que qualquer outra partícula conhecida). O Higgs não discrimina — vai com todas as partículas, mas gosta de algumas mais do que de outras. A exceção é o fóton, a partícula da luz, que não interage com o Higgs e permanece sempre sem massa.

Agora que temos a imagem do campo de Higgs como um meio que permeia o espaço, podemos esquecer as partículas que interagem com ele e imaginar que o Higgs é como a bola que pode rolar ladeira acima ou ladeira abaixo. Quando está no alto da ladeira, o Higgs está distante de sua fase normal e contém bastante energia extra. Um universo preenchido por esse Higgs terá uma expansão bem acelerada. À medida que o Higgs vai rolando ladeira abaixo, também perde energia extra. Consequentemente, a aceleração cósmica vai diminuindo até o ponto em que o Higgs chega ao seu estado normal e a aceleração para.

Essa imagem simples de uma bola rolando ladeira abaixo ou acima e da quantidade de energia extra relacionada com sua posição em relação ao estado normal está por trás do multiverso. Finalmente estamos prontos para explorá-lo.

14 Contando universos

(Onde introduzimos o conceito de multiverso e exploramos
suas implicações físicas e metafísicas)

Pode parecer um detalhe gramatical irrelevante, mas o leitor certamente já percebeu que faço uma distinção entre "Universo" e "universo". Na verdade, a distinção se faz essencial: segundo a cosmologia moderna, devemos considerar seriamente a possibilidade de que o Universo em que existimos não é único. Uso Universo, com U maiúsculo, para representar o conjunto de tudo o que existe dentro do volume contendo a informação a que temos acesso, seja ela conhecida ou ainda desconhecida. Em outras palavras, "Universo" é o que existe no volume que contém nossa bolha de informação, nosso horizonte cósmico. Como vimos, o fato de a geometria cósmica ser plana (ou praticamente) sugere que o espaço continue além do nosso horizonte, talvez até mesmo ao infinito, mesmo que não possamos estudar o que ocorre "lá fora". Sendo assim, por que não estender nossa definição de Universo ao espaço possivelmente infinito que existe além do horizonte? Para ser consistente com a mensagem que passo neste livro — que na Natureza conhecemos apenas aquilo que medimos —, devemos separar o que existe *dentro* do nosso horizonte, que podemos conhecer, do que potencialmente existe fora, que não podemos conhecer. É perfeitamente possível que um universo infinito contenha nosso Universo, mas não podemos confirmar isso de forma definitiva. Mais dramaticamente, é possível que existam outros universos "lá fora", talvez um número enorme deles, e que o nosso seja apenas um.

De acordo com o venerado *Dicionário de inglês de Oxford*, um "universo" é "toda matéria, espaço, tempo, energia etc. existentes, considerados coletivamente, especialmente como constituindo um todo ordenado; a totalidade da criação, o cosmos". O uso do "toda" logo no início da definição complica as coisas. Se por "toda" queremos de fato dizer *tudo* o que existe, a definição inclui o que pode existir mas que está além da nossa bolha de espaço e tempo. Nesse caso, deveria existir apenas um universo e nossa bolha cósmica seria parte dele. Contudo, se buscamos pela palavra "multiverso", encontramos uma definição um pouco confusa: "Um espaço ou domínio espacial hipotético consistindo em um número de universos, dos quais o nosso é apenas um."[66] Portanto, se o multiverso existir, ele, e não o universo, seria "toda matéria, espaço, tempo, energia etc. existentes, considerados coletivamente". O universo (que inclui nosso Universo) seria apenas parte do multiverso, um dentre muitos, talvez mesmo infinitos outros "universos-ilha", coexistindo na vastidão eterna do multiverso.

O que complica as coisas é que um universo isolado, mesmo se parte do multiverso, pode ser espacialmente infinito. Portanto, de forma análoga ao $\aleph_0$, que cabe "dentro" do $\aleph_1$, esse infinito cabe em um infinito maior. Na cosmologia moderna, como na matemática, podem existir infinitos diferentes.

Antes de continuarmos, deixe-me tentar explicar como um conjunto de universos diferentes, alguns talvez com extensão infinita, faz sentido. Para facilitar a visualização, vamos ficar em duas dimensões. Considere o topo de uma mesa. Usando sua imaginação, estenda-o para bem longe nas suas duas dimensões (norte-sul, leste-oeste), construindo um plano gigantesco. Continuando a extensão indefinidamente, o topo de mesa vira um espaço plano infinito. Pequenas criaturas, nossas amigas amebas, vivem nesse universo bidimensional. Considere agora dois topos de mesa, arranjados paralelamente um sobre o outro. Transforme, também, esse segundo topo de mesa em um universo infinito e suponha que outras criaturas vivam lá. Imagine um túnel bem estreito, conectando os dois universos em algum ponto. Acabamos de construir dois universos, planos e infinitos, conectados por um túnel estreito. Em cada um dos planos, as criaturas sem acesso ao túnel acreditam que seu universo é único e provavelmente infinito. Isso é bem razoável, especialmente se supusermos que, em ambos os universos, o túnel está além do horizonte cósmico das criaturas. Nesse caso, jamais saberão que são parte de uma estrutura maior, um multiverso bidimensional. O leitor pode extrapolar, imaginando um número enorme de espaços planos arranjados uns sobre os outros, cada qual ligado ao seu vizinho por um túnel estreito, sem que qualquer habitante tenha acesso aos túneis. Continuando o processo infinitamente, o leitor constrói um multiverso bidimensional infinito — ao menos em sua imaginação!

O multiverso, claro, não precisa ser assim tão simples. Afinal, universos podem ser curvos e finitos, ou infinitos, e podem até emergir de um "universo-mãe" também infinito. Para utilizar uma imagem prosaica, pensemos em bolas de chiclete. Todo mundo que já fez bolas com chiclete sabe que bolas pequenas encolhem de volta, enquanto as grandes podem continuar crescendo (até que estouram, mas vamos descartar essa alternativa aqui). Voltando ao nosso multiverso bidimensional, imagine que uma bolha comece a crescer em uma região do espaço densamente povoada por amebas. Algumas serão carregadas para dentro da bolha, enquanto as que permaneceram de fora verão, horrorizadas, suas companheiras sendo tragadas ao além. Felizmente, a maioria das criaturas dentro da bolha sobrevive ao cataclismo e começa a explorar seu novo mundo.

O tempo passa e geração após geração de amebas continua a estudar seu cosmos. Cientistas medem a curvatura do espaço e concluem corretamente que seu universo é fechado, feito a superfície de uma esfera. A essa altura, como a bolha continuou a crescer por tanto tempo, a conexão com o universo-mãe está bem além do horizonte cósmico das amebas. Apesar de saberem que vivem em um universo fechado e em expansão, não têm a menor ideia de que estão conectadas a um universo plano e infinito. A história de sua origem perdeu-se nas brumas do tempo. Um mito de criação de seus ancestrais conta que o universo foi criado por um deus, que passa a eternidade soprando bolhas pelo espaço, criando e destruindo mundos. Já as criaturas que vivem no universo-mãe original viram o túnel que levava ao universo-bolha encolher com o tempo, até que se tornou estreito demais para permitir a passagem de exploradores, mesmo os mais intrépidos. Apenas uma cicatriz no espaço, invisível aos olhos, restou do evento que marcou o nascimento do universo-bolha. Mesmo se ligado ainda ao universo-mãe por um tênue cordão umbilical no espaço, o universo-bolha tornou-se uma entidade separada.

Será que algo assim pode existir? Por incrível que pareça, sim — ao menos em teoria.

Para começar, considere um universo preenchido por um campo do tipo Higgs. (Este não é necessariamente *o* campo de Higgs do Modelo Padrão, o que foi descoberto em 2012. Teorias que visam a estender a física a energias além das descritas pelo Modelo Padrão incluem uma variedade de outros campos com propriedades semelhantes às do campo de Higgs.) Como sabemos, o conceito de campo tornou-se essencial na física após sua entrada triunfal no eletromagnetismo de Michael Faraday e James Clerk Maxwell. Essencialmente, um campo representa a influência espacial de alguma fonte. Por exemplo, o campo de temperatura em uma sala é obtido medindo a temperatura em pontos diferentes. Esse tipo de campo, que depende apenas do local no espaço onde queremos saber a temperatura, é chamado de campo *escalar*. Outro tipo de campo é o da velocidade da água fluindo em um rio. A menos que a água flua de forma perfeitamente homogênea, identificaremos pequenas variações na corrente aqui e ali. Esse tipo de campo, onde tanto seu valor em um ponto do espaço quanto sua direção naquele ponto são importantes, é chamado de campo *vetorial*. Outro exemplo de campo vetorial é o mapa do vento em torno de uma casa ou de um país. O campo de Higgs e seus semelhantes são campos escalares, enquanto o campo eletromagnético é construído de uma combinação de campos escalares e vetoriais.

Voltando à cosmologia, considere que esse campo escalar hipotético, que preenche o volume cósmico, encontra-se deslocado de seu estado normal — aquele que, segundo nossa nomenclatura anterior, tem menor energia. Como a bola no alto da ladeira, esse campo tem energia extra.

Como vimos, essa energia extra faz com que o universo expanda com aceleração crescente. E aqui entra o ponto essencial que levará ao multiverso: para que essa aceleração da geometria cósmica ocorra, não é necessário que o universo inteiro esteja preenchido pela energia extra do campo escalar; um volume pequeno, fração do total, já basta, contanto que seja grande o suficiente. Essa porção do espaço crescerá de forma desenfreada. Felizmente, não precisamos de um sopro divino para causar a expansão da bolha cósmica. Basta a energia extra do campo escalar. E que tamanho essa porção do espaço precisa ter para crescer exponencialmente? Algo da ordem do horizonte cósmico da época. Por exemplo, se o processo ocorresse quando o campo de Higgs estava dando massa às partículas do Modelo Padrão (o que ocorreu em torno de um trilionésimo após o Big Bang), o tamanho do volume cósmico seria de aproximadamente 1 milímetro. Quanto mais próximo da origem do tempo, menor o tamanho do volume cósmico necessário.

Podemos imaginar uma vasta região do espaço preenchida com um campo escalar de forma que, em diferentes porções de seu volume, o campo tenha valores diferentes, cada qual com sua energia extra (imagine cada região do espaço tendo sua própria bola na ladeira, com cada bola a alturas diferentes). Regiões do espaço grandes o suficiente irão entrar em expansão ultrarrápida, cada qual com aceleração determinada pelo valor do campo (quanto maior o valor do campo, mais rápida a expansão). Essas diferenças na taxa de expansão acabarão por fragmentar o espaço, criando uma pletora de bolhas, cada qual crescendo ao seu jeito, cada qual um universo em potencial, conectado ao "universo-mãe" por um tubo semelhante a um cordão umbilical, conhecido usualmente como "buraco de verme" (infelizmente um termo não tão romântico quanto cordão umbilical). Esse cenário, conhecido como "inflação caótica", foi proposto no início dos anos 1980 pelo cosmólogo russo-americano Andrei Linde, hoje na Universidade de Stanford. O uso do termo "caótico" faz menção à distribuição aleatória dos valores do campo escalar em regiões diferentes do espaço.

Para justificar por que o campo escalar tem valores diferentes em regiões diferentes do espaço, Linde adicionou uma propriedade essencial ao seu modelo. Da física quântica sabemos que na Natureza tudo está em movimento incessante. Tudo vibra, mesmo que nas escalas de distância do nosso dia a dia essas vibrações sejam imperceptíveis. (Exploraremos melhor essa questão e suas surpreendentes consequências na Parte II.) Porém, para o campo escalar hipotético que preenche o universo primordial, essa agitação quântica é inevitável. Quanto maior a energia extra do campo, maior também sua agitação quântica. Se uma flutuação quântica elevar a energia do campo em uma região dentro de uma bolha que esteja já crescendo, essa nova região começará a crescer com maior aceleração ainda. Rapidamente, deixará a bolha original para trás, tornando-se um universo independente, "neto" do original. Amplie agora essa imagem pela vastidão do espaço: bolhas surgindo dentro de bolhas em um processo sem fim, cada qual um universo com sua própria história. Linde concluiu que um universo preenchido por um campo escalar com energia extra *necessariamente* criará uma multidão de universos, um multiverso sem começo ou fim.

Na mesma época, outro cientista russo-americano, Alexander Vilenkin, da Universidade de Tufts, nos EUA, propôs uma teoria alternativa com consequências semelhantes. Vilenkin estudava campos escalares com uma energia que começava em um platô, antes de descer a ladeira. Da mesma forma que efeitos quânticos quicavam o campo de Linde aleatoriamente para cima ou para baixo da ladeira de energia, no modelo de Vilenkin o campo era quicado nas várias direções do platô em pontos diferentes do espaço. Se a região contendo o campo era grande o suficiente, cresceria de forma acelerada. O resultado, como o de Linde, seria um cosmos povoado por uma pletora de bolhas. Vilenkin concluiu que sempre existirão regiões com energia suficiente para criar bolhas em expansão acelerada. Daí ter chamado seu modelo de "inflação eterna": se em algumas regiões o campo finalmente rola ladeira abaixo e o processo de expansão acelerada termina — como presumivelmente ocorreu no nosso Universo —, em outras a expansão estaria apenas começando. De fato, Vilenkin mostrou que regiões em expansão surgem com eficiência muito maior do que as que desaparecem.[67] Portanto, meus dois colegas russo-americanos, ambos excelentes companhia em conferências, criaram modelos extremamente bizarros de um multiverso em reprodução eterna: mesmo que cada região tenha a sua história e o tempo lá tenha um início, o multiverso é possivelmente eterno. Nosso Big Bang seria uma ocorrência local em uma vasta coleção de histórias cósmicas.

Será que uma ideia como essa, que à primeira vista parece louca, pode corresponder à realidade? É essencial lembrarmos que toda hipótese científica precisa ser testável. Dados coletados em experimentos e observações precisam ser analisados de forma detalhada e comparados a previsões da teoria para que sua viabilidade possa então ser comprovada. Já que não temos qualquer evidência de que vivemos em um multiverso — e é razoável supor que é *impossível* obter evidência direta da existência de um multiverso, como veremos a seguir —, devemos considerar essa hipótese com muito cuidado, checando o tipo de evidência que temos em mãos e o que poderemos coletar no futuro.

Para começar, vamos examinar a ideia de que o cosmos está passando por um período em que sua expansão aumenta de forma acelerada. Podemos confiar nessa conclusão? Com certeza! Desde 1998, astrônomos vêm acumulando evidências de que realmente vivemos em um cosmos em expansão acelerada causada pela energia escura. Talvez tão surpreendente quanto essa descoberta seja o fato de que a expansão começou a acelerar aproximadamente 5 bilhões de anos atrás. Ou seja, períodos de expansão acelerada não só são uma realidade como têm um início e, talvez, um fim. É estranho que 5 bilhões de anos atrás marquem outro evento singular — ao menos para nós: a formação do Sol e do sistema solar. (A Terra tem uma idade aproximada de 4,6 bilhões de anos.) Esse fato é conhecido como o "problema da coincidência": existe alguma ligação entre os dois eventos?

Outra motivação muito importante justificando a existência de períodos de aceleração cósmica é o modelo inflacionário proposto em 1981 pelo cosmólogo americano Alan Guth. Foi o modelo de Guth que, mais tarde, influenciou tanto Andrei Linde quanto Alex Vilenkin a propor seus universos com inflação eterna. Com a inflação cósmica, Guth tentava resolver certas questões que o modelo comum do Big Bang — que descreve o cosmos como uma sopa primordial de matéria e radiação originada cerca de 13,8 bilhões de anos atrás — deixa em aberto. Por exemplo, Guth queria entender por que a geometria cósmica é tão plana. Por que não fechada, como a de uma esfera, ou aberta, como a de uma sela (mas em três dimensões)? Fora isso, a temperatura dos fótons do fundo cósmico de micro-ondas é extremamente homogênea em *todas* as partes do céu, com variações menores do que um centésimo de milésimo de grau de um ponto a outro. Como os fótons que constituem o fundo de micro-ondas podem ter chegado a uma mesma temperatura em escalas de distância tão enormes? Para tal, precisariam ter interagido a distâncias muito maiores do que o tamanho do horizonte no momento que a radiação de fundo cósmico surgiu, cerca de 400 mil anos após o Big Bang. Podemos visualizar o dilema se imaginarmos o que ocorre em uma banheira com água bem quente. Se jogamos um copo de água gelada em uma extremidade da banheira, vai demorar um tempo até que a temperatura da água atinja um novo equilíbrio, isto é, até que fique aproximadamente igual em toda a banheira. Isso porque para que haja essa equalização da temperatura as moléculas de água fria têm que colidir e trocar energia com as de água quente. Da mesma forma, os fótons do fundo cósmico precisam de tempo para regular sua temperatura — bem mais do que os 13,8 bilhões de anos que se passaram desde a formação dos primeiros átomos.

Guth propôs que o Universo primordial passou por um período de expansão ultrarrápida, que chamou de "inflação". Sua ideia lembra a bola no alto da ladeira que discutimos anteriormente: se, em um determinado momento da história cósmica, um campo semelhante ao Higgs encontrou-se preso em um estado metastável, o Universo passaria por uma expansão acelerada até que o campo relaxasse até retornar ao seu ponto de energia normal. Tanto Andrei Linde quanto Andreas Albrecht, da Universidade da Califórnia, em Davis, juntamente com Paul Steinhardt, da Universidade de Princeton, logo perceberam que o modelo de Guth sofria de um problema que ficou conhecido como "saída graciosa": se o campo ficasse preso no estado metastável por muito tempo, o processo não reproduziria o Universo em que vivemos. Para resolver isso, Linde, e Albrecht e Steinhardt sugeriram independentemente que bastava o campo rolar ladeira abaixo a partir de um platô bem plano, sem encontrar qualquer obstáculo que o prendesse em um estado de energia extra (um estado metastável). Esse é o modelo que inspirou Vilenkin a propor o seu cenário de inflação eterna.

Um período de inflação explica naturalmente por que o Universo é plano. Imagine um balão de festa enchido rapidamente até ficar bem grande. Uma região pequena da superfície, mesmo se inicialmente curva, apareceria plana após a expansão rápida. O mesmo ocorre com o cosmos: a região dentro do nosso horizonte cósmico seria uma pequena porção de um universo muito maior do que podemos aferir através de nossas observações. A inflação também explica por que a temperatura dos fótons do fundo de micro-ondas é essencialmente a mesma através de distâncias tão vastas. Como a região que inclui nosso horizonte cósmico originou-se da mesma porção do espaço que expandiu aceleradamente, é natural supor que os fótons que de lá se originaram gozem das mesmas propriedades.

A inflação vai além. Lembra-se dos pequenos saltos quânticos que levam aos universos-bolha surgindo no multiverso? Bem, esses mesmos saltos quânticos, ao fazer o campo subir ou descer a ladeira, causam pequenas flutuações de energia; tal como a superfície de um lago, que nunca é exatamente plana, alguns locais dentro da região em expansão acelerada têm um pouco mais de energia, enquanto outros têm menos. Com a inflação, essas pequenas regiões são ampliadas até atingirem dimensões astronômicas. Passados 400 mil anos, chegamos à época da formação dos primeiros átomos de hidrogênio e da radiação de fundo cósmico. Como a gravidade é uma força atrativa, regiões mais densas atrairão mais matéria. Tal como a água de chuva, que se concentra em poças aqui e ali, essas regiões acabam coletando quantidades maiores de matéria. Com o tempo, essas regiões mais densas formam uma espécie de teia que cobre o volume do Universo. E é ao longo dessa teia que se formam as galáxias e seus aglomerados. Em outras palavras, a teoria do universo inflacionário oferece um mecanismo que explica não só como as galáxias e seus aglomerados surgiram, mas também como se distribuem pelo espaço. Como os fótons também sentem os poços gravitacionais que existem no espaço, a inflação prevê a existência de pequenas flutuações de temperatura no fundo cósmico de micro-ondas, regiões levemente mais quentes ou mais frias, causadas por fótons que são afetados por variações na força da gravidade ao longo de suas trajetórias. Esse mapa de variações extremamente delicadas na temperatura dos fótons foi obtido com medidas de alta precisão pela Sonda Wilkinson de Anisotropia de Micro-ondas (WMAP), um satélite da NASA, e, mais recentemente e com precisão mais alta, pelo satélite Planck da Agência Espacial Europeia. As medidas confirmam a previsão de alguns modelos propostos para a inflação cósmica, indicando que, de fato, o Universo passou por um período de expansão acelerada em seus primórdios.

Se for esse o caso, e como nosso horizonte cósmico é praticamente plano, somos forçados a concluir que o universo é muito maior do que a região a que temos acesso através de nossas observações, o Universo visível. Mesmo que não seja possível fazer declarações definitivas sobre quantidades infinitas na Natureza, o universo é certamente gigantesco, possivelmente infinito. Com isso, existe espaço suficiente para que outras regiões em expansão acelerada possam existir, conforme é previsto pelos modelos de inflação eterna.

Um ingrediente-chave dos modelos de inflação mais simples é, como vimos, um campo escalar. Mesmo que não tenhamos uma confirmação direta, ou mesmo indireta, de que realmente um campo escalar com energia extra tenha sido o combustível da inflação cósmica, o enorme sucesso do Modelo Padrão das partículas elementares, aliado à recente descoberta do bóson de Higgs (que é, afinal, um campo escalar), dá credibilidade a esta hipótese. Um número incontável de modelos que visam a estender a aplicabilidade da física de partículas a energias bem além das descritas pelo Modelo Padrão usa campos escalares. As teorias de supercordas, por exemplo, propõem várias possibilidades. Mesmo os que não são entusiastas de teorias que usam supersimetria têm excelentes razões para crer que novas descobertas nos esperam a energias acima das que nossos aceleradores podem estudar no momento. Nesse caso, teremos uma série de candidatos para os campos que podem dar origem a uma expansão acelerada nos primórdios do tempo.

Uma ciência saudável combina humildade com esperança: humildade para aceitar a extensão de nossa ignorância; e esperança de que novas descobertas irão expandir a Ilha do Conhecimento. Porém, quando nos encontramos nas margens da Ilha e não podemos contar com dados experimentais, a única estratégia à nossa disposição é a especulação bem fundamentada. Sem ela, sem o uso da imaginação, a ciência não pode avançar.

Não poderia, portanto, terminar esta excursão pelo multiverso sem uma discussão, mesmo que breve, de como o conceito aparece em teorias de supercordas. Existem várias popularizações que listo na bibliografia. Em particular, sugiro os livros de Brian Greene e Leonard Susskind, caso o leitor queira se aprofundar. Porém, para o que precisamos aqui, o capítulo a seguir é suficiente.[68]

15 Interlúdio: um passeio pelo vale das cordas

(Onde discutimos a teoria de supercordas, suas previsões e
implicações antrópicas)

As supercordas existem em espaços com mais de três dimensões espaciais; só assim sua formulação matemática é consistente. Isso cria um desafio imediato para a teoria, pois temos que explicar o motivo pelo qual, se mais de três dimensões espaciais existem, vemos apenas três delas. Precisamos, também, saber quantas dimensões extras existem. Uma? Duas? Cinco? Vinte? Essa questão, ao menos, é elegantemente resolvida quando aliamos a supersimetria à teoria de cordas, criando a teoria de supercordas. Já encontramos a supersimetria antes, quando discutimos a matéria escura. Agora, precisamos explorá-la mais a fundo. Segundo teorias atuais, existem dois tipos de partículas na Natureza: as que compõem a matéria (elétrons, quarks e algumas outras) e as que transmitem as forças *entre* as partículas de matéria (os fótons para o eletromagnetismo; os "grávitons" para a gravidade — ainda não detectados; os glúons, que mantêm os quarks dentro de prótons e nêutrons; e, finalmente, as três partículas da força nuclear fraca, responsável pelo decaimento radioativo, as pesadas Z^0, W^+, e W^-). A supersimetria é uma operação matemática capaz de transformar partículas de matéria em partículas de força e vice-versa. O resultado disso é que se a supersimetria existir na Natureza cada partícula de matéria teria uma parceira supersimétrica: o elétron, por exemplo, teria o "selétron"; os seis quarks teriam seis "squarks" — e assim por diante.

O leitor deve estar se perguntando por que diabos é uma boa ideia dobrar o número de partículas elementares na Natureza. A resposta, e uma das motivações originais da supersimetria nos anos 1970, é que teorias supersimétricas podem explicar por que a energia do espaço vazio (o "vácuo") é zero. Caso a energia do vácuo não fosse zero, isto é, caso existisse uma energia residual no espaço, faria o papel de uma constante cosmológica e causaria a expansão acelerada do Universo. Em meados de 1970, essa era uma possibilidade que precisava ser descartada a todo custo, já que não havia qualquer evidência de que o cosmos passava por uma expansão acelerada. (A descoberta da aceleração cósmica e sua atribuição à energia escura ocorreu apenas em 1998. Antes disso, a maioria absoluta dos físicos esperava que a constante cosmológica fosse zero; teorias supersimétricas ofereciam um caminho natural para que assim fosse.)

O problema era o vácuo, o estado que, para os físicos, é a melhor aproximação do "nada" possível, o espaço vazio, sem partículas. Entretanto, a física quântica complica as coisas. Como mencionamos antes, a propriedade essencial da física quântica é que tudo flutua: a posição da partícula, sua velocidade, sua energia. Portanto, mesmo que o espaço vazio tenha energia nula, flutuações quânticas em torno desse valor podem criar regiões aqui e ali onde a energia adquire valores finitos. Nessas regiões, existe a possibilidade de que a conversão de energia em matéria (da fórmula $E = mc^2$) crie partículas, mesmo que apenas por alguns instantes, antes que retornem ao nada de onde vieram, como bolhas que aparecem e desaparecem em uma sopa em ebulição. Quando esse pequeno efeito quântico é somado sobre todo o espaço, acaba por gerar uma contribuição *enorme* para a energia. A supersimetria suprime essas flutuações, fazendo com que a energia do espaço vazio seja zero em alguns casos. Com isso, poderia potencialmente explicar por que a constante cosmológica é zero. Mas agora, após a descoberta da energia escura, a motivação para se usar a supersimetria a fim de cancelar as flutuações de energia do vácuo não é assim tão forte ou mesmo necessária.

Em geral, explicar a origem de números pequenos é muito difícil na física. É bem melhor quando uma grandeza é nula ou igual a um número inteiro (1, 2,...). Mesmo assim, existem outras vantagens para a supersimetria. Por um lado, ela oferece uma explicação de por que a escala de energia onde as partículas ganham massa ao sentirem o campo de Higgs é tão menor (por dezesseis ordens de grandeza, ou 10 mil trilhões de vezes) do que a energia em que o espaço-tempo supostamente começa a flutuar devido a efeitos quânticos. Por outro, a supersimetria também oferece candidatos viáveis para a matéria escura. Por essas razões, mesmo que não tenhamos qualquer evidência de que a supersimetria exista (até o momento, e após quatro décadas de busca, experimentos não encontraram nada), ela permanece sendo uma possibilidade concreta de uma simetria realizada na Natureza.

Retornando às cordas, quando combinadas com a supersimetria, o número de dimensões extras é fixado: supercordas só podem existir em nove dimensões espaciais. Até o momento, foram encontrados cinco tipos de teorias de supercordas, e o físico-matemático Edward Witten, do Instituto de Estudos Avançados em Princeton, nos EUA, provou que todas são manifestações de uma única teoria, formulada em uma dimensão a mais (ou seja, em dez dimensões espaciais): a chamada "teoria-M".[69]

Portanto, se as supercordas descrevem a Natureza, seis dimensões espaciais são invisíveis aos nossos olhos e instrumentos. Como explicar isso? Dediquei minha tese de doutorado e parte da minha pesquisa durante meu pós-doutorado no Fermilab — um laboratório de física de altas energias nos arredores de Chicago — a essa questão, que, na época, era ainda bem nova. Em particular, se combinamos as teorias de supercordas e suas nove dimensões espaciais com a teoria do Big Bang, como justificar que apenas três das nove dimensões cresceram? Vários modelos foram propostos, alguns usando forças atrativas entre as partículas originadas de vibrações nas cordas, para explicar a coesão do "espaço interno", isto é, do espaço contendo as seis dimensões extras. Como ainda não temos um candidato viável para a teoria de supercordas, continuamos sem saber como responder a essa pergunta. De fato, ideias mais recentes consideram a possibilidade de que as dimensões extras são bem maiores do que as escalas minúsculas da gravitação quântica, mesmo se ainda pequenas o suficiente para permanecerem além do alcance de detectores. Outras sugerem que as dimensões extras são, na verdade, enormes e que vivemos em um espaço (em uma "brana") dentro delas, como uma fatia de torrada flutuando no ar. A física americana Lisa Randall, uma velha amiga dos dias da cosmologia com dimensões extras e a primeira mulher a ganhar posição permanente em física teórica na Universidade de Harvard (certamente uma demora vergonhosa), escreveu um livro popular no qual explica a ideia de branas, que propôs em 1999, juntamente com Raman Sundrum.[70]

Nosso interesse aqui é que teorias de supercordas também preveem a existência de um multiverso. No caso, recebe o nome de "paisagem" ou "panorama" das cordas, essencialmente o conjunto de todas as contorções possíveis que o espaço contendo as seis dimensões extras pode assumir (daí a ideia de paisagem, cada vale ou monte relacionado com um tipo possível de geometria). O leitor que já brincou com bolas de massinha sabe que podem ser distorcidas de vários modos, incluindo um número de furos diferente. Como sombras na caverna de Platão, cada forma tomada pelo espaço interno implica uma realidade física diferente nas nossas três dimensões espaciais. O panorama das cordas é o espaço abstrato contendo todas as geometrias possíveis que as dimensões extras podem ter. Não é um espaço em que podemos andar, mas um espaço de possibilidades geométricas.

A invenção do panorama das cordas provocou uma profunda mudança psicológica nos físicos que trabalham na área. Originalmente, a maior atração da teoria de supercordas era prover *A* teoria da Natureza: sua força, sua beleza, vinha justamente de ser única, de ser *A* solução para o Universo. Uma vez que a equação fundamental das cordas fosse resolvida, a solução deveria ser única e inevitável: nosso Universo! Infelizmente, as coisas não avançaram dessa forma: o que se encontrou foi um número *gigantesco* de soluções possíveis, cada uma correspondendo a um "vale" no panorama das cordas. Estimativas do número de soluções possíveis chegam a um valor absurdo, 10^{500}, devido à riqueza da topologia do espaço com seis dimensões. E como podemos escolher uma dentre

10^{500} soluções? O que poderia ter guiado a Natureza a fazer uma única escolha, a escolha preferida, ou o "vácuo verdadeiro"? E por que essa escolha tão importante deveria corresponder ao nosso Universo? Por que não a um outro? Até o momento, ninguém encontrou uma explicação ou um critério de seleção razoável. Com isso, a motivação principal da teoria de supercordas, encontrar nosso Universo como a solução de sua equação, desapareceu.

As depressões do panorama de cordas (chamadas de mínimos locais ou "vácuos") correspondem a um espaço-tempo de quatro dimensões, cada qual com partículas e forças diferentes. Dessa forma, cada solução correspondendo a um mínimo do panorama de cordas prevê um universo com propriedades únicas e distintas. Qual critério seleciona o nosso Universo com os valores que medimos para as constantes fundamentais da Natureza (a carga e a massa do elétron ou a velocidade da luz, por exemplo) e a taxa de expansão acelerada? Será que, ao critério de seleção da geometria do espaço interno, devemos adicionar outro, relacionado com a possibilidade de que nosso Universo abriga seres vivos? Desde o século XVII, a tendência da astronomia tem sido mostrar como somos irrelevantes se comparados com a vastidão cósmica. Será que as supercordas reverteriam essa lição básica da revolução copernicana?

No ano 2000, os físicos Rafael Bousso, da Universidade da Califórnia, em Berkeley, e Joseph Polchinski, do Instituto Kavli de Física Teórica na Universidade da Califórnia, em Santa Barbara (onde fiz meu segundo pós-doutorado), tiveram a ideia de combinar o panorama das cordas com o cenário da inflação eterna. Examinando a possível conexão entre as duas teorias, concluíram que vales diferentes no panorama das cordas estariam separados por regiões que expandiriam de forma acelerada, distanciando-os rapidamente. Com isso, cada vale correspondendo a uma solução da teoria de cordas corresponderia, por sua vez, a um universo isolado. O nosso seria apenas um deles. Bousso e Polchinski evitam a questão de como selecionar o nosso cosmos; não haveria um critério especial, já que seria apenas um dentre um número gigantesco (infinito?) de possibilidades.

Aproximando mais o seu cenário da inflação eterna, Bousso e Polchinski sugeriram que pequenas flutuações quânticas poderiam induzir mudanças na geometria do espaço interno (o das seis dimensões extras). Essa agitação quântica se traduziria em uma espécie de movimento aleatório no panorama das cordas, feito o andar de um bêbado que sai do bar e esquece onde estacionou o carro. Segundo esse cenário, a versão do multiverso inspirado pelo panorama das cordas consistiria em uma coleção imensa de universos distintos, cada qual relativo a uma solução ou vale. Potencialmente, as constantes da Natureza teriam um valor distinto (por exemplo, elétrons com massas diferentes do nosso elétron) em cada universo — ou mesmo partículas distintas. Alguns físicos afirmam até que as leis da Natureza podem diferir de um universo para outro, se bem que não me é claro como diferentes vales do panorama de cordas correspondem a leis diversas da Natureza. (Mudar massas e cargas de partículas de vale para vale não equivale a criar novas leis da Natureza, como a conservação da carga elétrica ou de energia.)

Segundo o multiverso inspirado pelo panorama das cordas, existe um número gigantesco de universos "lá fora", cada qual completamente ignorante da existência de outros. Pela primeira vez na história da ciência, o incognoscível ganhou o aval da física teórica. É óbvio que vários físicos reagiram negativamente a esse "novo" modo de se fazer ciência, tão avesso ao tradicional, baseado na validação empírica. Como tais ideias podem ser testadas? Nessa pluralidade estonteante de universos emergentes, como explicar nossa existência? Ou será melhor que a ciência deixe de lado essa questão, aceitando que não temos como responder a ela? Ao confrontar esse dilema, vários físicos trabalhando na teoria de cordas optaram por adotar um princípio que, alguns anos atrás, iria radicalmente contra o objetivo principal da teoria de cordas: provar que somos únicos, que somos A solução da teoria. Segundo o princípio antrópico, alvo de debate intenso entre físicos e filósofos, nossa existência não é algo que pode ser previsto por uma teoria, mas apenas "pós-dito".[71]

Na década de 1970, o astrofísico Brandon Carter sugeriu que não deveríamos nos surpreender tanto com o fato de vivermos em um Universo com vida. Afinal, apenas nesse tipo de universo, com propriedades físicas apropriadas (ou seja, valores das constantes fundamentais e de parâmetros cosmológicos que garantem que o cosmos seja velho o suficiente e que expanda na taxa correta), poderiam existir várias gerações de estrelas e, portanto, de elementos químicos pesados, essenciais para o surgimento e desenvolvimento da vida. Em outras palavras, as constantes da Natureza que encontramos no nosso Universo, como a intensidade da força gravitacional ou a massa do elétron, são as que permitem que a vida exista. Dada a fragilidade dos processos físicos que levam ao nascimento e evolução das estrelas em um universo em expansão, o valor dessas constantes não pode variar muito. A vida pode existir apenas naqueles raros universos onde as constantes da Natureza têm valores bem próximos aos que encontramos aqui.

Bousso e Polchinski conjecturaram, e outros concordaram, que o princípio antrópico é o único que pode levar a algum tipo de critério capaz de selecionar nosso Universo na vastidão absurda do panorama das cordas. Quando Leonard Susskind, da Universidade de Stanford — instituição de outros teóricos como Linde e um dos arquitetos da teoria de supercordas —, juntou-se aos dois em 2003, a ideia do panorama de cordas e de seu multiverso associado decolou. Segundo o princípio antrópico, podemos existir apenas naquele subconjunto de universos onde o valor da constante cosmológica é zero ou pequeno o suficiente, como a que parece estar por trás da energia escura. Como a teoria afirma que cada mínimo do panorama dá origem a um universo distinto em algum canto do multiverso, não deveríamos ficar surpresos de encontrar o nosso nesse meio, mesmo se a combinação de constantes que encontramos for rara. Portanto, não existe um critério especial que seleciona o nosso Universo — apenas uma profusão de cosmoides, incluindo o nosso, raro ou não. Com isso, nossa mediocridade copernicana é plenamente restaurada — até, claro, alguém encontrar algum motivo para justificar que o mínimo correspondendo ao nosso Universo é o preferido. Nesse caso, o princípio antrópico seria esquecido da noite para o dia, e mencionado apenas como uma curiosidade histórica, como hoje são o flogisto ou o éter, criações típicas de épocas em que os físicos se veem encurralados entre teoria e experimento.

Aqueles que não endossam explicações baseadas no princípio antrópico, como é o meu caso, argumentam que não nos ensina nada de novo; no máximo oferece uma janela plausível para os valores de alguma grandeza (como a constante cosmológica), usando algo que já sabemos, como a existência de vida, por exemplo. Argumentos antrópicos são úteis, pois oferecem meios de estimar os limites aceitáveis da variação de parâmetros físicos. Mas não oferecem o mais importante: uma explicação do porquê desses valores. O princípio acomoda sem iluminar.

Eis um exemplo. Considere a altura média de um homem adulto nos EUA, 1,77 metro. Aplicando as leis da estatística, é simples deduzir que, se andarmos pelas ruas de Nova York ou Chicago, temos 95% de probabilidade de encontrar um homem com altura entre 1,63m e 1,90m. Isso é o que o princípio antrópico ofereceria aqui, os limites aceitáveis da variação na altura dos homens americanos, com base no nosso conhecimento da altura média dos homens. Se não soubéssemos o valor da altura média, o princípio não seria muito útil. Em particular, não explicaria o valor da grandeza importante nesse exemplo, a altura média de um homem americano, cujo valor precisa de um estudo multidisciplinar para ser estimado.[72]

E se deixarmos as cordas de lado? Seria possível encontrar universos com valores distintos das constantes da Natureza dentro apenas do cenário de inflação eterna? Em princípio, sim. Podemos imaginar uma teoria com vários campos escalares, cada qual relacionado com um conjunto de constantes naturais em seu mínimo de energia. Como vimos, isso é o que ocorre no caso do campo de Higgs, onde seu mínimo determina as massas das partículas que existem em nosso Universo. Em cada versão do universo inflacionário, um grupo distinto de campos escalares, com seus mínimos específicos, seguiria sua trajetória, gerando um conjunto distinto de constantes fundamentais. Ou, equivalentemente, poderíamos ter apenas um campo escalar, com muitos mínimos de energia; em regiões diferentes do cosmos, o campo rolaria para este ou aquele mínimo, gerando, assim, constantes físicas diferentes neste ou naquele universo.

Tais argumentos sugerem que o multiverso é ao menos teoricamente plausível. Vamos, então, supor que vivemos em um multiverso. Como poderíamos provar isso? É possível observar o multiverso? Em outras palavras, será que o multiverso é uma hipótese científica testável ou apenas especulação teórica, capaz de causar uma ruptura perigosa na comunidade dos físicos? O multiverso é conhecível ou incognoscível?

16 Será que o multiverso pode ser detectado?

(Onde exploramos se o multiverso é uma teoria física ou mera fantasia)

Quando se trata de ideias estranhas, físicos devem ser bem céticos. Quantas ideias já não foram propostas e aceitas pela maioria da comunidade antes de serem sumariamente rejeitadas pelo acúmulo de evidências? O éter eletromagnético, o flogisto, o calórico, o planeta Vulcan, proposto pelo astrônomo francês Urbain Le Verrier para explicar anomalias na órbita de Mercúrio,... a lista é longa. Podemos culpar essa proliferação nos excessos da imaginação humana, inflada pelo apego insistente a uma ideia. Mas como poderia ser diferente? Afinal, se você não acreditar em sua ideia, outros acreditarão menos ainda. É melhor ter alguma explicação, mesmo que errada, do que nenhuma. Contanto que seja testável.

Queremos saber, *precisamos* saber, e fazemos o possível para construir um argumento aparentemente racional que explique um fenômeno novo. Justificamos a nova hipótese com argumentos plausíveis a fim de convencer nossos colegas. Essa atitude é essencial para o avanço do conhecimento: explicações erradas nos aproximam daquelas certas. Se você não lida bem com o fracasso, é melhor evitar a carreira científica. A Ilha do Conhecimento não cresce de forma previsível, linear. Às vezes, é forçada a recuar, expondo lacunas no conhecimento que acreditávamos ter preenchido. Mesmo que a imaginação seja uma ferramenta essencial desse processo de invenção e descoberta, não pode trabalhar sozinha: toda hipótese científica precisa ser testável. Se vinte físicos teóricos fossem trancados em uma sala, sem acesso a observações, e ordenados a inventar o universo, chegariam a um muito diferente do nosso.

O multiverso é uma ameaça séria a esse método operacional de propor hipóteses e testá-las através de observações. Se outros universos existem além do nosso horizonte cósmico, não poderemos jamais receber um sinal deles ou lhes enviar um sinal. Se existem, são completamente inacessíveis aos nossos instrumentos. Nunca poderemos vê-los e muito menos visitá-los. Se seres inteligentes vivem em um universo paralelo ao nosso, também não poderão nos visitar. Portanto, em um senso restrito, a existência do multiverso não pode ser diretamente confirmada. O cosmólogo George Ellis, da Universidade de Cape Town, na África do Sul, coloca claramente: "Todos os universos paralelos, por estarem fora do nosso horizonte, permanecerão inobserváveis, agora ou no futuro, independentemente de qualquer avanço tecnológico. De fato, estão longe demais para terem exercido qualquer tipo de influência no nosso universo. Por essa razão, nenhuma asserção feita por entusiastas do multiverso pode ser diretamente substanciada."[73]

Por outro lado, poucos físicos modernos defenderiam a velha posição positivista, expressa dramaticamente pelo físico e filósofo austríaco Ernst Mach, em 1900, quando afirmou que átomos não existem pois não podem ser vistos. (Infelizmente, Mach manteve sua posição antiatomista até sua morte, em 1916.) Existem modos de aferirmos a existência de algo, mesmo se não podemos vê-lo, tocá-lo ou ouvi-lo. Astrofísicos fazem isso quando usam o movimento de estrelas ao redor de um "ponto" no espaço para deduzir a existência de um buraco negro gigantesco no centro de nossa galáxia. Físicos de altas energias fazem isso quando obtêm as propriedades de uma dada partícula estudando os traços que deixa em um detector. Ninguém "vê" um elétron — apenas os traços que elétrons deixam em vários tipos de detectores e aparelhos. Concluímos que elétrons existem a partir da análise desses traços e sinais. Talvez "existir" seja uma palavra forte demais; melhor dizer que *construímos* a ideia do elétron para explicar os sinais e traços que coletamos com os instrumentos que usamos para estudar o mundo do muito pequeno, o mundo dos átomos e das partículas subatômicas. Da mesma forma, construímos a ideia de energia escura como uma explicação econômica para as assinaturas espectroscópicas de objetos distantes.

Portanto, a questão não é se podemos "ver" ou não um universo vizinho ao nosso, mas se existe alguma forma de detectar sua existência de dentro do nosso horizonte cósmico. Note que uma detecção desse tipo não seria um teste da hipótese do multiverso, pois indicaria "apenas" que universos vizinhos ao nosso podem existir. No máximo, daria suporte à hipótese. É necessário distinguir entre evidência indireta da existência de universos vizinhos e a confirmação direta da existência do multiverso. Portanto, repito: mesmo se encontrássemos sinais convincentes comprovando a existência de universos vizinhos ao nosso, não poderíamos concluir que os resultados afirmam que o multiverso existe. Detectar a existência de outro universo não equivale a comprovar a existência do multiverso. Duas ou três casas vizinhas não equivalem a um país, muito menos a um planeta. A existência do multiverso, seja ele finito ou infinito, é uma hipótese incognoscível.[74]

Como vimos na discussão anterior sobre o Big Bang, a melhor fonte que temos para explorar as propriedades do universo primordial é a radiação cósmica de fundo. Será que universos vizinhos deixaram algum sinal inscrito nos fótons que vêm cruzando nosso Universo por 13,8 bilhões de anos?

"Quando universos colidem" seria um título ideal para um artigo sobre o assunto.[75] Será que um universo vizinho colidiu com o nosso no passado? Certamente, se algo assim ocorreu, a colisão não pode ter sido muito violenta; caso contrário, não estaríamos aqui nos perguntando sobre o assunto. Mas a possibilidade existe, mesmo se remota; universos vizinhos, ao expandir, podem colidir com o nosso. ("Passou de raspão" é mais razoável do que colidir, o que implica um evento violento e destrutivo.)

Em 2007, Alan Guth, juntamente com Alex Vilenkin e Jaume Garriga, da Universidade de Barcelona, sugeriram que, assim como vibrações se propagam nas superfícies de bolhas de sabão quando colidem, por exemplo, colisões entre universos criariam vibrações nas suas superfícies. Tais vibrações, por sua vez, causariam reverberações internas, fazendo tudo o que existisse dentro das bolhas-universos oscilar. Tal como ocorre com ondas criadas quando jogamos uma pedra em um lago, quanto mais violento o impacto, maior a energia transportada pelas ondas. O aspecto interessante dessas ondulações espaciais é que teriam a forma de um disco, criando anéis concêntricos na geometria cósmica. Os mapas de temperatura da radiação cósmica de fundo revelariam flutuações com padrões anulares, assinaturas de uma colisão entre nosso cosmos e outro vizinho em um passado distante.

Vários cosmólogos, como Anthony Aguirre, da Universidade da Califórnia, em Santa Cruz, e Matthew Kleban, da Universidade de Nova York, e seus colaboradores, construíram cenários teóricos nos quais calcularam os possíveis efeitos observacionais dessas colisões entre universos. Segundo eles, padrões anulares na radiação cósmica de fundo apareceriam com diversos tamanhos e amplitudes, que dependem dos detalhes da colisão. Fora isso, os fótons podem também adquirir uma polarização bem específica, isto é, poderiam estar alinhados em uma direção particular do céu, como peças de dominó arrumadas em pé.[76] Uma busca preliminar, usando dados do satélite WMAP, não trouxe resultados positivos. Mas ainda é cedo para tirarmos conclusões definitivas. O satélite Planck está para revelar dados sobre a polarização da radiação cósmica de fundo que podem, ao menos potencialmente, ter a assinatura que Kleban e outros esperam de uma colisão entre universos: padrões na forma de disco, com fótons polarizados em uma direção específica na margem do disco (e com um pico duplo de intensidade, feito o morro Dois Irmãos na praia de Ipanema, no Rio de Janeiro). Essa assinatura, única em suas características, seria uma evidência convincente de que nosso Universo colidiu com outro no passado.

Note, porém, que mesmo se obtivéssemos esse tipo de prova nada aprenderíamos sobre a física que opera no universo vizinho, isto é, os tipos de matéria e de forças que lá existem, ou se as leis da Natureza lá atuam como as daqui. (Se bem que os cálculos da probabilidade de uma colisão supõem que as leis da Natureza lá são como as daqui, ao menos de forma geral. Difícil calcular com leis desconhecidas...)

Como se tivéssemos sido tocados por um fantasma, teríamos evidência de uma realidade alternativa além das fronteiras do nosso Universo, perto mas inatingível, real mas incognoscível. Mesmo que o cenário inspirado pelo panorama das supercordas receba algum tipo de confirmação indireta no futuro, oferecendo, portanto, suporte para a existência do multiverso, não saberíamos qual dos incontáveis universos tocou-nos no passado ou se outra colisão futura, mais violenta, poderá levar ao nosso fim. Como nas lendas em que um explorador enfrenta perigos indescritíveis para descobrir o segredo de uma força de enorme poder destrutivo, a descoberta de um universo paralelo teria o efeito paradoxal de ser, ao mesmo tempo, um grande triunfo da ciência e a fonte de medos apocalípticos. É curioso que os padrões que acusariam tal possibilidade tenham a forma de um anel, lembrando-nos de outros anéis do mundo da ficção com grande poder destrutivo, como *O anel do Nibelungo*, da ópera de Richard Wagner, e o anel de lorde Sauron, da saga *O senhor dos anéis*, de J. R. R. Tolkien.

Mesmo que a possibilidade de detectarmos esse tipo de padrão anular nos céus seja extremamente remota, o trabalho de Aguirre, Kleban e outros é de extrema importância, pois mostra que esse tipo de evento esotérico é testável através de observações que somos capazes de fazer no presente. Como ocorre com frequência em tópicos mais exóticos da ciência, mesmo quando a chance de sucesso é pequena o ganho é potencialmente tão grande que justifica a iniciativa. Porém, friso novamente que *a detecção de um universo vizinho não é prova da existência do multiverso*. A hipótese do multiverso não é testável dentro da formulação atual da física, mesmo que seja tão sugestiva e atraente para muitos (não todos, devo dizer). A extrapolação de um universo vizinho, ou mesmo de alguns, para um número infinito deles, não é automática.

Por definição, a noção de "infinito" não é testável: para sabermos se o espaço se estende ao infinito, precisaríamos receber sinais de regiões infinitamente distantes; para sabermos se o tempo é infinito, precisaríamos receber sinais de um passado infinitamente distante ou ter um universo que não teve uma origem no passado, que não teve um Big Bang; para sabermos se o Universo continuará a expandir para sempre, precisaríamos monitorar essa expansão para sempre, já que não podemos prever de forma definitiva se algum novo efeito poderá alterar ou mesmo reverter a expansão em algum ponto no futuro. Mesmo considerando que a noção de infinito tenha enorme apelo matemático, sendo uma extrapolação racional bastante simples (uma linha reta que continua em ambas as direções), *nunca* poderemos ter certeza de que quantidades infinitas existem na Natureza. No mundo físico, o infinito é incognoscível. No máximo, podemos especular sobre a sua existência de dentro de nossa Ilha do Conhecimento.

* * *

A hipótese do multiverso e a possibilidade de um período de expansão "inflacionária" no cosmos primordial levam à noção do que é testável em física ao seu limite. Vimos isso com o multiverso que, concluímos, não é testável. O caso da inflação é mais sutil. A cosmologia inflacionária, se tomada em sua formulação mais geral, independentemente de modelos específicos com este ou aquele campo, faz várias previsões que já foram confirmadas: as duas mais importantes são a geometria plana do Universo e as propriedades da radiação cósmica de fundo, em particular a homogeneidade de sua temperatura (a mesma com precisão de uma parte em 100 mil). Porém, devemos notar que essas não são previsões reais: afinal, a inflação foi *desenhada* para resolver a questão da geometria plana e da temperatura da radiação cósmica de fundo. Portanto, não devemos nos surpreender com o fato de que a teoria funciona.

Onde a inflação faz novas previsões é nos detalhes das flutuações de temperatura da radiação cósmica de fundo. Com a aparência de pequenas irregularidades na superfície de um lago, a teoria inflacionária afirma que tais flutuações são consequência da inevitável agitação quântica do campo escalar responsável pela expansão espacial ultrarrápida. Durante essa ocorrência, tais flutuações são amplificadas dramaticamente, crescendo até mesmo além do horizonte cósmico (que, como vimos, é determinado pela velocidade da luz, mais lenta do que a expansão espacial). Com a inflação terminando e a continuação da expansão mais lenta do Universo, essas flutuações amplificadas "entram" novamente dentro de nosso horizonte cósmico, agora com dimensões astronômicas. Nas regiões onde existe um excesso de energia, a gravidade causa um maior acúmulo de matéria — constituída principalmente de átomos de hidrogênio (e de matéria escura). Os fótons da radiação cósmica de fundo também responderão a esses poços de atração, ganhando energia ao "caírem" neles. Observacionalmente, esse ganho de energia dos fótons significa um aumento local de sua temperatura. Como resultado, a radiação de fundo terá o aspecto de um adolescente com acne, com protuberâncias mais quentes e mais frias aqui e ali. Passados milhões de anos, a matéria coletada nesses poços transformou-se nas primeiras estrelas e, logo após, nas primeiras galáxias, ancestrais da nossa Via Láctea. Portanto, um grande triunfo da cosmologia inflacionária é oferecer um mecanismo capaz de explicar a origem das galáxias e da sua distribuição espacial, ocupando a superfície de "bolhas" de espaço vazio (ou quase), algo semelhante ao que vemos nas bolhas de sabão em um banho de espuma.[77]

As variações de temperatura dos fótons que constituem a radiação cósmica de fundo registradas nas observações de satélites e outros detectores terrestres são prova concreta da existência dessas pequenas flutuações na distribuição da matéria primordial. Ao estudá-las, vislumbramos a infância cósmica, exibindo uma conexão inusitada entre o mundo quântico e o mundo astronômico. À medida que os dados vão ficando mais precisos, modelos específicos que levam a uma expansão inflacionária vão sendo testados e, em muitos casos, descartados.

Outra assinatura típica da inflação cósmica é nas flutuações da própria geometria do espaço: se a distribuição de matéria flutua segundo certos padrões, a geometria do espaço invariavelmente flutuará também. A inflação amplia essas flutuações na geometria do espaço, criando um espectro de "ondas gravitacionais" com propriedades bem típicas. (A mesma amplitude para ondas de várias frequências.) Essas ondas gravitacionais também deixam sua marca na radiação cósmica de fundo, criando padrões contorcidos que lembram furacões, ou seja, na forma de vórtices. Em março, enquanto escrevia estas linhas, o experimento BICEP 2, localizado no Polo Sul e operado pelo centro de astrofísica da Universidade de Harvard, nos EUA, acusou as primeiras medidas desse padrão de distorção na radiação cósmica. Caso os resultados sejam confirmados, e espera-se que o time do satélite europeu Planck divulgue sua análise por volta de outubro de 2014, teremos evidência direta da existência de um período inflacionário bem perto da origem cósmica, em torno de um trilionésimo de trilionésimo de trilionésimo de segundo após o início do tempo (ou seja, 10^{-36} segundo). Poucos teriam imaginado que tal feito fosse realístico ou mensurável.

Mesmo com todo esse sucesso, uma coisa é confirmar as propriedades gerais de um fenômeno; outra é testar sua formulação detalhada. O modelo inflacionário deixa muitas questões em aberto. Apesar da ajuda dos novos dados, será muito difícil discernir qual dos vários modelos propostos para descrever o período inflacionário (ou algum novo) estaria correto, ao menos em um futuro próximo. Será que a expansão ultrarrápida foi mesmo causada por um campo escalar? Nesse caso, que tipo de física teria dado origem a esse campo? A teoria inflacionária também não deixa claro como ocorreu a transição do período de expansão ultrarrápida para um de expansão mais lenta que dominou a história cósmica pelos 8 bilhões de anos seguintes. Supostamente, foi durante essa transição entre os dois regimes de expansão que o Universo ficou extremamente quente, quando a energia extra do campo escalar foi convertida explosivamente em uma sopa de partículas de matéria e radiação. Na verdade, de acordo com a visão cosmológica moderna, essa criação explosiva de matéria no final da inflação foi o verdadeiro Big Bang! Após muitas tentativas aproximadas (algumas de minha autoria), temos apenas uma noção bem superficial de como esse processo ocorreu. Sabemos menos ainda sobre quais partículas existiam na época. Elétrons? Fótons? Quarks? Ou algo completamente diferente que, mais tarde, deu origem a essas partículas mais familiares? O problema é que tais processos cosmológicos ocorreram a energias trilhões de vezes maiores do que as que podemos estudar hoje em nossos laboratórios. Observações astronômicas podem eliminar alguns modelos e favorecer outros, mas não podem isolar exatamente o que ocorreu. *Podemos provar apenas que uma teoria está errada, não que está certa*, uma situação que obteria aprovação do filósofo da ciência Karl Popper, que argumentou que teorias físicas não podem ser provadas corretas em um senso final, apenas que estão erradas.

O melhor que podemos fazer com a teoria inflacionária é construir um modelo que funciona, isto é, consistente com as medidas atuais. Todavia, o modelo pode acabar tendo uma função semelhante aos epiciclos de Ptolomeu: uma invenção um tanto fantástica que "funciona". Embora o modelo possa aparentar ser a teoria correta, seu verdadeiro valor está em conciliar o conhecimento atual da história cósmica, tendo pouco a ver com o que de fato se passou na infância cósmica.

Nossa próxima tarefa é examinar a origem do Universo, uma questão que continua em aberto mesmo após o advento do modelo inflacionário e do multiverso, que pouco fazem para elucidá-la. Para examinarmos a origem cósmica e suas dificuldades conceituais, precisamos antes investigar as propriedades da matéria e as leis da física quântica. Afinal, se o Universo vem se expandindo desde a sua origem, deve ter sido muito pequeno no passado distante — tão pequeno que efeitos quânticos se fazem essenciais no estudo de suas propriedades. Por outro lado, veremos que o mundo quântico apresenta seus próprios desafios conceituais, alguns um tanto bizarros, que forçam uma redefinição da própria noção de "realidade", criando uma aura de mistério na nossa relação com o Universo.

Durante nossa exploração da física quântica, encontraremos de forma explícita os dois tipos fundamentais de limitação ao conhecimento que discutimos aqui: os impostos pela precisão de nossos instrumentos de medida e os que são parte intrínseca da Natureza, constituindo uma barreira insuperável ao conhecimento do mundo e da natureza última da realidade.

PARTE II

Da Pedra Filosofal ao Átomo: A Natureza Elusiva da Realidade

Na realidade nada sabemos;
Pois a verdade esconde-se nas profundezas.
— DEMÓCRITO, Fragmento 40

E dentre as tantas e estranhas transmutações,
Por que a Natureza não transforma Corpúsculos em Luz,
E Luz em Corpúsculos?
— ISAAC NEWTON, *Óptica* (1704)

Aqueles que consideram a teoria quântica como sendo a descrição final
[da Natureza] (em princípio) acreditam que uma descrição mais completa
é inútil, tais leis porque não existem. Se este for o caso,
a física só atrairia negociantes e engenheiros;
e tudo não passaria de uma bagunça inacabada.
— ALBERT EINSTEIN, carta a Erwin Schrödinger,
22 de dezembro de 1950

Cada peça ou parte da Natureza é sempre uma aproximação
da verdade completa, ou do que podemos conhecer da verdade
completa. De fato, tudo o que sabemos é uma espécie de
aproximação, porque sabemos que não conhecemos ainda todas
as leis. Portanto, as coisas são aprendidas apenas para serem
desaprendidas ou, mais provavelmente, corrigidas.
— RICHARD FEYNMAN, *Feynman Lectures on Physics*

17 Tudo flutua no nada

(Onde exploramos as ideias gregas sobre o atomismo)

Do que são feitas as coisas do mundo, com suas formas, texturas e cores variadas? Por que sua pele é tão diferente das páginas de um livro ou de um punhado de areia, do fogo ou de uma rajada de vento? Por que algumas substâncias transformam-se a temperaturas diferentes e com tamanha variação de substância para substância? Até que ponto podemos modificar a matéria, reengenhá-la para servir aos nossos propósitos? Será que o vazio absoluto — compreendido como a ausência total de matéria — existe?

Tais perguntas não são novas. Na Parte I, encontramos alguns dos filósofos pré-socráticos, os primeiros a buscar explicações racionais sobre o comportamento da Natureza. Vimos como Tales e seus sucessores da escola iônica sugeriram, na infância da filosofia ocidental em torno de 600 a.C., uma teoria unificada da Natureza em que tudo o que existe é manifestação de um único princípio material e das suas transformações, representando uma realidade sempre em fluxo.[1] Para os iônicos, o tempo era a essência da realidade. Por outro lado, Parmênides e seus discípulos sugeriram que a essência da Natureza deve ser encontrada no que é permanente e não no que é transiente; que o que *é* não pode mudar, pois, caso mude, torna-se no que não é. A verdade, concluíram, não pode ser efêmera. O "Ser" é atemporal, impérvio à passagem do tempo. Em menos de cem anos, filosofias do ser e do devir foram propostas com o mesmo objetivo: encontrar o caminho que desvendará os segredos da Natureza. Como escolher entre os dois?

A solução do impasse foi encontrada dois séculos mais tarde, nas ideias brilhantes de Leucipo e de seu prolífico discípulo, Demócrito. Em vez de considerar ser e devir como dois aspectos irreconciliáveis da Natureza, o par propôs que fossem, na verdade, dois lados da mesma moeda. Para tal, Leucipo e Demócrito conjecturaram que tudo é feito de pequenas entidades indivisíveis de matéria, os famosos átomos (em grego, "átomo" significa "o que não pode ser cortado").[2] Os átomos são imutáveis, "o que é" — representam, portanto, o ser. Movem-se no Vazio, "o que não é", um meio completamente destituído de matéria. Para os atomistas, tanto átomos quanto o vazio são igualmente fundamentais na descrição da Natureza. Parmênides, por outro lado, argumentaria que o vazio não pode existir, já que, na sua filosofia, "o-que-não-é" não pode ser: assim que alguém proclama que "o vazio existe", está declarando a existência do vazio; se o vazio existe, não pode não ser.

Os atomistas pouco ligavam para esse excesso de idealismo, declarando que tudo faz sentido se supusermos a realidade dos átomos e do vazio. Como em um jogo de Lego, através das suas várias combinações e rearranjos, os átomos podem assumir formas de vários tipos, explicando, assim, a diversidade material que vemos na Natureza. Com isso, as transformações do mundo são devidas ao rearranjo dos átomos: o ser e o devir são unificados, no que podemos considerar mais uma teoria unificada da Natureza.

Ao mesmo tempo que as coisas podem mudar, elas mantêm sua identidade, oculta em uma essência imutável. Assim, a água que flui nos rios transforma-se em nuvens e retorna ao solo como chuva; as sementes que viram árvores reaparecem nelas e, após um tempo, transformam-se em árvores mais uma vez. Mundos decaem e, dos seus restos, novos mundos emergem. A dança dos átomos anima a coreografia da Natureza. Demócrito foi além, propondo que os cinco sentidos fossem resultado da colisão de átomos (de luz, sabor...) com os órgãos sensoriais: "[...] por convenção cor, por convenção doce, por convenção amargo; na realidade, apenas átomos e o vazio."[3] Através de sua vasta obra, Demócrito criou uma ontologia extremamente fértil, baseada exclusivamente em uma descrição material da realidade. Mesmo assim, foi sábio o suficiente para caucionar contra a ilusão de um conhecimento total: "Na realidade, nada sabemos; pois a verdade esconde-se nas profundezas."[4]

Por volta de 300 a.C., Epicuro retomou as ideias atomistas com força renovada, refinando os ensinamentos de seus antecessores. Sugeriu que átomos fossem absolutamente indivisíveis e que uma enorme variedade de formas fossem derivadas de suas combinações (semelhantes às moléculas modernas, também formadas de átomos): "Ademais, as partículas sólidas e indivisíveis de matéria, que compõem corpos variados e às quais esses corpos revertem, existem em número inconcebível para nossas mentes."[5]

Mais surpreendente ainda é sua noção de múltiplos universos, ou *kosmoi*, aglomerados de matéria separados espacialmente: "[...] o número de mundos, alguns semelhantes ao nosso e outros distintos, é também infinito." É possível argumentar que os mundos (*kosmoi*) de Epicuro são apenas outros planetas; uma leitura mais cuidadosa, entretanto, mostra que ele considera um universo fechado — ou ao menos o que hoje chamaríamos de galáxia, separado do resto por um vazio espacial: "Um mundo (*kosmos*) é uma porção circunscrita do universo que contém estrelas, terra e todas as outras coisas visíveis, separado do infinito e terminando em uma porção exterior que pode tanto girar quanto estar em repouso, podendo ser redonda, triangular ou ter qualquer outra forma."[6] A noção de universos-ilha, e possivelmente até do multiverso, é bem mais antiga do que se supõe.

Mesmo que os átomos dos gregos sejam muito diferentes dos seus herdeiros de hoje, a descrição da matéria como constituída de blocos indivisíveis (o que chamamos de *partículas elementares*) continua sendo o conceito-chave da física do muito pequeno. Apesar de seu triunfo atual, a ideia atomista passou por muitos altos e baixos no decorrer da história do conhecimento, quase que desaparecendo durante a Idade Média. A situação começou a mudar de fato apenas durante a Renascença, quando alguns dos textos essenciais dos atomistas — em particular, o poema *Da natureza das coisas,* do poeta romano Lucrécio — foram resgatados das estantes empoeiradas de monastérios e de coleções privadas nos confins da Europa. Como reconta Steven Greenblatt em seu excelente *A virada*, devemos a ressurgência do atomismo e do materialismo ao intrépido caçador de manuscritos do século XV Poggio Bracciolini, que encontrou uma cópia do manuscrito de Lucrécio em meio a pilhas de papiros esquecidos em um monastério na Alemanha.

Apesar da amnésia generalizada, alguns mantiveram vivas as ideias dos atomistas, mesmo discretamente. Não tanto como seguidores da tradição dialética dos gregos, mas como praticantes, que tentaram revelar os segredos da matéria através de incontáveis destilações, filtragens e misturas. Nenhum relato das várias tentativas de desvendar os mistérios da Natureza no decorrer da história seria completo sem uma discussão da alquimia, de seu papel crucial no desenvolvimento da ciência e da sua influência marcante em alguns dos seus patriarcas mais celebrados, como Robert Boyle e Isaac Newton.

A alquimia representa uma ponte entre o velho e o novo, uma implementação de crenças filosóficas e espirituais na prática científica. Seus conceitos centrais — de que a purificação da matéria e do espírito eram inseparáveis e que as mesmas regras e leis funcionavam no céu e na Terra — inspiraram algumas das mentes mais criativas da história (e, inevitavelmente, uma longa lista de charlatões) a estudar a natureza e a composição da matéria e das suas transformações. Ao tentarem expandir o conhecimento das propriedades fundamentais da matéria e da nossa relação com o cosmos, os físicos modernos continuam uma trilha aberta pelos alquimistas de séculos atrás.

18 Admirável força e eficácia da arte e da natureza

(Onde visitamos o mundo da alquimia, vista como uma exploração metodológica e espiritual dos poderes ocultos da matéria)

Os poderes transformadores da Natureza são óbvios para todos nós. Que o aquecimento, o resfriamento e as misturas dos vários elementos levam tanto a novos compostos quanto à reemergência de sustâncias puras certamente não escapou à atenção dos sábios do Antigo Egito, e provavelmente já vinha despertando interesse bem antes deles. Como capturar esses poderes naturais para extrair a essência das coisas? A alquimia, em seu aspecto mais fundamental, foi uma tentativa de recriar os poderes da Natureza, acelerando suas transformações através de práticas experimentais que, mais tarde, formarão o coração da análise química: a destilação, a sublimação, a mistura de diferentes elementos e substâncias — o conjunto de técnicas de laboratório que os alquimistas chamavam solenemente de "Arte".

A difundida relação entre alquimia, magia e esoterismo é, de certo modo, uma distorção de seus objetivos reais: o aperfeiçoamento dos metais e do espírito humano. Embora alquimistas do Oriente, judeus, muçulmanos e cristãos combinassem sua fé na sua prática, todos acreditavam que era possível, na solidão do laboratório, resgatar os poderes da Natureza para efetuar transformações materiais nas várias substâncias. Implícito (e, às vezes, explícito) a esse poder era a aproximação do humano ao divino: o alquimista que obtém sucesso na sua prática transcenderá a condição humana. Como se sabe, muitos alquimistas acreditavam que o "elixir", o composto capaz de purificar metais até que virassem ouro, podia, também, estender a vida, criando imunidade contra doenças e interrompendo o envelhecimento.[7]

Embora não exista um conjunto fixo de práticas alquímicas, o fogo, com seu poder transformador, sempre foi considerado o agente central. Se o calor no interior da Terra era capaz de alterar a matéria, ora criando compostos, ora separando-os em metais puros ou quase puros, talvez uma pessoa, agindo metodicamente e com diligência, pudesse fazer o mesmo na sua fornalha. O objetivo principal da prática alquímica era completar o trabalho da Natureza, finalizando a transmutação dos metais até o mais perfeito deles — o ouro. Conforme escreveu o notável alquimista, filósofo natural e monge franciscano do século XIV Roger Bacon, "Devo-lhe dizer que a Natureza sempre teve a intenção de chegar à perfeição do ouro: mas muitos acidentes ocorrem no percurso, mudando os metais".[8]

Quando o fogo foi domado e usado para cozinhar, para aquecer e para afugentar predadores, ficou claro que possuía outras propriedades, incluindo o poder de transformar certos minerais em metais. O fogo era uma espécie de faca mágica, capaz de extrair a essência mais pura das coisas, invisível aos olhos, revelando segredos ocultos nas profundezas da matéria.

Sabemos que a malaquita, mineral de intensa cor verde, era já queimada para extrair o cobre há pelo menos 5 mil anos em vários locais do Oriente Médio. Tudo indica que o cobre havia sido descoberto bem antes, quando surgiram as primeiras comunidades agrárias. Ver o metal dourado "escapar" da malaquita deve ter causado a impressão de que estava aprisionado em seu interior: o fogo, capaz da mais cruel destruição, era, também, o liberador da essência mais pura da matéria. Como o cobre funde a 1.083 graus Celsius, uma temperatura relativamente baixa, artesãos podiam usá-lo para forjar cálices, joias, arados e vários outros utensílios. Armamentos, porém, necessitavam de um metal mais duro.

A luta pela supremacia militar certamente deu força à busca por metais mais duráveis, capazes de resistir a choques violentos e de manter a sua forma quando afiados, como argumentou Jared Diamond no seu *Armas, germes, e aço*.[9] Tal como hoje, guerras costumam ser ganhas por quem detém a tecnologia mais avançada. A primeira resposta foi o bronze, uma mistura (amálgama) de cobre e estanho, usualmente na proporção de 88% para 12%. Não se sabe como foi descoberto, provavelmente por tentativa e erro. Que dois metais relativamente maleáveis, ao serem combinados, criam algo mais duro do que ambos deve ter sido um grande mistério.[10] Em torno de 3000 a.C., no início da Era do Bronze, regiões diferentes do Oriente Médio tinham já armas e uma variedade de artefatos. Na China, a arte usando bronze atingiu enorme beleza e sofisticação, especialmente durante a dinastia Shang, por volta de 1500 a.C. O fogo havia se tornado o grande aliado dos homens, uma ferramenta essencial na exploração dos poderes ocultos da Natureza.

Muitas narrativas representam os perigos dessa aliança entre os homens e o fogo. Delas, talvez nenhuma seja tão evocativa quanto o mito grego de Prometeu, o titã que criou a humanidade do barro (não é só no Antigo Testamento que tal mito de criação aparece). Em um ato de grande coragem, Prometeu presenteia os humanos com o fogo que roubou dos deuses. Zeus, irado com tal desfeita, acorrenta Prometeu a uma rocha e ordena uma águia a devorar o fígado do imortal. Como o fígado de Prometeu regenerava todos os dias, seu tormento não tinha fim. Se ser um mártir humano é terrível, ser um mártir imortal é pior ainda. O fogo tinha que ser um segredo e tanto para que Zeus punisse Prometeu de tal forma. E era: controlar o fogo representava uma aproximação dos humanos ao poder divino, algo que Zeus não toleraria.

No mito, identificamos ecos da falha moral que levou à expulsão de Adão e Eva do Paraíso, conforme contado no Gênesis 3 do Antigo Testamento. O casal foi punido por ter se alimentado da árvore do conhecimento (a famosa maçã). Por querer saber mais do que deviam, Adão e Eva (e seus herdeiros) perderam sua imortalidade. Mesmo que haja grande variação de cultura para cultura, a lição se repete: melhor que alguns dos poderes do mundo natural permaneçam além do alcance dos homens.

O próximo grande passo na exploração dos metais foi o uso do ferro. No início, amostras devem ter sido recolhidas de meteoritos, que, em geral, contêm ferro e níquel em abundância. Com um ponto de fusão 450 graus Celsius acima do cobre, a manipulação do ferro é bem mais difícil. Por outro lado, é mais fácil de ser encontrado. Em torno de 1300 a.C., o trabalho artesanal com amostras de ferro era praticado na Anatólia (Turquia), na Índia e nas regiões dos Bálcãs e do Cáucaso. Com a dificuldade crescente de se encontrar estanho, o ferro passou a dominar. Eventualmente, foi descoberto que a adição de um pouco de carbono (em geral menos de 2%) ao ferro leva ao aço, a mais dura das amálgamas metálicas.

O desenvolvimento das várias amálgamas metálicas marca o início de uma metodologia científica: apenas após uma exploração detalhada dos vários metais e de suas misturas em proporções diferentes é que resultados eram encontrados, sempre com a ajuda do fogo. Implícita, também, era a noção de que a repetição leva aos mesmos resultados, ou seja, de que existe regularidade na Natureza. Mesmo que faltasse ainda uma compreensão das causas naturais por trás das transformações que ocorriam na fornalha, ficava cada vez mais claro que, usando poderes naturais, era possível manipular a matéria para servir aos nossos propósitos. Com frequência, esse conhecimento era considerado sagrado: aqueles que o possuíam estavam mais próximos do divino. A alquimia nasceu do casamento do sagrado com o prático, da expectativa de que o conhecimento dos poderes secretos da Natureza aproximava os homens da sabedoria divina.

* * *

Das três correntes principais da alquimia, a chinesa, a indiana e a do oeste, nos concentraremos aqui principalmente na última. Apesar de a história da alquimia ser um assunto fascinante, não precisamos revê-la aqui, mas apenas mostrar sua relação com a teoria corpuscular da matéria e seu papel essencial no desenvolvimento da ciência moderna. Uma pessoa-chave nessa conexão é Jabir ibn Hayyan, alquimista que viveu no final do século VIII e que trabalhou na corte de Harin al Rashid, o califa Abbasid, de Bagdá, na época o centro do mundo islâmico. Conhecido também como Geber, seu nome latino, Jabir aparentemente foi o primeiro a usar o processo de cristalização para purificar substâncias e a isolar uma série de ácidos: cítrico, tartárico, acético, clorídrico e nítrico. Possivelmente, combinou os dois últimos para criar a *aqua regia*, ou água real, uma mistura extremamente corrosiva capaz de dissolver até o ouro e a platina, os metais nobres (daí o nome).[11]

O que diferencia o legado de Jabir é sua atenção à metodologia e à prática experimental, ambas aspectos centrais da ciência que nascia. "Em química, o mais essencial é realizar trabalhos práticos e conduzir experimentos. Aquele que não faz experimentos jamais obterá um mínimo de destreza e maestria", escreveu.[12] Embora seus escritos, como no caso da maioria dos alquimistas, sejam repletos de imagens esotéricas e de simbolismos bizarros, Jabir aparentemente usou (e possivelmente inventou) vários dos instrumentos e utensílios que hoje integram o equipamento básico dos laboratórios de química: o alambique e toda uma coleção de frascos e retortas usados no processo de destilação. Sua vasta obra — que exerceu enorme influência nos alquimistas da Idade Média — inclui o texto da *Tábua de Esmeralda*, o misterioso documento de origem incerta atribuído ao legendário Hermes Trismegistus (cujo nome é uma mistura do deus egípcio Tot, patrono das ciências, e do deus grego Hermes, o mensageiro).

A *Tábua de Esmeralda* é importante não só por ser o documento mais sagrado da alquimia como, também, por propor que seu princípio fundamental é a união de tudo o que existe no cosmos: "Assim na Terra como no céu." Ao todo, consiste em treze frases que, supostamente, são a chave para os segredos e objetivos da alquimia. Como prova de sua enorme influência em uma das figuras mais centrais da revolução científica do século XVII, uma tradução da *Tábua* foi encontrada em meio aos escritos alquímicos de Isaac Newton. Eis sua tradução para a segunda entrada, por exemplo: "Aquilo que está abaixo é como aquilo que está acima, aquilo que está acima é como aquilo que está abaixo para realizar os milagres de uma única coisa."[13] A teoria de Newton da força gravitacional, descrevendo como as atrações entre corpos aqui na Terra e entre aqueles nos céus têm a mesma natureza, é uma expressão concreta desse princípio alquímico, conforme notei na Parte I. A unificação funciona nas duas direções: os céus são aproximados da Terra, e a Terra é levada de encontro aos céus. A física dos fenômenos naturais e o estudo dos princípios alquímicos tornam-se expressão de uma busca sagrada: aqueles que compreendem essa união aproximam-se da mente de Deus. No caso de Newton, pesquisa recente por historiadores da ciência, como Betty Jo Teeter Dobbs, deixa claro que esta era a sua motivação principal.

O objetivo central da alquimia, como muitos sabem, era a transmutação de metais "impuros" no mais puro — o ouro, o metal que não enferruja.[14] "A alquimia, portanto, é a ciência que ensina como compor uma certa medicação, conhecida como *Elixir*, que, quando misturada aos metais e aos corpos imperfeitos, imediatamente os aperfeiçoa", escreveu Roger Bacon em O *espelho da alquimia*. A "pedra filosofal" ou elixir (uma palavra derivada do árabe *al-ik-sir*, "a receita efetiva") era o catalisador capaz de remover as impurezas dos metais menos nobres para, assim, completar o trabalho interrompido da Natureza. De acordo com Bacon, que seguiu a receita de Jabir, os dois princípios ativos nos metais eram o mercúrio e o enxofre, que apareciam em quantidades diferentes: "Pois, de acordo com a pureza ou impureza dos princípios mencionados acima, mercúrio e enxofre, metais puros ou impuros são engendrados: em ordem, ouro, prata, aço, chumbo, cobre e ferro."[15] Enxofre é o poluidor, inflamável e transitório; mercúrio o purificador, denso e permanente. As quantidades relativas dos dois determinam o grau de pureza da substância e como este pode ser aumentado ou diminuído.

Em algumas tradições, o elixir afetava também o alquimista: a pedra filosofal purificava metais e almas, sendo, em princípio, capaz de livrar os homens de seu maior fardo, a doença e a mortalidade. O processo de purificação realizado no laboratório, um trabalho extremamente árduo e repetitivo que requeria devoção absoluta, afetava a alma humana: apenas os mais puros podiam esperar algum sucesso na sua busca. No rito de iniciação, realizado no laboratório, identificamos uma aliança única entre a ciência e a religião.

Se considerarmos a ciência como o corpo de conhecimento que resulta do estudo metódico do funcionamento do mundo natural, podemos ver como os alquimistas — especialmente os escrupulosos — almejavam usar sua prática para aliviar o sofrimento humano ou, se não o de toda a humanidade, ao menos o seu e o de seus patronos. Um excelente exemplo da ponte entre práticas ocultas e científicas é o do médico e alquimista germano-suíço Paracelso, ativo durante o início do século XVI e pioneiro das ciências toxicológicas. Essa é uma tendência que permanece viva até hoje na pesquisa científica: a geração de riqueza e de medicamentos, através da manipulação tanto escrupulosa quanto inescrupulosa do mundo natural.

* * *

Na descrição de Aristóteles das transformações naturais, cada um dos quatro elementos básicos (água, terra, ar, e fogo) tinha qualidades diferentes que podiam ser trocadas. A terra era fria e seca; a água, fria e úmida; o ar, quente e úmido; e o fogo era quente e seco. As transformações materiais ocorriam devido às trocas das várias qualidades nas misturas entre os elementos. De acordo com o historiador da ciência William R. Newman, Jabir adaptou as noções aristotélicas de umidade aos dois elementos essenciais, enxofre (seco) e mercúrio (úmido). A prática alquímica almejava mudar a quantidade relativa dessas duas qualidades, que ocorria em proporções diferentes nos vários metais.

Quando o alquimista Pseudo-Gerber escreveu o tratado *Summa Perfectionis* (*A soma da perfeição*) no século XIII, promoveu as qualidades que Jabir havia proposto a *corpúsculos* de enxofre e mercúrio, que podiam ter tamanhos, pureza e frações variáveis. Seguindo a tradição dos atomistas gregos, os corpúsculos não mudavam, mantendo a sua essência ao passar pelos vários processos químicos. Por sua vez, os corpúsculos de enxofre e mercúrio eram compostos de partículas ainda menores, constituídas dos quatro elementos básicos: "Portanto, o enxofre e o mercúrio formam partículas secundárias de tamanho maior do que os seus constituintes elementares. Essas partículas secundárias, devido à sua forte interação, têm uma existência semipermanente", escreveu Newman na sua análise dos escritos de Pseudo-Gerber.[16] A semelhança dessas ideias com o conceito moderno de partículas fundamentais (elétrons, prótons e nêutrons) compondo os átomos dos diversos elementos químicos é notável. O mesmo ocorre quando notamos que átomos compõem uma enorme diversidade de moléculas. Identificamos aqui o germe da noção reducionista de que existe uma complexificação crescente da matéria a partir da composição de elementos básicos indestrutíveis.

A presença de tais conceitos na obra de Pseudo-Gerber evidencia a importância da interpretação corpuscular na alquimia. No século XVII, irá influenciar o pensamento de Robert Boyle, o filósofo natural considerado por muitos o pai da química moderna, mentor de Isaac Newton em questões alquímicas. Na época, a ciência não havia ainda se desligado de seus progenitores. A filosofia mecanicista de Boyle, segundo a qual a matéria é composta de partículas tendo apenas propriedades como tamanho, movimento, e textura, tem suas raízes na alquimia medieval.

Newton esperava que Boyle lhe revelasse seus segredos alquímicos, mas voltou de mãos quase vazias. Boyle havia sintetizado uma substância extremamente importante, conhecida como "terra vermelha", que, acreditava-se, estava a um passo da pedra filosofal: capaz de converter chumbo em ouro, mas com baixa eficiência. Apenas após a morte de Boyle, em 1691, Newton finalmente vislumbrou uma amostra da terra vermelha. E isso graças ao executor do testamento de Boyle, o filósofo (e também alquimista) John Locke.

Outra substância cobiçada pelos alquimistas era o "mercúrio filosófico", uma forma líquida de mercúrio capaz de dissolver o ouro aos poucos e supostamente um passo importante em direção ao objetivo final de transmutação. O químico e historiador da ciência Lawrence Principe, da Universidade Johns Hopkins, nos EUA, seguindo as receitas de Boyle e outros, conseguiu, após muitas tentativas, sintetizar mercúrio filosófico. Fiel à tradição alquímica, Principe selou uma mistura de mercúrio filosófico e ouro em um ovo de vidro. Conforme relatou à jornalista Jane Bosveld, "a mistura começou a borbulhar e a inflar como farinha fermentada, adquirindo uma consistência pastosa e líquida. Após vários dias de aquecimento contínuo, transformou-se em um fractal dendrítico; uma estrutura na forma de uma árvore metálica, como os veios de minério encontrados em minas no subsolo. Só que, nesse caso, a estrutura fractal era feita de ouro e mercúrio".[17]

A noção de que metais no subsolo evolvem como os ramos de uma árvore oferecia uma imagem orgânica à alquimia de Boyle e Newton. O laboratório era onde o alquimista podia reproduzir o trabalho da Natureza, com o objetivo de acelerá-lo até sua conclusão. Mesmo que os manuscritos alquímicos de Newton — contendo mais de um milhão de palavras — tenham sido escritos em um código que ainda não foi interpretado, parte de sua visão alquímica — tanto a organicidade do cosmos quanto o lado atomista — aparece em seus escritos "estritamente" científicos, como o *Principia* e a *Óptica*. Por exemplo, no final do Livro III do *Principia*, Newton escreve:

> Os vapores que escapam do sol e das estrelas fixas e das caudas dos cometas podem, pela ação da gravidade, cair na atmosfera dos planetas. Lá, são condensados e convertidos em água e em substâncias úmidas para então — sob a ação lenta do calor — transformar-se gradualmente em sais, enxofres, tinturas, barro, lama, areia, pedras, corais e outros materiais terrestres.[18]

Não é difícil identificarmos nesse texto a visão alquímica da Natureza trabalhando ("sob a ação lenta do calor") para criar toda uma variedade de compostos a partir de uma substância primária (de origem estelar). Na introdução do *Principia*, Newton defende sua visão atomista da matéria: "Muitas coisas me levam a suspeitar de que todos os fenômenos dependem de certas forças que causam atrações entre as partículas que compõem os corpos, levando-as a formar figuras regulares, ou, no caso de as forças serem repulsivas, de se distanciarem."[19]

Ao afirmar que "muitas coisas me levam a suspeitar", Newton provavelmente fazia referência aos seus experimentos alquímicos; o mesmo com "todos os fenômenos dependem de certas forças", que expressa sua crença em uma unidade fundamental da Natureza onde algumas poucas forças podem explicar uma enorme variedade de fenômenos. Por fim, ao sugerir que existem atrações e repulsões entre as partículas, Newton revela sua visão atomística da matéria e sua incrível intuição de que essas forças são as responsáveis por forjar as muitas estruturas regulares que vemos no mundo, com simetrias que expressam uma ordem na sua estrutura mais íntima, invisível aos olhos.

Mas é no seu tratado sobre a óptica que Newton se abre de vez e especula mais livremente sobre a natureza da matéria e da luz, revelando sua incrível intuição: "Não observamos que todos os Corpos, quando aquecidos acima de uma certa temperatura, emitem Luz e brilham? E não será essa Emissão resultado de vibrações de suas partes?"[20] É justamente isso o que ocorre, com radiação eletromagnética (às vezes na forma de luz visível) sendo emitida dos corpos aquecidos devido a vibrações na sua estrutura e a elétrons pulando entre órbitas atômicas. (Voltaremos ao assunto em breve.)

Segundo Newton, a luz também pode ser composta por corpúsculos: "Todos os corpos parecem ser compostos por partículas sólidas: pois doutra forma os Fluidos não congelariam [...] Mesmo os Raios de Luz parecem ser compostos de corpos sólidos [...] Portanto, a dureza deve ser uma propriedade de toda a matéria quando decomposta [em seus constituintes básicos]."[21] Newton chegou até a especular que a luz pode se transformar em corpos sólidos, um componente essencial da teoria da relatividade especial de Einstein, de 1905: "E, dentre as tantas e estranhas transmutações, por que a Natureza não transforma Corpúsculos em Luz, e a Luz em Corpúsculos?"[22] É esta transmutação de radiação em matéria que é encapsulada na famosa relação $E = mc^2$. Newton era mesmo um mago da física.

19 A natureza elusiva do calor

(Onde exploramos o flogisto e o calórico, substâncias bizarras propostas para explicar a natureza do calor, e como as mesmas foram descartadas)

A partir de origens tão incertas, envoltas nos vapores do laboratório alquímico e em profecias astrológicas, inspirada por visões de perfeição celestial, a ciência tomou um novo rumo, em que suas ligações com o passado eram vistas com um constrangimento cada vez maior. Não se falava mais de Deus nos tratados científicos ou sobre a espiritualidade nas discussões sobre a Natureza. Apenas uma retórica precisa e mecanicista era aceita, expressa matematicamente de forma rigorosa. A visão newtoniana da Natureza, com sua ontologia baseada em objetos atraídos e repelidos por forças, foi adotada como a encarnação do racionalismo que alimentou o Iluminismo do século XVIII. Apesar de sua complexidade, o mundo podia ser estudado metodicamente dividindo seus vários sistemas em partes individuais, cada qual com comportamento ditado pela soma das forças agindo sobre ela. A física newtoniana catapultou o reducionismo ao ápice da busca pelo saber.

Um número crescente de fenômenos passou a ser abordado como parte da narrativa científica, além da mecânica e da gravidade. Se forças atrativas mantinham a matéria coesa, tinham de ser sobrepujadas para que seus vários componentes corpusculares fossem liberados. Como na alquimia, o calor era o ingrediente principal. Quando aquecido, o gelo derretia, transformando-se em água; a água, por sua vez, transformava-se em vapor. A maioria das substâncias reagia ao calor de alguma forma. Gases expandiam, ocupando um volume maior e aumentando sua pressão; substâncias sólidas — mesmo metais bem duros — derretiam. Já em 1662, Robert Boyle havia demonstrado que a pressão e o volume de um gás mantido a uma temperatura fixa comportam-se de modo exatamente inverso: se o gás é fechado em um receptáculo cujo volume diminui (por exemplo, com o auxílio de um pistão), a sua pressão aumenta na mesma proporção. Se, por outro lado, a pressão é mantida fixa enquanto a temperatura aumenta, o volume do gás aumenta na mesma proporção.[23]

O ponto essencial é que esse comportamento é o mesmo para qualquer gás. Assim emergem as leis da física: uma tendência regular é identificada em alguns casos e generalizada para toda uma classe de substâncias ou entidades. A lei é então sujeita a testes cada vez mais drásticos, para que se estabeleça onde começa a falhar. No caso dos gases, a lei de Boyle deixa de ser aplicável sob condições extremas. Por exemplo, pressões muito elevadas podem liquefazer o gás ou até mesmo solidificá-lo. É, portanto, razoável supor que tanto o comportamento geral dos gases quanto possíveis variações sob condições extremas são devidos aos seus componentes materiais. Esta não seria, portanto, uma indicação do atomismo?

A resposta foi encontrada no início do século XVIII, esquecida, reencontrada cem anos mais tarde apenas para ser sumariamente rejeitada, até que, finalmente, foi ressuscitada após várias décadas, mas não sem controvérsia. A rejeição e a controvérsia não são tão absurdas quando percebemos o que estava em jogo. A resposta abria um precedente perigoso, que explicações físicas podiam fiar-se em domínios invisíveis, inacessíveis aos sentidos e até mesmo aos instrumentos de medida. *Será que algo que não podemos ver, ou mesmo saber se existe, pode ser a base de uma explicação para o que medimos*? Se aceitarmos essa prerrogativa, onde fica a linha divisória entre uma realidade invisível e uma hipótese fantasiosa? Ou, de forma mais concreta, se átomos e fadas são invisíveis, por que afirmamos que átomos existem e fadas não?

Em 1738, o brilhante matemático suíço Daniel Bernoulli propôs, fiel à visão atomística, que os gases são compostos de um vasto número de minúsculas moléculas em movimento aleatório. ("Aleatório", aqui, é usado para ilustrar que os movimentos não têm uma direção determinada ou, ao menos, determinável na prática.) Segundo Bernoulli, as moléculas colidem entre si sem perder muita energia. Baseado nessa hipótese, ele mostrou que a pressão de um gás vem das colisões das moléculas contra as paredes do receptáculo em que é confinado. A lei de Boyle afirma que se o volume que contém o gás é diminuído pela metade, enquanto sua temperatura é mantida fixa, sua pressão deve dobrar. Baseado na sua hipótese microscópica, Bernoulli argumentou que, quando as moléculas do gás são forçadas a ocupar menos espaço, aumenta o número de suas colisões com o receptáculo, o que macroscopicamente equivale a um aumento na pressão. Com isso, Bernoulli tentou explicar uma propriedade macroscópica dos gases, sua pressão, em termos de entidades microscópicas, invisíveis aos olhos. Será que o atomismo finalmente se tornaria uma ciência quantitativa?

Nada de muito novo ocorreu até 1845, quando o físico escocês John James Waterston enviou um artigo para a Royal Society onde buscava relacionar a temperatura e a pressão de um gás aos seus componentes moleculares. Waterston mostrou que a temperatura de um gás é proporcional ao quadrado da velocidade média de suas moléculas e que sua pressão é proporcional à densidade das moléculas (isto é, o número de moléculas encontradas em um volume fixo) multiplicada pelo quadrado de sua velocidade média.[24] Pela primeira vez, alguém tentava obter uma relação entre a temperatura e o movimento. Ainda mais notável: as entidades em movimento eram invisíveis.

A natureza do calor era um mistério que desafiava cientistas há séculos. A dificuldade vinha de relacionar o calor com a combustão, o processo de queima de uma substância. Primeiro, foi o flogisto — proposto em 1667 pelo alquimista e médico alemão Johann Joachim Becker —, uma substância meio mágica, supostamente responsável pela combustão. Segundo Becker, as chamas apareciam quando as substâncias em combustão liberavam flogisto; uma substância sem flogisto não queimava. A hipótese foi questionada quando se verificou que metais ganham peso ao serem queimados. Cientistas responderam atribuindo propriedades cada vez mais exóticas ao flogisto. Segundo alguns, tinha peso *negativo*, enquanto, segundo outros, era mais leve do que o ar. Essa tendência não é incomum em ciência: quando uma ideia atraente começa a falhar, hipóteses cada vez mais estranhas e excêntricas são propostas para salvá-la. Quanto maior o desespero dos cientistas, mais exóticas são as hipóteses. Apenas em 1783, quando os experimentos do grande químico Antoine-Laurent Lavoisier demonstraram que a combustão requer a presença de um gás com peso (o oxigênio) e que em toda reação química a massa total dos reagentes permanece constante, é que o flogisto foi abandonado.

Tendo explicado a combustão, mas ainda confuso com relação à natureza do calor, Lavoisier propôs a existência de uma nova substância: o calórico. Para tal, sugeriu que o fluxo natural de calor de um corpo quente para um corpo frio era devido ao fluxo de calórico. Dado que a massa total em uma reação química é constante, Lavoisier sugeriu que o calórico não tivesse massa e que sua quantidade total no Universo fosse conservada. Com isso, várias explicações sobre as propriedades do calor foram propostas — todas erradas, mesmo que aparentemente razoáveis. Por exemplo, uma xícara de chá quente se resfria porque o calórico, tendo maior densidade em regiões quentes e se autorrepelindo, tende naturalmente a fluir para regiões mais frias (no caso, da xícara para o ar à sua volta). O calórico era uma espécie de éter com a habilidade de fluir de um ponto a outro do espaço, uma entidade sem massa que, apesar de extremamente exótica, foi bastante efetiva na explicação de uma série de fenômenos naturais.

A hipótese do calórico encontrou seu primeiro desafio no trabalho do conde Rumford, um personagem com uma história digna de um épico de Hollywood. Em um de seus vários empregos após fugir dos EUA por ser simpatizante do governo britânico, Rumford gerenciou a produção de armas de um nobre da Baváia, em particular supervisionando a produção de canhões. Nessa atividade, uma broca enorme perfurava um bloco cilíndrico de metal, enquanto água era usada para resfriar o calor liberado pela fricção da broca com o metal. Rumford notou que, enquanto a perfuração continuava, o metal continuava a gerar calor e a água continuava a ferver. Em 1798 escreveu, em suas observações: "Qualquer coisa que um corpo isolado, ou um sistema de corpos, continua a gerar sem limitação não pode ser uma substância material."[25] Rumford sugeriu que não era a transferência de calórico que proporcionava o fluxo de calor, mas a fricção entre a broca e o metal. O calor, conjecturou, era matéria em movimento e não uma substância. Embora as ideias de Rumford tivessem sido inicialmente rejeitadas pela comunidade científica, seu experimento plantou as sementes da interpretação do calor como uma propriedade das substâncias e não como uma substância em si.

O segundo desafio contra a hipótese do calórico, posto por James Prescott Joule, foi mortal. Joule desenhou uma série de experimentos para determinar quantitativamente como o trabalho mecânico pode aumentar a temperatura de um meio. Para tal, Joule usou um sistema de hélices imersas em água. As hélices agitavam a água, aumentando assim sua temperatura. Joule conseguiu equacionar o aumento de um grau na temperatura ao trabalho mecânico realizado pelas hélices. (Ele usou um peso atrelado a uma corda, cuja outra extremidade era ligada à hélice. Deixando o peso cair de uma certa altura, Joule fazia a hélice girar e podia, assim, calcular a quantidade de trabalho mecânico transferido da hélice para a água.) Com o giro da hélice, as moléculas de água eram agitadas e sua temperatura média aumentava, como havia proposto Waterston. Joule conhecia o trabalho de Waterston, bem como o de John Herapath sobre a teoria microscópica de gases (veja nota 24). Era pupilo do famoso John Dalton, o grande defensor da teoria atômica, que, no início do século XIX, havia proposto que reações químicas eram trocas precisas de átomos entre as substâncias reagentes. Por exemplo, estanho podia reagir com um ou dois átomos de oxigênio e as massas dos compostos resultantes refletiam o número de átomos de oxigênio em cada. Dalton propôs que cada elemento químico tinha o seu átomo e que reações químicas não eram capazes de destruí-los: ao menos quimicamente, átomos eram indivisíveis. Propôs, também, que elementos químicos diferentes podiam, ao se misturar, criar um número incontável de compostos, que hoje chamamos de moléculas.

Entre a teoria microscópica dos gases e a explicação atomística de Dalton para as reações químicas, a noção de que a matéria possui uma subestrutura corpuscular foi ganhando peso. A ascensão e queda do flogisto e do calórico são uma excelente ilustração de como a ciência funciona. Ao tentar descrever uma classe de fenômenos naturais, cientistas criam hipóteses que defendem arduamente. E assim deve ser, já que, quanto mais promissora uma ideia, mais paixão incita. No entanto, toda hipótese científica deve ser submetida a testes empíricos e funciona até ser provada errônea ou insuficiente em sua abrangência. Uma explicação pode até descrever os dados satisfatoriamente ("salvar o fenômeno", como diria Platão), mesmo sem ter qualquer ligação com a realidade. Os epiciclos, por exemplo, descrevem bem os movimentos celestes, mesmo se completamente artificiais; o flogisto e, mais ainda, o calórico descreviam bem a combustão e o fluxo de calor, mesmo se inexistentes.

O poder da ciência de oferecer descrições cada vez mais apuradas da realidade física depende da nossa habilidade de eliminar hipóteses errôneas com precisão crescente. Se esse processo é bloqueado ou interrompido, o avanço científico estagna. A pesquisa redesenha constantemente as fronteiras da Ilha do Conhecimento. As dificuldades da busca são imprevisíveis, visto que não existem faróis no Oceano do Desconhecido indicando qual rumo devemos tomar. Como veremos a seguir, poucos exemplos ilustram os desafios e as surpresas dessa busca pelo conhecimento como o estudo da luz.

20 A misteriosa luz

(Onde exploramos como as misteriosas propriedades da luz inspiraram as duas revoluções da física no início do século XX)

Somos criaturas da luz — essa elusiva e bizarra entidade que permanece, mesmo hoje, envolta em mistério.

A luz que vem do Sol é a soma de muitas ondas eletromagnéticas, cada qual com seu comprimento de onda. Lembre que o comprimento de onda é simplesmente a distância entre duas cristas sucessivas. Portanto, quando falamos de comprimentos de ondas curtos, nos referimos a ondas com cristas bem próximas umas das outras, enquanto ondas com comprimento longo têm cristas com separações grandes. A pequena porção que vemos, o espectro do violeta ao vermelho, é constituída de ondas com comprimentos entre 400 e 650 bilionésimos de um metro (ou nanômetros).

Somos produto de 4 bilhões de anos de evolução, em um planeta banhado pela luz solar. Com uma temperatura de 5.505 graus Celsius na sua superfície, o Sol é informalmente classificado como uma estrela do tipo anã amarela, emitindo com maior intensidade na porção amarelo-verde do espectro luminoso. Mesmo que a superfície do Sol seja branca, a cor amarelada que percebemos na Terra vem do espalhamento das ondas mais azuladas quando a luz solar atravessa a atmosfera. A luminosidade do dia vem da luz ricocheteando entre as moléculas de nitrogênio e oxigênio do ar. A poeira em suspensão ajuda. Esse ricochete também explica a cor azul do céu durante o dia: o ar espalha as ondas com comprimento mais curto mais eficientemente do que as com comprimento mais longo e a cor azul tem comprimento de onda menor do que o amarelo ou o vermelho. Portanto, quando olhamos para o céu evitando o Sol, vemos predominantemente a luz que é espalhada com maior eficiência, que consiste no azul misturado com algum branco.[26] Dado que as moléculas de ar são milhares de vezes menores do que os comprimentos de onda típicos da luz visível, podemos entender por que a luz azul, sendo a de menor comprimento de onda, é a mais espalhada. Como uma onda gigantesca rolando sobre um pequeno recife, as ondas relativas à cor amarela ou vermelha mal notam os pequenos obstáculos moleculares em seu caminho. Já durante o poente, a luz solar chega à Terra mais tangencialmente, atravessando portanto uma porção maior da atmosfera. Consequentemente, a maioria dos tons de azul é espalhada antes de atingir altitudes mais baixas e vemos, assim, mais as cores vermelha e laranja do que a azul ou a verde. Nos dias nublados, as gotas d'água e os cristais de gelo que constituem as nuvens espalham todos os componentes da luz solar de forma relativamente uniforme e o que vemos é um brilho difuso e esbranquiçado.

A luz que nossos olhos percebem representa menos da metade da radiação que o Sol envia em nossa direção. Teríamos uma visão bem restrita da realidade sem instrumentos capazes de revelar o que é invisível aos olhos. Mesmo assim, é bom lembrar que, de nossa Ilha do Conhecimento, o alcance de nossos instrumentos é sempre limitado. E, quanto mais vemos, mais temos para ver.

Ao atingir o topo da atmosfera, a luz visível contribui em torno de 40% para a radiação total do Sol; o resto consiste em 50% em infravermelho e 10% em ultravioleta. No entanto, apenas 3% de radiação em ultravioleta atinge a superfície, graças à proteção proporcionada pela nossa atmosfera. Já a fração em luz visível chega a 44% na superfície. Segundo o processo de seleção natural, nossa percepção sensorial evoluiu para maximizar nossas chances de sobrevivência neste planeta. Em outro planeta, recebendo uma quantidade diferente de radiação solar e com outra composição atmosférica, criaturas evoluiriam com a capacidade de perceber outras partes do espectro eletromagnético. Mesmo aqui na

Terra, criaturas noturnas, ou que vivem nas profundezas de cavernas escuras ou do oceano, se adaptaram de forma diferente: os morcegos, por exemplo, usam ecolocalização, enquanto peixes que vivem em grandes profundidades usam bioluminescência.

A explicação da cor do céu baseada na interação da luz com as moléculas de ar foi um grande triunfo da física do final do século XIX, quando a luz era descrita como ondulações dos campos eletromagnéticos. Toda fonte de radiação eletromagnética está relacionada com cargas elétricas oscilando ou em outro tipo de movimento acelerado. Entre 1861 e 1862, o grande físico escocês James Clerk Maxwell estava trabalhando no King's College, em Londres (onde fiz meu doutorado), quando obteve a relação entre a eletricidade e o magnetismo que levou a um novo modo de descrever interações entre objetos físicos. Até então, interações eram descritas em termos de forças, como no caso da força gravitacional de Newton ou a força que aplicamos a uma bicicleta para fazê-la andar. Inspirado pelas ideias de Michael Faraday, Maxwell propôs sua celebrada teoria do *campo* eletromagnético: forças são criadas por campos. Desde então, o conceito de campo ocupa uma posição central na descrição dos processos físicos, das estrelas aos elétrons e ao bóson de Higgs.

O conceito de campo é tão poderoso que é usado de várias formas. Por exemplo, podemos falar do campo de temperatura em um quarto (descrevendo a variação de temperatura de ponto a ponto) ou do campo de velocidade da água em um rio ou do vento na atmosfera. Uma carga elétrica A cria um campo elétrico à sua volta; esse campo é uma manifestação espacial da carga A, de modo que outra carga B que se aproxima da carga A "sente" sua presença antes de tocá-la; a intensidade do campo cresce na vizinhança da carga. Cargas idênticas são repelidas; cargas opostas são atraídas. O mesmo ocorre com ímãs, como um rápido experimento com os que usamos na geladeira pode demonstrar. Quando dois são aproximados, sofrem uma repulsão, recusando-se a ter uma intimidade maior. O espaço em torno dos ímãs parece conter algo que "diz" aos ímãs para se repelir. Este "algo" é o campo magnético que os dois ímãs criam. Da mesma forma, a massa do seu corpo cria um campo gravitacional à sua volta; outras massas sentem o seu campo e são atraídas por ele em proporção inversa ao quadrado da distância até você. (Felizmente, essa força é suficientemente fraca para evitar grandes confusões.)

Quando uma carga elétrica oscila, seu campo elétrico oscila com ela. Em uma imagem mais familiar, uma rolha flutuando em uma banheira cria ondas concêntricas (bidimensionais); quanto mais rápido a rolha oscila, menor o comprimento de onda — mais próximas as suas cristas. (Ou, equivalentemente, maior a sua frequência, o número de cristas que passa por um ponto em um segundo.) Da mesma forma, cargas oscilando emitem ondas elétricas, mas em três dimensões. O ir e vir de seu movimento ondulatório cria, também, um campo magnético, que oscila junto com o campo elétrico. Um campo age como propulsor do outro e ambos se afastam da carga juntamente. A diferença com as ondas de água é que as vibrações dos dois campos ocorrem em direções perpendiculares entre si, como as duas direções de uma cruz: se a carga oscila na vertical (como a rolha na banheira), o campo elétrico oscila na vertical e o campo magnético oscila da esquerda para a direita; já a onda viaja na direção perpendicular à cruz, ou seja, para a frente (dizemos que as ondas eletromagnéticas são *transversas*).[27]

Resumindo, cargas em movimento oscilatório criam campos elétricos e magnéticos que ondulam através do espaço. Maxwell mostrou que essas ondulações viajam na velocidade da luz. Sua conclusão foi revolucionária: a luz é radiação eletromagnética, campos elétricos e magnéticos ondulando através do espaço. A única diferença entre, digamos, a luz violeta e a luz vermelha é que a luz vermelha tem um comprimento de onda maior do que o da luz violeta. Indo do comprimento de onda mais longo ao mais curto, o espectro eletromagnético (o conjunto de todos os tipos de radiação eletromagnética) contém ondas de rádio (que não são o som que sai do rádio!), micro-ondas, radiação infravermelha, luz visível, ultravioleta, os raios X e, finalmente, os raios gama — a radiação de comprimento de onda mais curto e, portanto, a mais energética.

Se a luz (como mencionei antes, uso "luz" para representar todos os tipos de radiação eletromagnética) é uma onda, em que meio se propaga?

Afinal, toda onda que conhecemos é uma vibração em algum meio: ondas de água são padrões de vibração na água; ondas de som são ondas de pressão no ar; se você balança uma corda, as ondas se propagam na corda. E a luz? Esse é o primeiro dos muitos mistérios associados à luz. Hoje, sabemos que a luz não precisa de um meio material para se propagar, sendo capaz de ondular por si só no espaço vazio através da propulsão mútua dos campos elétrico e magnético. Por outro lado, a luz também pode se propagar em meios materiais, como confirmamos ao nadar embaixo d'água ou quando olhamos pelo vidro de uma janela. Quando isso ocorre, a luz tende a avançar com uma velocidade mais baixa. Isso se deve à interação do campo eletromagnético da luz com as cargas elétricas existentes no meio.

Era claro aos físicos do século XIX que a luz era uma onda diferente, pois não havia um meio material óbvio para dar substância às suas ondulações. Mas *algo* tinha que existir para permitir a propagação das ondas eletromagnéticas. A possibilidade oposta era estranha demais para ser real, uma onda viajando no espaço vazio. Maxwell inventou uma série de meios extremamente bizarros que pudessem explicar o mistério. Surgiu, assim, o éter luminoso, cuja função exclusiva era possibilitar a propagação da luz. Dois séculos antes disso, Newton e o físico holandês Christiaan Huygens, refletindo sobre o mesmo dilema, chegaram a conclusões opostas sobre a natureza da luz. Newton, fiel ao seu atomismo, propôs que a luz fosse composta por corpúsculos. Com isso, conseguiu explicar certas propriedades da luz, como a transmissão e a reflexão (que ocorrem em linha reta), mas teve dificuldade de explicar a refração — a mudança na direção de propagação da luz quando passa de um meio a outro (como da água ao ar) — e a difração — o espalhamento das ondas quando passam por um obstáculo estreito. Huygens, por outro lado, defendia que a luz era uma onda que se propagava em um meio etéreo.

O pingue-pongue entre partícula e onda continuou até o início do século XIX, quando Thomas Young e Augustin-Jean Fresnel sugeriram independentemente que a luz era uma onda transversa. Em particular,

Young realizou uma série de experimentos explorando a difração, concluindo que a luz era mesmo uma onda. Fazendo um corte retangular em uma cartolina, Young esticou um cabelo humano ao longo do orifício, iluminando-o com uma vela. Como relatou em 1802, "Quando aproximei a luz da vela ao fio de cabelo para causar algum efeito, observei o aparecimento de franjas [linhas claras e escuras em sucessão]; e consegui estimar a proporção entre a espessura das franjas e a do cabelo na imagem projetada".[28] O mesmo tipo de padrão de interferência pode ser visto quando ondas de água passam por obstáculos. Quando Maxwell mostrou matematicamente que a luz era uma onda eletromagnética transversa, a teoria corpuscular de Newton foi aposentada.

No entanto, quanto mais se aprendia sobre a luz, mais estranha parecia. Em particular, a existência do éter. Parecia uma substância mágica, tal como com o flogisto e o calórico. Tinha que ser um fluido para preencher todo o espaço, ironicamente lembrando o antigo éter aristotélico; porém, tinha que ser milhões de vezes mais rígido do que o aço para sustentar a propagação de ondas com comprimentos de onda muito curtos; tinha, também, que ser transparente, de modo que fosse possível ver estrelas distantes e outros objetos longínquos, como estrelas distantes. E mais: não podia ter massa ou qualquer viscosidade, ou afetaria as órbitas planetárias. Apesar dessas estranhezas, a maioria dos físicos aceitavam o éter com confiança. Como vimos, a alternativa era ainda pior: uma onda que se propaga no nada. Mais uma vez, uma substância misteriosa banhava o cosmos, inacessível aos sentidos.

Especulações à parte, para ser uma entidade física, o éter tinha que ser detectado, direta ou indiretamente. Dadas as suas propriedades extremamente exóticas, uma detecção direta era impossível. O jeito era encontrar algum modo indireto, um desafio nada fácil.

Em 1887, os americanos Albert Michelson e Edward Morley realizaram um experimento brilhante para detectar o efeito do éter na propagação da luz. Se o éter existisse, sugeriram, seria um meio em repouso absoluto, como o ar na ausência total de vento. Maxwell havia mostrado que ondas eletromagnéticas viajavam com a velocidade da luz a respeito de um éter estacionário. Porém, desde os dias de Galileu, sabia-se que velocidades são, em geral, medidas em relação a alguma referência. Por exemplo, se você está parado em uma calçada e um carro passa na sua frente, a velocidade do carro é dada em termos do seu estado de repouso. Se você está andando em uma bicicleta na mesma direção do carro, a velocidade do carro em relação a você seria menor do que na calçada. A possibilidade de que um referencial absoluto existisse violava esse conceito básico da relatividade, já que todas as velocidades poderiam ser medidas em relação ao éter. Mesmo que a existência de um referencial absoluto fosse chocante, a alternativa — a luz viajando no espaço vazio — era considerada mais chocante ainda.

Michelson e Morley tiveram uma excelente ideia: como a Terra gira em torno do Sol, deveria sentir um "vento de éter" contra a direção de seu movimento. O mesmo ocorre quando você anda de bicicleta ou dirige em um dia sem vento; o ar vai contra você. Se um raio de luz viajar contra a direção do vento de éter, sua velocidade deveria ser menor do que se a Terra não girasse em torno do Sol. Se o raio de luz viajasse em uma direção perpendicular ao vento de éter, não deveria experimentar uma mudança na sua velocidade. O leitor pode imaginar o choque de Michelson e Morley quando fizeram as medidas da velocidade da luz contra o vento de éter e perpendicular a ele, e não encontraram a menor diferença: os resultados indicavam que a luz viajava na mesma velocidade em todas as direções. Ou seja, se o éter existia, a luz pouco ligava; o que representava um problema, já que o éter foi inventado para suportar a propagação da luz. Essa era a sua *raison d'être*.[29]

Uma sensação de pânico começou a se espalhar pela comunidade científica. Várias explicações foram propostas visando a justificar por que o experimento havia "falhado". Em particular, o físico irlandês George FitzGerald e o holandês Hendrik Antoon Lorentz sugeriram independentemente que um objeto material em movimento contra o éter deveria encolher; quanto mais rápido o movimento, mais encolheria. Esse efeito incluía o aparato do experimento de Michelson e Morley. O encolhimento explicaria por que não foi encontrada uma diferença: a velocidade da luz diminuía ao viajar contra o vento do éter; mas, também, viajava uma distância menor, pois o braço do aparato de medida encolheu. Os dois efeitos cancelavam-se e o tempo de viagem equivale ao medido na direção perpendicular ao vento de éter.

Mesmo que as ideias de FitzGerald e Lorentz "resolvessem" o problema, poucos ficaram convencidos. A hipótese da contração espacial parecia vir do nada, sem uma justificativa física. E, mesmo que a contração estivesse correta, deixava sem resposta uma questão básica: por que, ao contrário de toda a física newtoniana, onde as leis da Natureza são as mesmas em qualquer referencial, o eletromagnetismo parecia requerer um referencial universal (o éter)? Os dois pilares da física clássica, a mecânica de Newton e o eletromagnetismo de Maxwell, pareciam ser incompatíveis. Era claro que algo estava profundamente errado. Mas como resolver o dilema?

Einstein começa o seu artigo de 1905 sobre a teoria da relatividade especial expressando sua preocupação com o fato de a teoria de Maxwell parecer requerer um referencial absoluto. Sugere que fenômenos eletromagnéticos, como no resto da física, devessem ser os mesmos para observadores em movimento inercial (com velocidade constante). Fazendo uma referência aos resultados de Michelson e Morley, escreveu: "O fracasso das tentativas de se encontrar qualquer movimento da Terra com respeito ao 'meio luminoso' sugere que os fenômenos do eletromagnetismo e da mecânica não possuem propriedades correspondendo à ideia de repouso absoluto."[30]

Nesse artigo revolucionário, Einstein incorpora a noção de que o espaço encolhe e o tempo passa mais devagar para um objeto em movimento. Portanto, a contração espacial proposta por FitzGerald e Lorentz estava correta. Incorreta era a interpretação que deram, que supunha a existência de um meio universal inerte (o éter). Einstein dispensou o éter, explicando que o eletromagnetismo de Maxwell era perfeitamente consistente em qualquer referencial inercial (isto é, com movimento à velocidade constante), *contanto que algo mais fosse imposto*, um novo postulado: "A luz sempre viaja no espaço vazio com uma velocidade definida (representada pela letra *c*), que é independente do estado de movimento do corpo que a emite."[31]

Portanto, em vez de um éter como referencial absoluto, Einstein sugeriu que a luz viajasse sempre com a mesma velocidade: um absoluto é trocado por outro! Não havia prova de que estivesse certo; baseou-se na intuição de que as leis da física deveriam ser as mesmas para todos os referenciais inerciais, isto é, que a Natureza deveria exibir tal simetria. E, de fato, imagine se observadores diferentes obtivessem leis diferentes? A física como ciência seria impossível! Einstein promoveu o princípio da relatividade (que as leis da Natureza são as mesmas em todos os referenciais inerciais) ao nível de um postulado, *supondo* que fosse verdade. Como toda boa teoria, seriam os testes experimentais que iriam decidir se estava ou não correta.

Mesmo assim, foi o seu segundo postulado que introduziu um aspecto revolucionário às suas ideias. Por que a luz deveria ser tão diferente de qualquer outra entidade? O que a faz preservar a mesma velocidade? Einstein não sabia por que a velocidade da luz é sempre a mesma, ou por que seu valor é 299.792.458 metros por segundo. Fez essa suposição para reconciliar o eletromagnetismo com o princípio da relatividade. A constância da velocidade da luz foi o preço necessário para restabelecer ordem na física. Einstein livrou-se do éter, mas tornou a luz ainda mais misteriosa: uma onda que podia se propagar no vazio, sempre com a mesma velocidade. E ele estava apenas começando.

* * *

O artigo sobre a teoria da relatividade especial era apenas um dentre quatro que Einstein publicou no mesmo ano, cada um deles revolucionário. Tinha apenas 26 anos. Na sua própria opinião, o primeiro foi o mais audacioso. O título parecia bastante ingênuo: "Um ponto de vista heurístico sobre a criação e conversão da luz." Einstein começa comentando que a descrição de Maxwell da luz como uma onda contrariava o conceito da matéria como sendo composta de átomos e elétrons; enquanto ondas são contínuas no espaço, átomos são entidades descontínuas ou discretas. Continuando, propõe seu "ponto de vista heurístico" segundo o qual, tal como a matéria, a luz também é constituída por pequenos componentes, de modo que a "luz incidente consiste em quanta de energia com energia $[h \times f]$".[32] Aqui, h é a constante de Planck, uma constante fundamental da Natureza associada com todos os fenômenos quânticos; f é a frequência do raio de luz. Se a luz não for monocromática (isto é, se for composta de ondas com frequências diferentes), vários tipos de quanta estarão presentes, cada frequência com o seu. Se Einstein estivesse certo, a luz recuperaria sua intepretação corpuscular. Com certeza, Newton celebraria.

No artigo, Einstein comenta que a teoria ondulatória da luz funcionava perfeitamente, contanto que "não fosse aplicada à criação e conversão da luz".[33] Ou seja, os comportamentos granular e ondulatório da luz são dois lados da mesma moeda. A luz podia ser vista de ambas as formas, dependendo do tipo de fenômeno estudado. Na realidade, a luz não é partícula nem onda. Em um exemplo mais familiar, a água, na temperatura ambiente, é tratada macroscopicamente como um fluido e microscopicamente como constituída de moléculas. O que a água *é* depende do contexto.

O objetivo da física não é impor atributos a entidades físicas (como em "a água é *isso*" ou "a luz é *aquilo*"), mas sim explicar os resultados de experimentos. Cientistas propõem conceitos como ferramentas explanatórias, criadas para interpretar suas medidas. Para um físico, o que algo "é" é menos importante do que se suas explicações descrevem corretamente os experimentos. De fato, quando ingressamos no mundo quântico, o significado da palavra "ser" — com um senso de identidade permanente — torna-se inútil. Nada é o que aparenta ser e nada permanece sendo a mesma coisa por muito tempo; matéria e luz dançam em transformação contínua. Com sua ideia heurística, Einstein abriu as portas para a impermanência do mundo quântico. Nada mais adequado do que a luz ter iluminado o caminho.

21 Aprendendo a aceitar

(Onde iniciamos nossa exploração da física quântica e como ela impõe limites a quanto podemos saber sobre o mundo)

Em menos de uma década, as teorias da relatividade especial e dos quanta de luz do jovem Einstein haviam virado a física de cabeça para baixo. De uma onda plácida, cruzando o éter, a luz passou a ser uma entidade profundamente misteriosa: não apenas tendo a velocidade limite na Natureza, mas uma velocidade absoluta, independente do movimento de sua fonte ou do observador; uma onda que, ao contrário de qualquer outra, viaja no vazio; uma entidade que é tanto partícula quanto onda, contrariando assim a intuição de que entidades tinham que ser uma coisa ou outra. Nenhum sinal podia viajar mais rápido do que a luz; nenhuma informação podia chegar antes dela. Coletando radiação eletromagnética vinda de fontes espalhadas pelo Universo, físicos e astrônomos entenderam que a luz *era* informação. Informação que definia um horizonte cósmico, além do qual nada nos atinge.

Ainda mais misteriosamente, a luz tem a velocidade limite porque não tem massa. Esses pequenos grãos de luz, que mais tarde serão chamados de *fótons*, são pacotes de pura energia, sem massa. A física estava propondo que algo podia existir sem ter massa, que coisas existem sem serem materiais. Como o que existe define a realidade física, a nova física sugeria que a realidade podia ser imaterial. Uma compreensão mais profunda da Natureza demandava uma nova visão de mundo. Os físicos estavam sendo forçados a aceitar uma realidade que contradizia todas as expectativas.

No seu quarto artigo de 1905, de apenas algumas páginas, Einstein derivou a famosa relação $E = mc^2$. Conforme escreveu, "Se um corpo doa energia L na forma de radiação, sua massa diminui de L/c^2".[34] Einstein continua, concluindo que "a massa de um corpo é uma medida da quantidade de energia que contém". Dali por diante, era possível fazer referência apenas à quantidade de energia das coisas, contida nas coisas. A energia unifica matéria e radiação, de forma que uma pode se transformar na outra. No final de seu artigo, Einstein especula: "Não é impossível que a teoria possa ser testada em corpos onde a quantidade de energia varia de forma relativamente alta (por exemplo, nos sais de rádio)."[35] E como estava certo! Os "sais de rádio" a que Einstein se refere são núcleos radioativos que podem emitir tanto partículas quanto radiação quando decaem. O tipo de decaimento em forma de radiação, consistindo em raios gama, tem energia correspondendo precisamente à perda de massa do núcleo (multiplicada pelo quadrado da velocidade da luz), exatamente como Einstein havia previsto.

Os 25 anos seguintes foram absolutamente explosivos. A revolução quântica foi uma revolução de fato, não só em como vemos o mundo, mas em como vivemos no mundo. Seus efeitos continuam sendo sentidos até hoje e continuarão a sê-lo por muito tempo. Aqui, estamos interessados principalmente nos aspectos mais fundamentais da revolução quântica e seu impacto na nossa concepção da realidade. O aspecto mais pragmático, envolvendo as tecnologias digitais indispensáveis hoje em dia, é um assunto relacionado, mas que citaremos apenas de passagem, ao considerarmos sua importância na análise e aquisição de dados.

A primeira lição fundamental da física quântica é que a visão que temos do mundo, baseada na percepção sensorial da realidade (a visão "clássica" do mundo), é uma aproximação. A essência da realidade é quântica — do pequeno ao grande. Descrições clássicas, como as leis de movimento de Newton ou o eletromagnetismo de Maxwell, funcionam para objetos macroscópicos porque, nesse caso, os efeitos quânticos são muito pequenos. Mas não devemos nos iludir: como o elétron, somos entidades quânticas. Nossa essência quântica, porém, é tão sutil que podemos considerá-la essencialmente irrelevante. O mesmo para árvores, carros, sapos e amebas, se bem que, ao considerarmos objetos cada vez menores, a distinção entre o que é clássico e o que é quântico começa a tornar-se menos clara. A lição, no entanto, é inevitável: no domínio do quantum, devemos considerar uma realidade profundamente distinta da nossa.

* * *

O primeiro problema era explicar a estrutura do átomo. Ernest Rutherford havia mostrado em 1911 que o átomo contém um núcleo muito denso e compacto com carga elétrica positiva, cercado por elétrons de carga negativa. A imagem (errônea) do átomo como um minissistema solar é frequentemente usada para ilustrar o modelo de Rutherford. O problema é que elétrons não são planetas. O eletromagnetismo de Maxwell mostrou que cargas aceleradas perdem energia, emitindo radiação. Nesse caso, como o elétron podia manter-se em órbita sem espiralar em direção ao núcleo? Rutherford não sabia, mas estava seguro de seus resultados.

A resposta, um tanto estranha, veio em 1913, graças ao trabalho do grande físico dinamarquês Niels Bohr: as órbitas dos elétrons ficavam a distâncias fixas do núcleo, feito os degraus de uma escada. Da mesma forma que você não pode ficar entre dois degraus, o elétron não pode ficar entre duas órbitas. Cada órbita tem uma energia associada: quanto mais distante a órbita for do núcleo, maior sua energia. Na analogia da escada, quanto mais alto o degrau, mais energia você precisa para pular até ele. Já ao descer de órbita, o elétron libera energia.[36] A ideia revolucionária de Bohr foi supor, sem qualquer motivo mais óbvio, que o elétron não podia descer além de sua órbita mais baixa (o último degrau da escada), chamada de "estado fundamental".

Bohr não ofereceu uma justificativa. Seu argumento combinava noções clássicas de órbitas circulares com as ideias de Planck e de Einstein sobre energias quantizadas e pacotes de luz, emitidos e absorvidos quando átomos estão em estados excitados (com elétrons em órbitas além do estado fundamental). Bohr sugeriu que, para subir até órbitas mais altas, o elétron precisava absorver um fóton de luz com energia igual à diferença de energia entre as duas órbitas. Da mesma forma que precisamos de energia para subir uma montanha, o elétron "come" um fóton para subir de órbita. Esse é o processo de absorção de radiação. Por outro lado, ao descer de uma órbita para outra, o elétron libera fótons com energia idêntica à diferença de energia entre as duas órbitas. Esse é o processo de emissão de radiação. Já que átomos diferentes têm um número diferente de prótons e elétrons e, com isto, uma sequência diferente de órbitas (ou níveis de energia), cada átomo tem um *espectro de emissão* único, a radiação equivalente a cada um dos saltos que o elétron pode dar ao descer de órbitas mais altas até o seu estado fundamental. Essa assinatura espectral, comparável às impressões digitais, por serem únicas a cada elemento químico, é o ingrediente essencial da espectroscopia e a essência da astronomia. Astrônomos coletam e estudam a composição espectral da radiação vinda de estrelas, galáxias e outros objetos celestes, deduzindo sua composição química, temperatura, velocidade etc. Bem mais fácil do que viajar até lá.

A teoria de Bohr era uma descrição híbrida, transicional. Um tratamento mais completo do comportamento dos átomos teria que esperar até o fim da Primeira Guerra, quando físicos puderam retornar a questões mais fundamentais. Duas escolas de pensamento emergiram: a de Einstein e a de Bohr. Einstein acreditava que os segredos da física quântica seriam revelados a partir da exploração da dualidade partícula-onda, seguindo os passos da sua teoria dos fótons de luz. Bohr, por outro lado, acreditava que era melhor focar nos elétrons e seus saltos descontínuos entre as órbitas atômicas.

Em 1924, Louis de Broglie mostrou de forma espetacular que as órbitas discretas dos elétrons no modelo atômico de Bohr podiam ser facilmente interpretadas se o elétron fosse visto como sendo constituído de ondas superpostas em torno do núcleo, semelhantes às que produzimos quando sacudimos uma corda que tem a outra extremidade fixa. No caso da corda, o padrão estável que vemos resulta da interferência entre as ondas que vão e voltam até a sua mão. No caso do elétron, os padrões aparecem pela mesma razão, mas o elétron fecha-se sobre si mesmo como a Ouroboros, a serpente mítica que engole o próprio rabo. Do mesmo modo que, quando sacudimos a corda com mais vigor, os padrões de vibração têm mais cristas, um elétron em órbitas mais elevadas corresponde a um padrão ondulatório com mais cristas.

Com o apoio entusiástico de Einstein, De Broglie estendeu a noção de dualidade partícula-onda para *qualquer* corpo material, propondo uma fórmula para o comprimento de onda de um objeto com massa m e velocidade v, conhecido como "comprimento de onda de De Broglie".[37] Ondas estão associadas não só à luz, mas a todo tipo de matéria, de elétrons a aviões.

Uma bola de futebol a 70 quilômetros por hora tem um comprimento de onda de De Broglie em torno de 20 bilionésimos de trilionésimos de trilionésimos de um centímetro (ou 2×10^{-32} cm). Obviamente, a bola não ondula muito e podemos tratá-la como um objeto sólido. Por outro lado, o comprimento de onda de De Broglie de um elétron viajando a 10% da velocidade da luz é metade do tamanho de um átomo de hidrogênio. (Mais precisamente, metade da distância entre o elétron em seu estado fundamental e o núcleo atômico.) Enquanto a natureza ondulatória da bola de futebol é irrelevante para o estudo de seu comportamento, a natureza ondulatória do elétron é essencial na física atômica.

De sua parte, Bohr acreditava que ilustrar o elétron ou qualquer outro objeto quântico como sendo partícula ou onda era menos útil do que descrever grandezas medidas em experimentos, como a energia das órbitas atômicas ou a frequência e a intensidade da radiação emitida por átomos. Em 1925, Werner Heisenberg e, logo em seguida, Max Born e Pascual Jordan, ofereceram uma descrição do comportamento dos átomos alinhada com o pensamento de Bohr. A teoria, conhecida como "mecânica matricial", abandonava noções clássicas — como o determinismo do movimento das partículas e ondas (efeitos são consequências de causas específicas, de modo que o passado determina o futuro) — para focar nas energias entre as órbitas e as propriedades da radiação que elétrons absorviam e emitiam durante as suas transições.

A nova teoria, baseada nas probabilidades de entidades sem uma realidade física oscilarem entre diferentes estados quânticos, descrevia um mundo insólito. A frequência das oscilações entre os estados era dada pela diferença de energia entre as órbitas. Para obter esse resultado, Heisenberg interpretou o elétron como uma entidade dissolvida no espaço, sem uma posição ou uma velocidade determinada. Os cálculos eram complexos, mas descreviam os dados experimentais. A natureza bizarra do mundo quântico forçou os físicos a inventarem um novo modo de descrever a realidade física. Nas profundezas da matéria existiam coisas que não eram matéria, ao menos no sentido de algo que existe concretamente e que tem extensão espacial. O atomismo havia mudado muito desde os tempos de Leucipo e Demócrito, ou de Boyle e Newton. Para entender a Natureza em sua essência, a Natureza tinha que ser reinventada.

Por essas razões, a versão alternativa da mecânica quântica, proposta pelo austríaco Erwin Schrödinger em 1926, foi recebida de braços abertos pela maioria da comunidade científica. Ao contrário das estranhas abstrações da mecânica matricial de Heisenberg, Born e Jordan, a formulação de Schrödinger baseava-se em uma equação de onda, uma entidade bem mais familiar do que probabilidades de transição entre estados quânticos, consistente com a filosofia de Einstein e De Broglie de tomar a dualidade onda-partícula como sendo a essência da física quântica. Inicialmente, esperava-se até que a formulação de Schrödinger mostrasse que a física quântica era, afinal, determinística, com o futuro estabelecido estritamente pelo passado, sem lugar para probabilidades: se soubermos a posição e a velocidade de uma partícula em um dado momento, assim como as forças que agem sobre ela, podemos determinar sua posição futura, assim como sua velocidade, com precisão. O entusiasmo cresceu ainda mais quando Schrödinger, no quarto artigo de uma série de imensa criatividade, provou a equivalência entre a sua versão da mecânica quântica e a de Heisenberg, mostrando que ambas eram modos diferentes de descrever as mesmas coisas. A partir daí, a mecânica ondulatória de Schrödinger tornou-se sinônimo da física quântica e parte principal de qualquer curso sobre o assunto.

Na recepção entusiástica da teoria de Schrödinger, detectamos a esperança de que Bohr e Heisenberg estivessem errados e que as estranhas propriedades dos fenômenos quânticos fossem expressão de nosso conhecimento incompleto do mundo natural, não de como a Natureza realmente era ao seu nível mais fundamental. Einstein, Planck, Schrödinger e De Broglie acreditavam que, por trás das probabilidades e incertezas quânticas, existia uma realidade ordenada, perfeitamente determinística. Daí a famosa carta de Einstein a Max Born, datada de 4 de dezembro de 1926, onde escreveu: "A mecânica quântica é certamente imponente. Mas uma voz interna me diz que não é a última palavra no assunto. A teoria explica muito, mas não nos aproxima dos segredos do Velho. Eu, pelo menos, estou convencido de que *Ele* não joga dados."[38] E daí, também, porque Bohr, durante a Quinta Conferência de Solvay, na Bélgica, em 1927, sugeriu a Einstein que "parasse de dizer a Deus o que fazer".

A visão de Einstein e dos outros realistas não se concretizaria. Em 1927, Heisenberg demonstrou que a incerteza era a alma da física quântica, em particular na relação entre posição e momento (ou velocidade, ao menos para movimentos com velocidades bem mais baixas do que a da luz): mesmo usando os melhores instrumentos, um experimento não pode determinar tanto a posição quanto a velocidade de uma partícula com precisão arbitrariamente alta. Em outras palavras, não podemos saber exatamente onde a partícula está e com que velocidade se movimenta, as duas condições necessárias para prever deterministicamente o seu comportamento futuro. Dada a dualidade onda-partícula, esse resultado era de se esperar. Se uma entidade física não é nem onda nem partícula, mas algo de intermediário (ou algo completamente diferente!), é deveras difícil saber onde está e com que velocidade avança. E quanto menor o objeto mais difícil a tarefa, como aprendemos com De Broglie e seu comprimento de onda (veja nota 37): a incerteza é maior para objetos menores.

Talvez o aspecto mais inquietante do princípio de Heisenberg seja que a incerteza inerente à física quântica não venha de limitações tecnológicas dos instrumentos que usamos; é expressão de como a Natureza se comporta a distâncias muito pequenas, um mundo com regras bem diferentes do nosso. Não podemos nos livrar dela com instrumentos melhores. Ao contrário: como medir é interferir, quanto mais tentamos aumentar a precisão de nossas medidas, mais influenciamos o que estamos tentando medir e menos aprendemos! Como em uma turma do primeiro grau, no mundo quântico a agitação é insuperável. Nada fica sossegado, no mesmo lugar. O físico austríaco Anton Zeilinger, um dos grandes especialistas da física quântica da atualidade (e com meu voto para vencer o Prêmio Nobel em breve), expressou esse fato de forma particularmente dramática no seu livro *A dança dos fótons*:

> Durante séculos, procuramos por explicações e causas cada vez mais profundas até que, de repente, quando mergulhamos nas profundezas e estudamos o comportamento individual das partículas ao nível quântico, aprendemos que essa busca por uma causa chega ao fim. Não existe uma causa. Para mim, o indeterminismo fundamental do universo ainda não foi propriamente integrado em nossa visão de mundo.[39]

22 As intrépidas aventuras de Werner, o antropólogo

(Onde usamos uma alegoria para explorar o papel do observador na física quântica e como o ato de medir interfere no que é medido)

Eis uma pequena alegoria que pode nos ajudar a compreender como o ato de observar influencia o que está sendo observado. Era uma vez um intrépido antropólogo cultural que passou anos em busca de uma tribo da Amazônia. A tribo havia sido mencionada de passagem em uma carta de um obscuro explorador português do século XVII. Infelizmente, a carta não deixava claro onde a tribo tinha sido localizada; apenas a região aproximada. E, para complicar, o explorador desapareceu sob circunstâncias misteriosas, sem deixar qualquer traço. Ridicularizado por seus colegas de profissão, o antropólogo — vamos chamá-lo de Werner — foi em frente, convencido de que nessa vasta floresta deveria haver muitas tribos desconhecidas; se não a que foi mencionada na carta, talvez outras. "Só encontra quem procura", dizia aos seus colegas acadêmicos.

Após muitas pistas falsas, fome, doença, e meses e meses explorando os confins do noroeste da Amazônia, Werner se deparou com uma clareira, escondida entre árvores majestosas. Forçando os olhos, ele discerniu uma pequena vila com cerca de vinte ocas, quase que invisíveis aos olhos de tão bem-integradas que eram com a floresta. Um grupo de crianças nuas corria de lado a lado, quicando algum tipo de semente arredondada bem grande. "Até aqui jogam futebol", pensou. Sabendo que os nativos o avistariam em minutos; Werner estudou rapidamente a área, buscando um esconderijo. Subiu em uma árvore localizada estrategicamente e abriu seu saco de dormir sobre um dos seus galhos mais amplos, certificando-se de que não havia cobras ou outros vizinhos pouco amistosos. As nuvens de mosquitos já bastavam. Vasculhando a mochila, viu que tinha água e comida para uns cinco dias. Devia bastar.

Werner pegou seu binóculo e começou suas observações. Como em outras tribos, as mulheres passavam a maior parte do tempo na vila, fazendo cestas, plantando e tomando conta das crianças. Homens e meninos faziam armas e saíam para caçar e pescar todos os dias ao amanhecer. Curiosamente, às vezes eram os homens que ficavam e as mulheres que saíam. A vila funcionava em perfeita harmonia, cada um fazendo um pouco de tudo. O movimento era incessante; apenas um casal mais velho sentava-se à sombra de sua oca, observando calmamente as atividades. "Possivelmente, o grupo inteiro é uma única família, um clã", pensou Werner. Ele sorriu quando se deu conta de que era o primeiro homem branco a observar a tribo em seu estado original. "Tudo o que precisam está a seu dispor. É difícil traçar uma linha entre os humanos e a floresta, tão perfeita a sua integração."

Um menino, de aproximadamente cinco anos, caiu e machucou feio o joelho. A anciã foi correndo ao seu encontro e aplicou uma espécie de creme sobre a ferida. Em instantes, o menino sorriu e voltou ao jogo, aparentemente sem qualquer dor. "A anciã é a curandeira da tribo", anotou Werner. "Preciso descobrir que planta usou para anestesiar a dor do menino."

À noite, após os homens e meninos voltarem da caça, a tribo se reuniu em torno de uma grande fogueira. O ancião contou algum tipo de história, provavelmente uma lenda dos feitos de seus ancestrais. Ao final de cada frase, a tribo cantava uma espécie de mantra, celebrando as palavras de seu líder. "Na repetição do canto, estabelecem uma tradição oral", concluiu Werner.

Werner certificou-se de que todos haviam entrado em suas ocas antes de dormir. "Que sorte", pensou. "Os idiotas da universidade não perdem por esperar!" Mesmo que equilibrado precariamente sobre um galho, Werner fechou os olhos sentindo-se o homem mais feliz do mundo. Quando estava para cerrar no sono, alguém o sacudiu pelos ombros. Tinha sido descoberto! Três guerreiros baixaram-no da árvore e levaram-no até o ancião. Tiraram suas roupas e examinaram o seu corpo em detalhe. Pareciam fascinados com a cor da pele de Werner e a quantidade de roupas e apetrechos que usava. Estavam estudando o estranho do mesmo modo que haviam sido estudados por ele. "Se eu sobreviver, prometo que farei todo o possível para proteger esta vila", pensou. Para sua surpresa, a anciã ofereceu-lhe uma bebida quente, gesticulando para que a bebesse. Não tendo outra opção, Werner obedeceu. Em minutos, caiu no sono mais profundo da sua vida.

Quando acordou, o Sol brilhava alto no céu. Os nativos haviam construído uma oca ao lado da dos anciões, onde insistiam que Werner deveria morar. O antropólogo mal podia acreditar no que via. "Então não morri! Assim poderei continuar meus estudos", pensou. E foi o que fez. Mas ficou logo claro que a dinâmica da tribo havia mudado. Werner tornou-se o foco das atividades. As crianças não lhe davam trégua, puxando sua barba grisalha, querendo que brincasse com elas o dia inteiro. As mulheres mais jovens olhavam-no com desejo, curiosas de como seria ter relações com um homem tão pálido. Já os guerreiros não pareciam tão entusiasmados quanto o resto, temendo que Werner os atacasse a qualquer momento. "Não são mais os mesmos e nunca serão", Werner compreendeu, com tristeza. "Minha presença alterou irreversivelmente o seu comportamento. Destruí sua visão de mundo, forçando-os a alterar sua realidade." Werner também havia mudado. Não sabia se queria voltar para casa.

* * *

Conto a alegoria de Werner para ilustrar a diferença entre a interpretação clássica e a interpretação quântica de uma medida. Antes de Werner ter sido descoberto, a informação que tinha da tribo era "pura", isto é, não havia sido alterada pela sua presença. (Todo observador vem com uma bagagem cultural, mas essa é outra história.) Essa é a situação ideal para um observador, em que o ato de observar não afeta o que está sendo observado. Existe uma distinção, uma separação entre o observador e o observado que é preservada. Nossa percepção da realidade é essencialmente baseada nesse tipo de medida, dado que temos consciência apenas de objetos grandes o suficiente para que efeitos quânticos tenham pouca (ou nenhuma) importância. Vemos livros empilhados sobre a mesa, carros passando pelas ruas, moscas voando pelo ar e, ao observarmos esses objetos, não afetamos o seu comportamento. (Claro, se você andar na direção dos carros ou das moscas, irá provocar uma reação. Mas esse não é o ponto.) Esta é a chamada "aproximação clássica", o limite da física quântica em que efeitos quânticos não têm um papel relevante e passam despercebidos. Como veremos, ao considerarmos se essa aproximação é realística — mesmo que pareça ser, dado o que vemos do mundo — aprenderemos bastante sobre a natureza da física quântica.

A outra situação, a tribo após a presença de Werner ter sido descoberta, ilustra o mundo quântico, onde o ato de observar interfere e muda irreversivelmente tanto o que está sendo observado quanto o observador. Os nativos jamais seriam os mesmos após terem conhecido Werner. Tampouco ele. Após ter sido descoberto, Werner tornou-se parte da tribo e a tribo parte dele: passaram a formar um todo indissolúvel. Suas histórias foram afetadas de tal forma que nem Werner nem a tribo poderiam voltar ao seu estado original, pré-descoberta, quando ambos eram entidades independentes. Dizemos que se tornaram "emaranhados" devido à sua interação. O termo foi usado pela primeira vez em um artigo de Erwin Schrödinger de 1935, no qual foi afirmado que o emaranhamento é a propriedade mais essencial dos sistemas quânticos.

23 O que ondula no mundo quântico?

(Onde exploramos a bizarra interpretação da física quântica proposta por Max Born e como esta complica nossa noção de realidade)

Vamos pausar brevemente e rever onde estamos. Os primeiros 25 anos do século XX testemunharam uma profunda redefinição do mundo físico, que obteve extremo sucesso apesar de incluir conceitos extremamente bizarros, que fugiam ao bom senso: Einstein e suas teorias da relatividade e a mecânica quântica de Bohr, Heisenberg, Schrödinger e outros.

O aspecto estranho da mecânica quântica não altera sua eficiência como uma teoria do mundo físico: na verdade, é a teoria de maior sucesso que temos, capaz de descrever com enorme precisão as propriedades de inúmeros materiais, moléculas, átomos e partículas subatômicas. O desafio da mecânica quântica está na sua *interpretação*, quando tentamos entender o que está realmente ocorrendo no mundo do muito pequeno. Vimos que objetos pequenos exibem um comportamento duplo, aparecendo tanto como onda como quanto partícula, dependendo do experimento. Vimos, também, que esse comportamento ambíguo vem de um indeterminismo intrínseco da Natureza, expresso no princípio da incerteza de Heisenberg. Uma consequência essencial desse princípio é que um observador não pode ser considerado independentemente daquilo que observa, já que o próprio ato de observar afeta o que é observado. De fato, isso mais do que afeta (e esse é um ponto contencioso) — *determina* o que está sendo observado. Dito de outro modo, se a mecânica quântica está correta (e não temos qualquer indicação de que não esteja), o observador engendra a natureza física do que observa. Um elétron não é nem onda nem partícula; ele *assume* uma propriedade ou outra, dependendo de como é observado. Em um experimento no qual o elétron colide com outra partícula, comportar-se-á como partícula; em um em que deve atravessar duas fendas estreitas, desenvolverá um padrão de interferência como se fosse uma onda. No mundo quântico, tudo é *potencialidade*, uma loteria na qual o resultado depende do mestre de cerimônias.

— Mas, certamente — protesta um realista — as coisas na Natureza devem ser *algo* antes de serem observadas; elas *têm* que existir de alguma forma.

— Talvez — um defensor da visão quântica responde —, mas não temos como saber o que este "algo" é. E também não importa. O que importa é que, com essa construção, mesmo que bizarra, podemos explicar os resultados de nossos experimentos.

— Você está dizendo que as coisas só existem quando olhamos para elas? Que o elétron não está lá até interagirmos com ele?

— Isso mesmo, é o que estou dizendo. Na prática, o elétron só existe quando é detectado em um experimento.

— E objetos maiores? Pedras são feitas de átomos, árvores são feitas de átomos, pessoas são feitas de átomos. Essas coisas também só existem quando são observadas?

— Estritamente falando, sim. Não podemos estar certos de que algo existe antes de interagirmos com ele, mesmo coisas grandes. Nós *supomos* que estejam lá porque imaginamos que estavam lá antes, por continuidade. Mas não podemos ter certeza até olharmos. Na prática, a maioria das pessoas supõe que existe uma linha divisória, ou melhor, uma região de transição onde a visão clássica da realidade passa a dominar, funcionando como a descrição efetiva da realidade. Isso é explicado em termos de uma propriedade chamada *descoerência*. (Que podemos discutir mais adiante.)

— Tudo bem. Mas ninguém sabe como definir essa região de transição, certo? Ao menos em teoria, nada existe até que seja observado.

— Eu sei que soa meio louco. Por isso não perco muito tempo pensando a respeito. Usamos a mecânica quântica quando precisamos dela, fazemos nossos cálculos, e isso já basta.

— Essa atitude pode ser aceitável se você não tem interesse em compreender a natureza fundamental da realidade, se você se contenta em ficar calculando e só. Mas você não quer ir além dessa atitude pragmática, dessa prisão do "Na prática"?

— Talvez essa seja a lição mais importante da mecânica quântica: não podemos compreender a natureza fundamental da realidade, temos que aprender a viver com essa limitação e nos contentar com um conhecimento parcial do mundo. Temos que aprender a aceitar que não teremos todas as respostas.

— Eu não caio nessa. E o Universo? Não era pequeno perto do Big Bang? Não era um objeto quântico? E, se era, e tudo é quântico, será que ainda é? Ou o Universo é uma entidade clássica? Quem está fazendo as observações do Universo como um todo?

— Ok, amigo, essa é a hora em que vou para casa.

— *Esse est percipi*. Não foi isso o que o bispo George Berkeley disse em 1710? "Ser é ser percebido"?

— Sim, mas Berkeley usou esse argumento para provar a existência de Deus, o observador eterno que dá realidade a todas as coisas. Não acho que isso nos ajude muito com a mecânica quântica.

— Os mistérios da existência e a natureza da realidade ficam emaranhados...

— Ok, agora é que vou *mesmo* para casa!

Esse comportamento quântico arredio não ocorre apenas com objetos submicroscópicos. Todas as entidades da Natureza obedecem às mesmas leis; *tudo* está em movimento contínuo, compartilhando da incerteza inerente na física quântica. A diferença é que para objetos pequenos essa agitação quântica tem um impacto enorme; já para objetos grandes ela pode ser deixada de lado. *O ponto, portanto, é que o mundo é quântico, não clássico.* A visão de mundo newtoniana é uma excelente aproximação para o que ocorre com objetos suficientemente grandes, quando é possível "ignorar" efeitos quânticos. Mesmo assim, é apenas uma aproximação. Embora existam procedimentos para estimar quando efeitos quânticos podem ser desprezados (por exemplo, quando o comprimento de onda de De Broglie é bem menor do que o tamanho do objeto; a temperaturas altas; ou quando a influência do ambiente sobre o sistema é intensa o suficiente), alguns persistem mesmo em sistemas relativamente grandes. A questão é: até onde? Será que o Universo como um todo é um sistema quântico?[40]

* * *

Ao obter a equação de onda da mecânica quântica, Schrödinger teve que interpretar seu significado. Algo ondulava no tempo e no espaço, algo chamado "função de onda", representado como uma função matemática $y(t,x)$, que variava no tempo e no espaço. Já que a primeira aplicação de sua equação tentava explicar as ondas de De Broglie descrevendo as órbitas do elétron no átomo de hidrogênio, Schrödinger sugeriu que a função $y(t,x)$ descrevesse "ondas eletrônicas". Como essa primeira intepretação não funcionou, Schrödinger sugeriu que a função de onda descrevia a densidade de carga do elétron: imaginando o elétron como uma espécie de nuvem difusa de carga elétrica, a solução da equação daria o local mais provável de o elétron ser encontrado. Em uma carta a Hendrik Lorentz datada de 6 de junho de 1926, Schrödinger chegou muito perto do significado correto, sugerindo que talvez fosse o *quadrado* da função de onda que devesse ser interpretado fisicamente: "[...] o significado físico é encontrado no quadrado da quantidade e não na quantidade."[41] (Para os mais versados na teoria quântica, como $y(t,x)$ é uma função com valores complexos, a quantidade física estaria relacionada com o seu valor absoluto, que é real. Veja nota 42.)

Schrödinger não tinha a menor intenção de abandonar a ideia de que sua equação descrevia algo de concreto, uma entidade física, que *existia* na Natureza. Estava muito próximo da resposta correta, mas, tal como Einstein e De Broglie, não podia abandonar seu vínculo com o realismo. Alguns dias após ter publicado o seu artigo propondo que a função de onda representava a densidade de carga elétrica do elétron, Max Born sugeriu uma alternativa que, na visão de Einstein, De Broglie e Planck, era absurda: a função de onda não representava o elétron ou sua densidade de carga elétrica. Na verdade, não representava uma coisa concreta, física. A função matemática que aparece na equação de Schrödinger, sugeriu Born, era uma mera ferramenta computacional. Seu papel era prover informação sobre onde e quando encontrar o elétron com uma certa energia, o que hoje chamamos de "amplitude de probabilidade". Ao calcularmos o seu valor absoluto (uma espécie de quadrado para funções com valores complexos), obtemos a "densidade de probabilidade", um número entre zero e um que dá a probabilidade de que uma medida da posição do elétron terá como resultado um ponto x no espaço. Ou seja, a equação oferece a probabilidade de encontrarmos o elétron neste ou naquele ponto do espaço.[42]

É importante entender que a função de onda dá a amplitude de probabilidade de onde o elétron será encontrado *antes* de a medida ser feita. Quando um instrumento capaz de detectar a posição de um elétron é ligado e o elétron é encontrado em uma posição x, ficará por lá: A equação de Schrödinger dá a probabilidade de um elétron ser encontrado em um determinado ponto do espaço; uma vez que o elétron é encontrado em algum lugar, o drama acaba. Dizemos que a função de onda "colapsa" inteiramente naquele ponto do espaço (dentro da precisão da medida). Segundo um mecanismo que permanece obscuro (se é que é um "mecanismo"), a detecção "seleciona" uma determinada posição para o elétron. A função de onda oferece a probabilidade de o elétron ser encontrado aqui ou acolá, mas o ponto exato onde é encontrado não é conhecido (ou conhecível). É este fato que representa o abandono do determinismo clássico em nome de um tratamento probabilístico da realidade física.

Ainda mais estranho, o colapso da função de onda ocorre instantaneamente: embora a função de onda esteja espalhada pelo espaço antes de a medida ser efetuada, colapsa imediatamente nas redondezas do ponto onde o elétron é encontrado. Esse fato parece contrariar a noção de "localidade", a imposição de que nenhuma influência física pode viajar mais rápido do que a luz: apenas causas que tenham tido tempo de chegar ao objeto (sendo, por isso, locais) podem influenciar o seu comportamento. Nesse caso, como partes diferentes da função de onda, afastadas por grandes distâncias, "sabem" onde e quando colapsar?[43]

Talvez uma analogia seja útil. Niels estava trabalhando em uma obra na casa de Werner nos arredores de Manaus. (Werner acabou não voltando para a Alemanha, mas também não ficou na floresta com os nativos.) Werner vivia em uma região bastante isolada, cercada de floresta. Niels resolveu descansar um pouco e foi dar uma volta, deixando a janela aberta. Em minutos, uma enorme surucucu, a mais letal das muitas cobras venenosas do Brasil, resolveu inspecionar a obra e tirar uma soneca, estirada em uma escada que Niels deixou inclinada contra a parede que pintava. Vendo a janela aberta, Werner antecipou que teria problemas. Caminhando na ponta dos pés, logo viu a gigante de três metros dormindo, feliz da vida. Quase sem respirar, Werner procurava um galho bem longo quando Niels voltou. "Ei Werner, o que você está fazendo?" "Shhh! Você quer morrer? Olha lá!" Sentindo o barulho, a cobra tensionou o corpo e, em um instante, enrolou-se em um dos degraus da escada, olhando direto para os dois humanos. Se, quando dormia, a cobra estirou-se por toda a escada, com a interferência da voz de Niels ela "colapsou" sobre o degrau. E parecia estar de muito mau humor por ter tido sua soneca interrompida.[44]

O aparato matemático da mecânica quântica descreve o comportamento da matéria sem se referir diretamente a ela. A equação de Schrödinger menciona as forças que agem sobre o elétron (ou sobre o objeto que está sendo estudado), mas não o elétron em si. Com isso, mistura coisas "reais" (forças e energia) com coisas que não são reais (a função de onda). De sua parte, a função de onda contém toda a informação estatística de que precisamos para descrever o comportamento do sistema físico em questão, mas não representa diretamente as entidades que são parte do sistema. Já quando alguém joga uma pedra em um lago, podemos escrever uma equação que descreve a propagação das ondas na água. A solução dessa equação é uma função matemática que representa a onda que estamos vendo, uma entidade real: existe uma correspondência direta entre a onda de água e a função matemática que descreve a sua propagação. No caso da equação de Schrödinger, a função de onda é uma função matemática que não descreve a propagação de algo real. É uma equação que descreve *potencialidades* de existência.

Essa estranha estrutura conceitual nos faz questionar a natureza das entidades que estão sendo descritas e onde estavam antes de as medidas serem feitas. Na nossa analogia, a surucucu estava "em todos os lugares", estirada sobre a escada. Mas, mesmo que uma cobra, em princípio, seja uma entidade quântica, é muito bem apropriada por um modelo clássico da realidade. Podemos vê-la antes e depois de ela nos ver. Também não "colapsa" sobre um degrau instantaneamente, mas segue uma série de passos, em uma clara sequência causal: a percepção de uma presa produz impulsos nervosos que induzem seus músculos a adotar uma posição de ataque. Será que as entidades no domínio quântico são reais no mesmo sentido que a cobra nos parece real? Ou será que cobras, pedras e seres humanos são feitos de entidades que não são reais? A intepretação da mecânica quântica depende de forma essencial de como definimos o que é ou não real.

Desde os primeiros dias da mecânica quântica, essa questão vem tirando o sono dos físicos. Einstein, Schrödinger e os outros realistas acreditavam que a descrição probabilística, em termos de funções de onda, era provisória, que uma explicação mais completa apareceria no futuro. Note a escolha da palavra "descrição" no lugar de "explicação". O realismo científico supõe que a ciência é capaz de explicar o que é real, que entidades reais existem em todos os níveis — dos elétrons às galáxias — e que explicações podem ser obtidas, ao menos em princípio, para todos esses níveis. O que mais incomodava Einstein sobre a física quântica não era tanto sua interpretação probabilística, mas seu abandono do realismo científico. Einstein não se conformava que a Natureza fosse, em sua essência, imprevisível. "Será que a Lua não está no céu se não olho para ela?", perguntou a um amigo durante uma caminhada.

Deixando de lado a ironia de Einstein (em breve voltaremos a ela), *explicar* a realidade talvez seja uma missão ambiciosa demais, mesmo para a ciência. Especialmente quando associamos um caráter definitivo a essa explicação, o que, como vimos, é incompatível com o modo que a ciência avança. Corretos ou incorretos, o éter, o flogisto, o calórico e mesmo o modelo atômico de Bohr são descrições operacionais dos fenômenos naturais. Foram muito úteis enquanto eram considerados parte da realidade. Não devemos atribuir *realidade* a qualquer um deles, ao menos no sentido desejado pelo realismo científico. Mais apropriado à constante mudança de perspectiva do projeto científico é considerar os modelos e teorias que obtemos como *descrições* parciais da porção da realidade que somos capazes de medir e estudar. Ao nos deparar com a realidade física, não temos explicações finais; temos descrições, cada vez mais eficientes.

Uma tentativa de construir uma física quântica satisfazendo as demandas do realismo é a teoria de De Broglie-Bohm das "variáveis ocultas". O físico americano David Bohm desenvolveu a teoria quando trabalhava como assistente de Einstein em Princeton, continuando quando foi para São Paulo em 1952, escapando da perseguição anticomunista da era do macarthismo. Inspirado por ideias de De Broglie, Bohm adicionou um nível de explicação extra na teoria quântica, capaz de descrever a posição do elétron com exatidão. A equação de Schrödinger continuava a mesma, mas era "pilotada" por outra equação, que descrevia a "função de onda-piloto". Da mesma forma que um maestro controla diferentes setores de uma orquestra durante uma sinfonia, a função de onda-piloto determina a divisão (ou bifurcação) da função de onda entre os vários estados físicos possíveis. Esse direcionamento ocorria sob o comando de uma ou mais variáveis ocultas, que eram indetectáveis por experimentos. Como uma divindade onipresente, a função de onda-piloto atuava em todos os lugares ao mesmo tempo, uma propriedade que os físicos chamam de "não localidade". Em outras palavras, na mecânica de De Broglie-Bohm, as partículas permaneciam sendo partículas, e seu movimento coletivo era guiado de forma determinística pela ação não local da onda-piloto. As partículas agiam como um grupo de surfistas pegando a mesma onda, cada um guiado em uma certa direção à medida que a onda onipresente avançava.

Na teoria de De Broglie-Bohm, o comportamento do elétron é perfeitamente previsível; podemos calcular onde estará em um determinado momento do futuro. A variável oculta faz a ponte entre o conceito clássico de realidade e a indeterminação quântica. Mas a barganha tem um preço: para transformar a mecânica quântica em uma teoria determinística é necessário impor uma teia de influência entre tudo o que existe. Em princípio, o Universo como um todo influencia o resultado de cada experimento. Na prática, a velocidade e a aceleração de cada partícula dependem da posição instantânea de *todas* as outras partículas. O Universo age conjuntamente, determinando as condições "ambientais" (isto é, tudo o que não é a própria partícula) que influenciam cada subsistema — de uma colisão nos detectores do CERN ao movimento das nuvens no céu. A teoria de De Broglie-Bohm leva a condição de não localidade ao extremo. Não é por coincidência que Bohm intitulou seu livro explorando os fundamentos filosóficos de sua teoria de *A totalidade e a ordem implicada*. E também não é surpreendente que poucos físicos endossem essas ideias, se bem que algumas variações da teoria de De Broglie-Bohm continuem sendo estudadas.

Um dos problemas é que a teoria (ao menos na maioria de suas versões) produz os mesmos resultados da mecânica quântica: as variáveis ocultas são indetectáveis. Na prática, quando duas teorias competem como possíveis descrições do mundo, cientistas usam testes experimentais para distingui-las e selecionar a melhor. Se as duas fazem as mesmas previsões e não existe uma possibilidade de distinção, por que escolher a mais complexa? A mecânica quântica sem a onda-piloto é bem mais simples. Com isso, vamos deixar as variáveis ocultas de lado e nos concentrar no que a mecânica quântica diz (ou não diz) sobre a natureza física da realidade.

24 Podemos saber o que é real?

(Onde exploramos as implicações da física quântica para a nossa compreensão da realidade)

Uma das consequências mais chocantes da física quântica é que o ato de medir afeta o que está sendo medido. Mais dramaticamente, o ato de medir *define* o que está sendo medido, dando-lhe realidade física. Com isso, é criada uma ligação entre o observador e o observado que é difícil de ser cortada. Talvez a visão mais extrema desse fato tenha sido a de Pascual Jordan, que trabalhou com Heisenberg e Born na formulação da mecânica matricial: "Observações não apenas interferem com o que é medido; observações produzem o que é medido [...] Somos nós que forçamos [o elétron] a tomar uma posição determinada [...] Somos nós que produzimos os resultados das medidas."[45]

Com isso, a separação entre você como observador e o resto do mundo, o que costumamos chamar de *objetividade*, é perdida. Como, então, determinar onde você termina e o que é observado começa? Se estamos emaranhados com o que existe "lá fora", esse "lá fora" não existe mais; existe apenas um todo indiferenciado. Você e tudo mais no Universo constituem uma única entidade, uma união inseparável. Ainda mais problemático: se você está conectado a tudo, até que ponto você é livre? Será que sua autonomia como indivíduo é uma ilusão? Será que a soma total das influências externas determina o seu comportamento? Será que somos como a aranha que não pode existir sem sua teia?

"Obviamente", alguém de cabeça fria contesta, "não é isso que vemos na vida real. Basta dar uma olhada em torno para concluir que existimos independentemente do que está 'lá fora'. Não sou a cadeira onde me sento. A cadeira tem existência própria, independente da minha. É um objeto autônomo, que não exibe qualquer propriedade quântica. Fora isso, não é *você* que detecta uma partícula, mas uma máquina, o detector. E o detector também é um objeto de dimensões macroscópicas, descrito classicamente. Portanto, essa história de dizer que o ato de observar conecta observador e observado é exagerada. O que, de fato, ocorre é que uma partícula interage com os materiais que constituem o detector. Essa interação, após ser suficientemente amplificada de maneira eletrônica, é registrada por um instrumento como um 'evento' ou uma trajetória. A existência da partícula não depende de 'você', ou de uma consciência, ou de uma mente; depende apenas de uma série de 'cliques' ou traços em um detector. A missão da física quântica é simplesmente interpretar esses cliques; e faz isso com uma eficiência sensacional, usando probabilidades. Objetos microscópicos não existem da mesma forma que você e eu existimos; são apenas construções das nossas mentes, criações que nos permitem descrever e interpretar o que medimos. Para que embarcar nessa viagem metafísica?"

O parágrafo acima reflete a chamada posição "ortodoxa", baseada na Intepretação de Copenhagen da mecânica quântica, originada por Bohr e Heisenberg justamente para aliviar o constrangimento e a confusão causada pela nova física. Quando ensinamos mecânica quântica na universidade, é essa a intepretação que damos, refletindo uma postura mais pragmática. Não há nada de errado nisso, contanto que você não queira se aprofundar nos mistérios do mundo quântico. Mas, assim que começamos a refletir sobre o que a teoria está dizendo, temos a sensação de que algo de mais profundo se esconde por trás disso tudo. E fica difícil controlar nossa curiosidade e nos contentar apenas com os cálculos.

É verdade que é o detector, e não uma pessoa, que assinala a existência de uma partícula. Mas o cientista, sua *intencionalidade*, materializada no desenho e na concepção do experimento, vem antes do detector. Um detector não existe sem um cientista e só funciona se alguém ligá-lo ou programar um computador para controlá-lo. Os dados que o detector coleta não fazem sentido sem um observador consciente, que sabe como interpretar cientificamente os resultados. Um elétron não existe sem uma mente consciente capaz de interpretá-lo. Em outras palavras, a existência, seja a de um objeto quântico ou de um objeto "clássico", depende de mentes capazes de reconhecê-la. Em um Universo sem mentes conscientes nada existe, já que na ausência de entidades conscientes não há como entender o que significa existir. O conceito de existência pressupõe uma mente capaz de refletir sobre temas complexos: "existir" é um conceito que inventamos no esforço de compreender o cosmos e para dar sentido às nossas vidas.

Isso não significa que o cosmos passou a existir apenas após o surgimento de observadores conscientes. A menos que você concorde com o bispo Berkeley e seu *Esse est percipi*, o Universo já existia muito tempo antes de mentes conscientes aparecerem. Mentes humanas ou outras, capazes de refletir sobre a existência, são resultado de inúmeras interações físicas e químicas que engendraram, através de mecanismos ainda obscuros, entidades biológicas complexas. Isso toma tempo, não menos do que alguns bilhões de anos, o suficiente para que várias gerações de estrelas tenham surgido e perecido, cozinhando os elementos químicos mais pesados — potássio, cálcio, enxofre, ferro etc. —, essenciais para a vida. Dado que não existiam mentes conscientes no início do tempo, devemos concluir que não são uma precondição para que o Universo exista.[46] De fato, se considerarmos, por um instante, a existência do multiverso, um número gigantesco de universos pode existir sem que um contenha qualquer traço de vida. Já o oposto não é verdade: a vida precisa de um universo propício. Excluindo a possibilidade de que alguma espécie de Mente, onipresente em todo o cosmos, exista, a vida pressupõe toda uma gama de condições astronômicas, físicas e químicas, operando continuamente no espaço e no tempo. Passaram-se muitas eras da história cósmica antes de a vida começar a ter a sua própria história.

A questão central, portanto, não é especular se alguma espécie de Mente é responsável pelo Universo — uma posição extremamente difícil de ser defendida cientificamente (daí o M maiúsculo) —, mas compreender o que ocorre com o Universo uma vez surgida a consciência humana. Talvez alguns leitores considerem mesmo essa questão irrelevante, argumentando que pouco somos perante a vastidão cósmica, que viemos da poeira estelar e para lá retornaremos. Essa posição, conhecida como copernicanismo, baseia-se em uma suposição que considero errônea. É claro que o Universo pouco liga para a nossa existência — o Universo não "liga" para nada. O que importa é como interpretamos nossa posição no Universo após compreendermos a nossa raridade como seres pensantes. Chamei esse princípio de "humanocentrismo" em meu livro *Criação imperfeita*: resumidamente, nossa relevância cósmica vem da nossa raridade. Mesmo se existirem outras "mentes" no cosmos, somos únicos, produtos da evolução da vida em um planeta específico, com uma história específica. Não existem outros humanos no Universo.

Qual a relação dessa reflexão humanocentrista com os fundamentos da física quântica e a natureza da realidade? Para começar, tudo o que podemos afirmar sobre a realidade passa pelo nosso cérebro. Quando desenhamos um experimento para determinar se o elétron se comporta como partícula ou como onda, o "nós", aqui, significa o cérebro humano e sua habilidade de raciocínio. Detectores são extensões dos nossos sentidos, desenhados para registrar eventos que são, então, decodificados segundo um procedimento extremamente delicado. Não temos contato direto com elétrons, átomos e outros cidadãos do domínio quântico; tudo o que temos são cliques, luzes que piscam e ponteiros que se movem, produzindo montanhas de dados que coletamos e tentamos interpretar. O mundo do muito pequeno, com suas propriedades bizarras, expõe de forma direta as limitações das nossas descrições da realidade. Por outro lado, essas descrições são tudo o que temos, expressão profunda da nossa essência humana, de como buscamos conhecimento e dos limites que encontramos durante a busca. Precisamos compreender quem somos e por que somos, e a ciência é expressão da urgência que temos de justificar nossa existência.

Mesmo que use a mecânica quântica com frequência na minha pesquisa, quando comecei a examinar a literatura sobre as interpretações destoantes da física quântica senti uma sensação de perda que foi se alastrando pelos meus pensamentos como uma erva daninha que se alastra por uma árvore. Será que a realidade pode ser assim tão elusiva? Einstein dizia, referindo-se à Natureza, que Deus era sutil mas não malicioso. Se ocultar a resposta é um ato de malícia, não tenho assim tanta certeza... O mais duro é que não existe uma resolução simples, com a qual todos concordam. Mesmo que todos os físicos calculem efeitos quânticos da mesma forma, a discórdia é geral quando a questão é a relação da realidade com tudo isso. Talvez não exista *uma* interpretação correta — apenas modos diversos de se pensar sobre o assunto. A dificuldade, como veremos a seguir, é que a bizarrice de alguns efeitos quânticos nos forçam a repensar como nos relacionamos com o Universo. Será possível que "você e o Universo" não existam como entidades separadas, mas como uma totalidade indissociável? É difícil resistir à sedução do quantum, à possibilidade de que estamos imersos em mistério, fadados a permanecer nos confins da Ilha do Conhecimento. Ainda mais difícil é aceitar que a essência da realidade é incognoscível.

* * *

Em 1935, Einstein publicou um artigo com Boris Podolsky e Nathan Rosen (conhecido como EPR), em que tentou expor os absurdos da física quântica. O título já dizia tudo: "Será que a descrição da realidade segundo a mecânica quântica pode ser considerada completa?"[47] Os autores não questionam o sucesso da teoria: "A teoria pode ser julgada correta, dada a concordância entre as suas conclusões e a experiência humana. Na física, essa experiência toma a forma de experimentação e medidas; apenas ela nos permite fazer inferências sobre a realidade." O que questionavam era se a teoria oferecia uma descrição *completa* do mundo.

Os autores começam sugerindo uma definição operacional dos elementos que compõem a realidade física que percebemos: são aquelas quantidades físicas que podem ser preditas com certeza (probabilidade 1 ou 100%) *sem* que o sistema seja perturbado. Ou seja, a realidade física e os elementos que a compõem devem ser inteiramente independentes de como são examinados. Por exemplo, o seu peso e altura são elementos da realidade física, dado que podem ser medidos com certeza (dentro da precisão dos instrumentos). Podem, também, ser medidos simultaneamente, ao menos em princípio, sem que uma medida interfira com a outra: quando sua altura é medida, você não ganha nem perde peso. Segundo a física quântica, essa separação não é possível para alguns pares de variáveis, conforme Heisenberg expressou no seu princípio da incerteza. O objetivo de Einstein e seus coautores era criticar essa limitação.

Vimos que a incerteza quântica impede que tenhamos conhecimento simultâneo da posição e da velocidade (do momento linear, para ser mais preciso) de uma partícula com precisão arbitrária. Isso é verdade para muitos pares de quantidades ditas "incompatíveis". A energia e o tempo também são incompatíveis, e obedecem a uma relação de incerteza semelhante à de posição e momento linear. Outro exemplo é o "spin" de uma partícula, uma propriedade exclusivamente quântica que associamos a uma espécie de rotação intrínseca e que visualizamos, mesmo que incorretamente, como se a partícula girasse em torno de si mesma como um pião. Partículas quânticas com spin nunca param de girar. Não só isso, como, também, giram sempre da mesma forma, embora partículas diferentes possam ter valores diferentes do spin. Spins alinhados em direções diferentes (digamos, alinhados na direção norte-sul ou leste-oeste) são incompatíveis: não podemos medi-los simultaneamente com precisão arbitrária. (Para visualizar a "direção" do spin, imagine um eixo atravessando a partícula; a orientação do eixo dá a direção do spin.) Classicamente, essa limitação não existe: podemos medir o giro de um pião em todas as direções.[48]

Quando duas ou mais quantidades são compatíveis, podemos obter informação sobre elas sem qualquer restrição. Na física quântica, quando duas quantidades são incompatíveis, a informação que podemos extrair sobre ambas é limitada pelo princípio da incerteza. Se sabemos o momento da partícula e queremos saber sua posição, uma medida da posição "compele" a partícula a estar em um ponto específico (a posição onde é encontrada) e a função de onda colapsa ali. Nesse caso, vemos que o ato de medir perturba de forma *definitiva* a partícula, mudando irreversivelmente o seu estado original. Mais dramaticamente, não temos a menor ideia de onde a partícula estava antes da medida: existem apenas potencialidades de que estivesse aqui ou ali.

Voltando ao artigo de Einstein e seus companheiros, vemos que variáveis incompatíveis violam o critério que determina se uma variável pertence à realidade física: já que medir a propriedade de uma partícula significa perturbá-la, o ato de medir compromete a noção de uma realidade que independe do observador. Ou seja, o ato de medir *cria* a realidade de a partícula ser encontrada em uma determinada posição, o que achavam absurdo. O que é real não pode depender de quem ou do que está olhando.

No artigo, os autores consideram um par de partículas idênticas, viajando com a mesma velocidade em direções opostas. Vamos chamar as partículas de A e B. Suas propriedades físicas foram determinadas quando interagiram entre si, antes de serem enviadas em suas viagens.[49] Vamos supor que um detector meça a posição da partícula A. Como as partículas têm a mesma velocidade, sabemos também onde está a partícula B. Se um detector medir a velocidade da partícula B naquele ponto, saberemos tanto sua posição quanto sua velocidade. Isso parece contrariar o princípio da incerteza de Heisenberg, já que informação sobre a posição *e* sobre a velocidade da partícula foi obtida simultaneamente. Fora isso, conhecemos uma propriedade da partícula (a posição da partícula B) sem observá-la. De acordo com a definição no artigo de Einstein, Podolsky e Rosen, essa propriedade faz, então, parte da realidade física, mesmo que a física quântica insista que não é possível obter informação sobre uma propriedade física antes de medi-la. Os autores argumentam que, como não é o caso, concluem o artigo sugerindo que a física quântica deve ser uma teoria incompleta da realidade física. Uma teoria melhor (mais completa) deverá, no futuro, restaurar o realismo na física.

A resposta de Bohr veio em apenas seis semanas, em um artigo com o mesmo título do de Einstein, Podolsky e Rosen. (Não acho que isso seria possível hoje.) Bohr usa sua noção de "complementaridade", segundo a qual no mundo quântico não é possível separar o detector do que é detectado: a interação da partícula com o detector induz uma incerteza tanto na partícula *quanto* no detector, já que ambos estão relacionados de forma inseparável. Essencialmente, o ato de medir *determina* a propriedade do que é medido de forma imprevisível. Antes de a medida ser efetuada, nada podemos afirmar sobre a propriedade da partícula. Sendo assim, também não podemos atribuir realidade física a essa propriedade, ao menos no senso definido por EPR. Como escreveu Bohr (grifo no original): "De fato, *a interação finita entre o objeto e a entidade de medida* [requer] a necessidade de renunciarmos de forma definitiva o ideal clássico de causalidade e uma revisão radical de nossa atitude em relação à questão da realidade física."[50]

No seu excelente livro (que usei quando cursava mecânica quântica em 1980 na PUC-RJ), David Bohm elabora: "[Supomos] que as propriedades de um dado sistema existam, em geral, apenas de forma vaga e que, em uma descrição mais precisa, não sejam propriedades bem definidas. São, na verdade, meras potencialidades, concretizadas apenas através de interações com um sistema clássico como, por exemplo, um aparelho de medida."[51] Bohm continua, aumentando a intensidade da retórica: "Vemos, então, que as propriedades de posição e momento são potencialidades opostas, definidas de forma incompleta; em uma descrição mais precisa, não podem ser consideradas pertencentes apenas ao elétron. A concretização dessas potencialidades depende tanto do elétron quanto dos sistemas com o qual interage."[52]

Segundo Bohr, Einstein e seus coautores basearam os seus argumentos na física clássica, onde podemos falar de uma realidade que independe das medidas que fazemos. Essa suposição, insistiu, tinha que ser abandonada. A realidade é bem mais estranha do que Einstein gostaria. O que podemos fazer é estudá-la da melhor forma possível com nossos instrumentos, interpretando os resultados através da descrição probabilística da mecânica quântica. Se existe algo além dessa estrutura, este algo é *incognoscível*. É por isso que Heisenberg escreveu que "O que observamos não é a Natureza *per se*, mas a Natureza exposta ao nosso método de questionamento". A nossa visão de mundo é a *nossa* visão de mundo, e não uma visão absoluta da realidade.

Podemos identificar traços do idealismo de Platão no artigo de EPR, a noção de que existe uma realidade última, o substrato de tudo o que existe, e que esse substrato é acessível à razão. A diferença básica é que se, para Platão, essa realidade era encontrada no domínio abstrato das Formas Ideais, para Einstein e os outros realistas essa realidade era concreta, mesmo que fosse difícil chegar a ela. O conflito entre os realistas científicos e o pragmatismo da Interpretação de Copenhagen e a complementaridade de Bohr era direto e inevitável.

Será que Einstein, Schrödinger e os outros realistas eram apenas um bando de otimistas, ecoando sonhos antigos de que era possível desvendar todos os mistérios do mundo? Até onde podemos compreender a estrutura fundamental da Natureza, além das sombras que vislumbramos na parede da caverna? Será que a essência da realidade é mesmo incognoscível?

Schrödinger não se conformou. Em 1935, respondendo aos artigos de EPR e de Bohr, compôs sua própria crítica da física quântica, na qual introduziu o seu famoso gato. A intenção de Schrödinger era ridicularizar a teoria que ele mesmo havia fundado, ao menos quando extrapolada para o estudo de objetos macroscópicos.

Considere um gato preso em uma caixa completamente vedada. Fora o gato, a caixa contém um "aparelho demoníaco": um contador Geiger, ligado a uma amostra de material radioativo e a uma garrafa de cianeto. Se um átomo da amostra radioativa emitisse uma partícula, o contador Geiger a detectaria, disparando imediatamente um mecanismo que quebraria a garrafa, permitindo que o cianeto escapasse, matando o gato. Se a amostra não emitisse uma partícula, o gato viveria. Um observador fora da caixa só poderia saber se o gato estava vivo ou morto quando a abrisse. Segundo a mecânica quântica — e esse era o ponto que Schrödinger queria exacerbar —, *antes* de a caixa ser aberta, o gato estaria em uma superposição de dois estados: vivo e morto. A função de onda descrevendo o sistema teria partes iguais do gato vivo e do gato morto. (Estaria no que chamamos de uma "superposição" dos dois estados.)[53]

De acordo com a Intepretação de Copenhagen, o ato de abrir a caixa teria 50% de probabilidade de matar o gato! E mais: independentemente de o gato estar vivo ou morto quando a caixa fosse aberta, sua história passada deve refletir isso — se foi ou não envenenado. Isso significa que o ato de observar determina a história passada do que é observado, atuando para trás no tempo. Será que olhar pode não só matar como recriar o passado?

Para resolver o dilema, alguns cientistas argumentam que a entidade responsável pela medida é o contador Geiger e não a pessoa que abre a caixa: a medida ocorre quando o átomo radioativo emite uma partícula e o contador registra esse evento. Em contrapartida, podemos argumentar que, como não sabemos o que ocorre dentro da caixa, a interação entre o gato e o contador Geiger é irrelevante. Apenas olhar tem significado, pois só assim um observador participa explicitamente do fenômeno. Em outras palavras, uma história sem um observador não é uma história.

No coração da disputa encontramos um paradoxo que não existe no mundo clássico. Na física quântica, o trio formado pelo observador, pelo aparato de medida e pelo que está sendo medido é uma entidade única, descrita por sua própria função de onda. Como Schrödinger descreveu, o "emaranhamento" das funções de onda individuais resulta nessa nova função.[54] Em princípio, o Universo como um todo deveria ser parte dessa descrição, haja vista que mesmo efeitos remotos exercem certa influência, embora fraca: a atração gravitacional de Júpiter, a radiação solar, o buraco negro no centro da Via Láctea, o beija-flor batendo asas no jardim, as nuvens cruzando o céu, as ondas na praia de Ipanema... Como reconciliar esse emaranhamento universal com o fato de que, por definição, o ato de observar necessita de que o que está sendo observado seja distinto do que se está observando? Caso contrário, se observador e observado não podem ser diferenciados, como saber onde um termina e o outro começa? O que significa medir quando essa separação não existe?

Felizmente, na maioria dos casos, os efeitos quânticos vindos das interações entre o observador e o seu aparato de medida, ou entre o observador e o resto do Universo, são completamente inofensivos. Seu impacto é muito menor do que os erros típicos que ocorrem devido a limitações dos aparatos de medida. Com isso, é perfeitamente justificável tratar o observador e o aparato de medida como duas entidades distintas, interagindo estritamente segundo as leis da física clássica. Ademais, já que os estados do aparato de medida são os mesmos para qualquer observador humano (por exemplo, cliques no contador de Geiger, deflexões de um ponteiro, trajetórias deixadas em detectores de partículas etc.), podemos considerar esses estados independentes do ato de observação ou dos particulares do observador. Sendo assim, a teoria quântica limita-se a analisar os dados coletados pelo aparato clássico, desenhado para obter e amplificar os sinais do sistema observado. Essa descrição é perfeitamente razoável quando existe uma separação clara de escalas, de modo que o aparato de medida comporta-se classicamente.

Essa distinção entre o objeto (quântico) observado e o aparato (clássico) de medida — a essência do conceito de complementaridade proposto por Bohr — fazia sentido sessenta anos atrás, quando a diferença entre as escalas dos dois era realmente grande. Hoje, porém, nos estudos do chamado domínio "mesoscópico", experimentos usam "detectores" com dimensões menores do que um milionésimo de metro (o tamanho aproximado de uma bactéria), em que a divisão entre uma descrição clássica e uma descrição quântica torna-se bem mais misteriosa. Por exemplo, em um experimento realizado em 1989 por Don Eigler, da IBM nos EUA, um microscópio especializado (microscópio de escaneamento por tunelamento) foi usado para escrever a famosa sigla (as iniciais) da companhia usando 35 átomos do elemento argônio. Longe de ser um limite insuperável, as propriedades elusivas do domínio quântico abriram portas para toda uma verdadeira revolução tecnológica, que envolve desde métodos criptográficos para mensagens bancárias (protegendo usuários contra "ouvintes" externos) e detectores ultrassensíveis com aplicações na eletrônica e na medicina até, potencialmente, novos tipos de computadores, uma área de pesquisa conhecida como computação quântica.

Como resultado, a fronteira entre o clássico e o quântico não é mais bem definida. Em um número crescente de aplicações, físicos não podem usar a conveniente separação de Bohr entre o sistema quântico e o aparato clássico de medida para se proteger dos mistérios da física quântica. A bizarrice quântica tem de ser encarada frontalmente. Talvez seja por isso que um número crescente de físicos venha estudando os fundamentos da física quântica.[55] A questão, porém, permanece: Será que os mistérios da física quântica são um aspecto definitivo da Natureza? Ou será que podemos decifrá-los com uma nova formulação? Esse é um ponto essencial ao nosso argumento, já que, se os mistérios do mundo quântico puderem ser explicados, serão incorporados na Ilha do Conhecimento, ao passo que, se não puderem, teremos de aceitar que uma parte essencial da realidade física não só é desconhecida como é incognoscível.

Schrödinger e seu gato encontraram várias críticas. Dentre elas, a mais óbvia é que gatos são entidades grandes demais para serem isoladas do resto do mundo e postas em uma superposição de dois estados, vivo e morto. Segundo os críticos, o experimento era inviável e, portanto, sem muita utilidade. Talvez em uma primeira reflexão. Mas o que é "grande" do ponto de vista quântico? Detectores também são formados de átomos, assim como o gato e você. Quantos átomos são necessários para que o detector seja considerado uma entidade clássica?

Experimentos realizados no grupo do físico austríaco Anton Zeilinger criaram padrões de interferência entre objetos relativamente grandes, ao menos quando comparados com elétrons e fótons.[56] Essas interferências ocorrem quando um objeto é posto em um estado que é uma superposição entre dois ou mais estados quânticos (como um átomo de hidrogênio cujo elétron "está" em dois níveis de energia, por exemplo). Em 1999, o grupo conseguiu causar interferência entre moléculas bem grandes, conhecidas como "buckyballs" — uma molécula esférica feita de sessenta átomos de carbono, que se parece com uma bola de futebol. Recentemente, o grupo conseguiu causar interferência quântica com moléculas orgânicas bem grandes. No futuro próximo, pretendem testar se o mesmo é possível com vírus. Com o aumento das dimensões do objeto, o comprimento de onda de De Broglie diminui e fica cada vez mais difícil (e mais caro) isolar os objetos de influências externas para pô-los em uma superposição de dois ou mais estados quânticos. No caso do gato de Schrödinger, se um único fóton fosse emitido da parede interior da caixa e refletisse no gato, poderia, se escapasse da caixa, revelar se o gato estava de pé ou deitado (e, portanto, presumivelmente morto). Ou seja, um único fóton poderia causar o colapso da função de onda do gato. Mesmo com essas dificuldades práticas, em breve teremos experimentos que passarão bactérias por um anteparo com dois orifícios, estudando sua possível interferência quântica. Imagine se a bactéria demonstrar alguma interferência de origem quântica! Será que continuará viva após isso? Ou será que a vida é um estado da matéria descrito classicamente e a bactéria se comportará como uma partícula, passando por um orifício apenas?

Schrödinger estava a par dessas dificuldades. Seu desafio era conceitual, não experimental. Queria saber onde fica a separação entre o domínio quântico, com seus comportamentos estranhos, e a nossa concepção clássica — e bem mais razoável — da realidade. Basta olhar em torno para verificar que o mundo não é feito de superposições de estados quânticos. Como passar de um mundo a outro? Considerando os três artigos seminais publicados em 1935 — o artigo de EPR, a resposta de Bohr e as reflexões de Schrödinger —, entendemos por que a maioria dos físicos opta por ignorar essas complicações conceituais, preferindo focar sua energia intelectual no cálculo de taxas de transição entre estados quânticos ou buscar soluções da equação de onda sem se preocupar muito com as implicações filosóficas da teoria. Essa atitude, mesmo se compreensível, me parece um pouco esquiva. Ao estudarmos o artigo de EPR cuidadosamente, e levando em consideração como os experimentos atuais confirmam o estranho comportamento que o artigo tentou eliminar — incluindo efeitos que parecem indicar a existência de ação a distância mais rápida do que a velocidade da luz —, fica difícil ignorar o que está ocorrendo. Einstein e Schrödinger estavam convencidos de que a Natureza tentava nos dizer algo. Talvez seja uma boa ideia prestarmos mais atenção, que é o que faremos a seguir.

25 Quem tem medo dos fantasmas quânticos?

(Onde revisitamos por que a física quântica incomodava tanto Einstein e o que nos diz sobre o mundo)

Antes de você aceitar a resposta de Bohr ao desafio proposto pelo artigo de Einstein, Podolsky e Rosen, e adotar uma postura pragmática com relação à física quântica, vamos revisitá-lo usando uma versão mais moderna, que é testável em experimentos.

Quando a luz é polarizada, sua onda associada ondula na mesma direção da polarização, como quando andamos a cavalo e "oscilamos" para cima e para baixo. (Essa é a direção de polarização do campo elétrico, que avança através de uma onda eletromagnética.) Os fótons da luz polarizada têm essa mesma polarização. Os detalhes de como isso ocorre não são importantes; o que vale é que fótons são polarizados e sua polarização pode ser medida.

Imagine que, em um experimento, uma fonte de luz criou um par de fótons polarizados, viajando em direções opostas, digamos leste e oeste. Considere dois físicos, Alice e Beto, cada um posicionado com um detector a 100 metros da fonte de luz: Alice à esquerda e Beto à direita. Como fótons viajam na velocidade da luz, Alice e Beto verão os fótons chegarem aos seus detectores ao mesmo tempo.

[ALICE] — — — — (FONTE) — — — — [BETO]

Os detectores podem identificar duas polarizações dos fótons, vertical e horizontal. A fonte de luz sempre produz fótons com a *mesma* polarização. Alice e Beto não sabem qual das duas polarizações o fóton terá até fazerem a medida. Digamos que Alice mediu uma polarização vertical; Beto também medirá polarização vertical. Se Alice medir uma polarização horizontal, Beto também medirá polarização horizontal. Mesmo que exista uma probabilidade de 50% de um fóton estar em um estado com polarização vertical ou horizontal (a direção de polarização é aleatória), Alice e Beto *sempre* obterão o mesmo resultado: os dois fótons deixam a fonte emaranhados, comportando-se como uma única entidade.[57]

Alice resolve posicionar seu detector um pouco mais próximo da fonte de luz. Quando efetua a medida, verifica que seu fóton tem polarização vertical. Imediatamente, sabe que o fóton de Beto também terá polarização vertical, *antes mesmo de o fóton chegar ao detector dele.* Isso parece estranho; afinal, de acordo com as leis da física quântica, você só pode discernir um estado ao medi-lo. E Alice não mediu o fóton de Beto. Fora isso, como nada pode viajar mais rápido do que a velocidade da luz, Alice parece ter influenciado o fóton de Beto instantaneamente, sem interagir com ele! (Se não instantaneamente, ao menos mais rápido do que a velocidade da luz.)

O mais incrível é que, em teoria, esse efeito independe da distância entre Alice e Beto. Eles podiam estar separados por 10 quilômetros ou por milhões de anos-luz de distância que o mesmo ocorreria. Dentro da precisão dos detectores atuais, tudo parece ocorrer instantaneamente. Note, no entanto, que nenhuma informação foi transmitida entre os dois fótons. Eles não interagiram, pelo menos não de forma conhecida. O par de fótons se comporta como uma única entidade, indiferente à sua separação espacial. Einstein chamou esse efeito de "ação fantasmagórica a distância", a misteriosa assombração quântica. Dado o que havia feito com a ação fantasmagórica a distância da gravidade de Newton, explicando-a como uma influência local no espaço-tempo, e não como uma ação instantânea a distância, podemos entender por que queria tanto exorcizar a assombração quântica. Einstein morreu convencido de que esse tipo de efeito não podia existir na Natureza. Será que estava errado?

Pares de partículas emaranhadas são criados e estudados em laboratórios no mundo inteiro. Quando as propriedades de um dos membros do par são medidas, o outro membro parece ser influenciado instantaneamente (ou ao menos com velocidade acima da velocidade da luz). Contrariando nossa intuição, o fenômeno independe da distância entre os dois. É hora de examinar esses experimentos e seus resultados bizarros em maior detalhe.

26 Por quem os sinos dobram?

(Onde discutimos o teorema de John Bell e como sua implementação experimental confirmou que a realidade é mais estranha do que a ficção)

Será que existe uma saída? Talvez os físicos estejam só confusos, deixando algo importante de lado, sem entender o que, de fato, está acontecendo. Não seria a primeira vez, como nossas explorações da história do pensamento científico nos mostrou. Talvez Einstein tenha razão e o que conseguiu fazer com a gravidade de Newton possa também ser feito no caso quântico. Talvez essa ação a distância não seja instantânea, apenas mais veloz do que a luz. Afinal, sabemos que não é possível medir algo instantâneo, dado que isso requer uma precisão absoluta, algo que nenhum instrumento pode alcançar. "Instantâneo" e seu oposto "Eterno" são conceitos que não podem ser experimentalmente validados. Nenhuma medida pode ser rápida o suficiente para confirmar se um fenômeno é instantâneo ou durar por tempo suficiente para testar a eternidade. Em outras palavras, nunca poderemos nos certificar se fenômenos instantâneos ou eternos fazem parte da realidade física.

Vimos que David Bohm, usando variáveis ocultas (uma "onda-piloto" não detectável), havia proposto uma teoria não local que concorda com as previsões da mecânica quântica. Sua proposta era consistente com o que escreveu em seu livro-texto, concluído um ano antes de seus artigos de 1952: "Até encontrarmos alguma evidência concreta que indique a falha da descrição quântica atual, não faz sentido buscar evidência de variáveis ocultas. As leis da probabilidade devem ser consideradas parte fundamental da estrutura da matéria."[58] Em outras palavras, qualquer teoria com variáveis ocultas deve duplicar os sucessos da mecânica quântica. Além disso, e é esse o princípio que Bohm usou ao desenvolver sua teoria, "[a teoria] deve prover, a um nível de precisão quântico, uma descrição racional e objetiva de sistemas individuais".[59]

Durante doze anos, pouco ocorreu com a teoria de Bohm. A maioria dos físicos, talvez respondendo ao clima de conservadorismo intelectual nos EUA e Europa dos 1950, não via necessidade de modificar uma teoria bem-sucedida para responder a anseios metafísicos; especialmente se essa nova formulação usava a não localidade, algo que físicos preferem deixar de fora da física. A eficiência pragmática sobrepujou os anseios de como interpretar a física quântica. Para a maioria, era preferível concordar com Bohr e Heisenberg, e declarar a essência da Natureza algo incognoscível. Poucos pareciam interessados em buscar por uma teoria que seria a escolha de Einstein: uma teoria determinística com variáveis ocultas que obedecia à localidade. Ao menos em princípio, essa teoria poderia restaurar o realismo à física quântica, exorcizando o temido fantasma da não localidade. Não seria esta uma empreitada válida? Ou era melhor nem tentar?

A surpreendente resposta veio em 1964, quando o físico de partículas irlandês John Bell teve uma ideia brilhante. Como escreveu mais tarde, sua inspiração foi a teoria de Bohm com variáveis ocultas: "Eu vi o impossível ser feito. Estava nos artigos de David Bohm."[60] Bell encontrou um modo de distinguir *experimentalmente* entre a mecânica quântica tradicional e extensões dela usando variáveis ocultas *locais*. Com isso, seria finalmente possível decidir se o formalismo usual é mesmo incompleto, no sentido que Einstein e outros acreditavam.

Bell, que trabalhava no CERN na época, aproveitou a oportunidade de passar um ano de licença nos EUA para pensar com calma sobre o assunto. Quando fazia meu doutorado no King's College, em Londres, tive a oportunidade de encontrar Bell. Sem estar muito empolgado com o tópico que meu orientador havia me sugerido, comecei a me interessar pela pesquisa nos fundamentos da mecânica quântica, algo que me atraía desde meus anos como estudante de graduação, quando li o celebrado *Feynman Lectures on Physics*. Aproveitando uma conferência na Universidade de Oxford, fui conversar com o famoso cientista após seu seminário sobre testes recentes de sua famosa desigualdade.

— Dr. Bell, meu nome é Marcelo Gleiser e estou trabalhando com o professor John Taylor em teorias supersimétricas.

— Um ótimo assunto para a pesquisa de um estudante de doutorado — disse Bell.

— Eu sei, mas o fato é que desde que era estudante de graduação me interesso muito pelos fundamentos da mecânica quântica. Até escrevi para David Bohm, perguntado se ele consideraria me orientar no doutorado, mas ele respondeu que não estava mais trabalhando com estudantes. — (Na época, Bohm estava no Birkbeck College, também em Londres.) Notei um brilho a mais nos olhos de Bell quando mencionei o nome de Bohm.

— Muito louvável esse seu interesse, especialmente para alguém da sua idade. Mas minha sugestão é que você não faça sua pesquisa de doutorado nesse assunto.

— E por que não? — perguntei, já sabendo qual seria a resposta.

— É bem mais prudente você trabalhar em um assunto mais sólido, algo que a comunidade aceite bem. Até você firmar sua reputação como físico, ninguém vai querer ouvir o que você tem a dizer sobre os fundamentos da física quântica. E, mesmo então, não é nada garantido, acredite!

— Eu entendo — respondi, tentando esconder meu desapontamento. — Talvez mais tarde na minha carreira — disse.

— Sim, bem melhor. Foi o que eu fiz — respondeu Bell.

Talvez este livro seja minha primeira tentativa mais séria de encarar o fantasma quântico, um prelúdio, quem sabe, para algum trabalho mais técnico no futuro. Afinal, são trinta anos desde essa conversa com Bell; se a essa altura não tiver ainda alguma reputação como físico, melhor desistir!

* * *

Vimos que o experimento imaginado no artigo de Einstein, Podolsky e Rosen explorava a relação entre a posição e o momento de uma partícula com o objetivo de investigar se a teoria quântica é ou não completa. Bohm criou uma simplificação do experimento proposto por EPR, usando o "spin" da partícula. Uma boa ideia, pois o spin é mais fácil de ser medido e produz um sinal mais claro. Enquanto a posição de uma partícula livre é uma variável contínua (uma partícula livre de influências pode estar em qualquer lugar do espaço), o spin só pode ter alguns valores. Portanto, não devemos pensar no spin de um objeto quântico da mesma forma que pensamos em um pião que gira. No caso do pião, a velocidade (angular) é uma variável contínua; já as partículas quânticas podem ter apenas três valores para o seu spin: zero (o caso do bóson de Higgs); múltiplos inteiros da constante de Planck (h) dividida por 2π (o caso do fóton e das outras partículas de força); ou em múltiplos de meia fração de $h/2\pi$ (o caso do elétron, dos quarks e de todas as partículas elementares de matéria). O spin de uma partícula é uma de suas propriedades fundamentais, junto com sua massa e carga elétrica.

Para simplificar, é comum representar a unidade de spin pela letra s (portanto, $s = h/2\pi$). Elétrons, prótons e nêutrons têm spin $s/2$, enquanto fótons têm spin s. Apesar de o spin poder apontar em qualquer direção do espaço (como se fosse um pião capaz de girar com um ângulo de inclinação fixo), é comum "orientarmos" sua direção usando, por exemplo, um campo magnético. Vamos, portanto, focar na direção vertical, isto é, perpendicular à direção do movimento da partícula. Quando elétrons são sujeitos a um campo magnético vertical, tendem a se alinhar em duas direções: paralela ou antiparalela (invertida) ao campo. Dizemos que elétrons têm spin "para cima" (valor $+s/2$) ou "para baixo" (valor $-s/2$). Essas são as duas únicas possibilidades. Simplificando mais ainda, vamos chamar essas possibilidades de $+1$ e -1, respectivamente.

No seu experimento imaginário, Bell considerou uma fonte capaz de produzir pares de partículas emaranhadas, alinhadas de tal forma que o spin total de cada par fosse sempre zero: se uma das partículas tem spin para cima ($+1$ ou $\uparrow$), a outra necessariamente tem spin para baixo

(−1 ou ↓). Como no experimento de Alice e Beto, as partículas saem da fonte em direções opostas e o valor (direção) de seu spin é medido por detectores. Vamos chamar de E o detector na esquerda e de D o detector na direita, como indicado abaixo:

$$E - - - - - (FONTE) - - - - - D$$

Se todos os pares de elétrons e os detectores estivessem alinhados na direção vertical, obteríamos uma correlação perfeita: quando um é medido "para cima", o outro seria medido "para baixo" e vice-versa. O incrível aqui é o que já aprendemos do caso dos fótons polarizados: que o par de partículas emaranhadas se comporta como uma única entidade, o segundo "sabendo" em que direção deve apontar, se bem que "saber" é certamente uma descrição incorreta do que está ocorrendo. Se, na física quântica, só podemos afirmar que uma partícula tem uma determinada propriedade após medi-la, a partícula de Alice só se tornou "para cima" após ela ter efetuado sua medida. E como a partícula de Beto poderia saber disso tão rápido? A situação, se fizermos uma extrapolação, seria algo assim: se no Rio faz sol, em Brasília instantaneamente chove. Se no Rio chove, em Brasília instantaneamente faz sol. Ou, como no exemplo do físico americano Seth Lloyd, dois irmãos gêmeos entram em bares diferentes: se um pede cerveja, o outro instantaneamente pede uísque; se um pede uísque, o outro, cerveja.[61]

Para encontrar uma diferença testável entre a mecânica quântica e outras versões incluindo variáveis ocultas, Bell adicionou uma variação no experimento.[62] Podemos medir o spin de uma partícula em *qualquer* direção, não só na vertical. Vamos, então, fixar duas direções: vertical, como antes, e a um ângulo de 30 graus com a vertical. Cada detector pode medir uma dessas duas direções. Vamos chamar de E| e D| as direções verticais dos detectores E e D, e de E/ e D/ a direção inclinada de trinta graus. Portanto, existem quatro orientações possíveis para o par de detectores: (E|,D|), (E|,D/), (E/,D|) e (E/,D/). Como os elétrons podem apontar apenas para cima ou para baixo em cada uma dessas duas direções, os detectores só podem ler dois números, +1 ou –1. Com isso, uma vez que as orientações dos dois detectores são fixadas, cada medida do par de elétrons só pode produzir um dos quatro resultados: (+1,+1), (+1,–1), (–1,+1) e (–1,–1).*

Esses são os quatro resultados possíveis quando se supõe que *não existe uma correlação* entre direções diferentes dos spins (no caso, entre a direção vertical e a inclinada de trinta graus). Essa é a suposição implícita na localidade de Einstein e de Schrödinger, onde as orientações das duas partículas são completamente independentes umas das outras. Ou seja, a expectativa nesse caso é de que nada de especial ocorrerá para as direções misturadas (E|,D/) e (E/,D|).

Considerando as quatro possíveis orientações dos dois detectores, Alice pode construir uma tabela com os resultados de várias medidas, anotando a cada vez os valores medidos para as duas orientações das partículas.[63] (Cada repetição do experimento equivale a quatro medidas, uma para cada arranjo dos detectores.) Para cada repetição do experimento, Alice pode calcular o valor de certas relações entre pares de medidas. Eis uma interessante, que chamaremos de C:

$$C = (E| \times D|) - (E/ \times D|) + (E| \times D/) + (E/ \times D/)$$
$$= (E| - E/) \times D| + (E| + E/) \times D/$$

A última expressão foi obtida rearranjando os termos. (Quem não está afiado em álgebra não precisa se preocupar. Siga em frente que as implicações relevantes dos resultados serão explicadas em breve.) Alice calcula a quantidade C para cada repetição do experimento, realinhando os detectores nas quatro orientações a cada repetição, anotando os valores dos spins das partículas a cada vez.[64] Se tudo correr como é previsto pelas teorias locais, os resultados devem ser os seguintes: como E| e E/

---

*Note que os casos (E|,D|) e (E/,D/) só podem gerar valores com correlação perfeita entre as duas partículas: Se E| = +1, então D| = –1 ou vice-versa. Se L/ = +1, então D/ = –1, ou vice-versa.

só podem ser +1 ou –1, um dos dois termos entre parênteses na segunda expressão de C será sempre zero, enquanto o outro será ou +2 ou –2. (Por exemplo, se $E| = +1$ e $E/ = -1$, o primeiro termo será +2 e o segundo será zero. Se, ao contrário, $E| = -1$ e $E/ = +1$, o primeiro termo será –2 e o segundo será zero.) Como $D|$ e $D/$ são ou +1 ou –1 a cada medida, o resultado final para C para cada repetição só pode ser –2 ou +2.

Alice calcula C para cada repetição do experimento e anota o resultado. (Veja notas 63 e 64 para detalhes.) Vamos supor que ela repita o experimento N vezes. Com isso, ela pode calcular a média do valor de C, que chamamos de C_M, dado por $C_M = (C_1 + C_2 + ... + C_N)/N$, onde C_1 é o valor de C para a primeira repetição, C_2 para a segunda, e assim por diante até a última, C_N. Como a cada vez C pode ter o valor –2 ou +2, C_M só pode ser um número entre –2 e +2. Com isso, podemos escrever a desigualdade $-2 \leq C_M \leq +2$. Por exemplo: se, após quatro repetições, os valores forem $C_1 = +2$, $C_2 = -2$, $C_3 = +2$ e $C_4 = +2$, o valor médio seria $C_M = (2 - 2 + 2 + 2)/4 = 1$.

Portanto, teorias locais preveem que o valor médio de C será sempre um número entre –2 e +2. Quando, porém, o cálculo é feito usando as regras da mecânica quântica, encontramos correlações mais fortes entre partículas orientadas em direções diferentes. Ou seja, na física quântica, as medidas de spins de partículas orientadas em duas direções diferentes *não são completamente independentes*: o valor médio de C pode estar *fora* do intervalo entre –2 e +2. Para certas escolhas de ângulos de inclinação, as correlações previstas pela mecânica quântica são *maiores* do que as previstas por teorias locais: a mecânica quântica prevê que a desigualdade $-2 \leq C_M \leq +2$ *deve* ser violada! Bell encontrou um teste experimental capaz de distinguir explicitamente entre a mecânica quântica tradicional e versões alternativas que usam variáveis ocultas capazes de produzir interações locais entre as partículas.

Quando escrevia estas linhas, o grupo de Zeilinger, em colaboração internacional com o Instituto Nacional de Tecnologia dos EUA (NIST) e grupos na Alemanha, divulgou resultados de um experimento com fótons emaranhados confirmando mais uma vez que, de fato, a Natureza inclui ações fantasmagóricas a distância.[65] A novidade desse experimento foi ter contado *todos* os fótons criados pela fonte, algo que até o momento não havia sido possível. (Alguns fótons sempre escapam à detecção e não são contados.) Esse é um avanço extremamente importante para solidificar a existência de ações não locais, pois elimina a possibilidade de que a fonte ou os detectores possam ter "influenciado" os resultados, contado apenas os fótons que "interessam".

Esse experimento é o mais recente de uma linhagem que começou em 1972, quando John Clauser e Stuart Freedman, da Universidade da Califórnia, em Berkeley, encontraram uma violação na desigualdade de Bell consistente com a mecânica quântica. O mesmo resultado foi obtido nos experimentos de Alain Aspect e seu grupo de Paris, no início dos anos 1980, e nos de Zeilinger e seu grupo de Viena, na década de 1990. Tomados conjuntamente, esses experimentos levam a uma conclusão sólida: em todos os casos, a desigualdade de Bell foi violada de forma consistente com as previsões da mecânica quântica.

Em vista disso, o sonho de Einstein de que uma teoria local poderia, um dia, explicar o comportamento bizarro dos sistemas quânticos — uma teoria que, como sua extensão da teoria de Newton, exorcizaria o fantasma quântico — tem que ser abandonado. Os experimentos de Clauser, Aspect e Zeilinger demonstraram a inviabilidade de teorias locais que usam variáveis ocultas para explicar fenômenos com ação instantânea a distância. A não localidade (às vezes chamada de "sepa-rabilidade") — influências aparentemente instantâneas entre pares de partículas emaranhadas separadas espacialmente — é um fantasma que parece existir. A realidade não é apenas mais estranha do que supomos. É mais estranha do que *podemos* supor.

* * *

Se você leu os parágrafos anteriores e não ficou chocado, é melhor relê-los. Se você não leu, vá em frente e prepare-se para se chocar. A possibilidade de uma coisa influenciar outra sem trocar informação é mesmo fantasmagórica; contradiz o que consideramos "normal", adicionando um aspecto à realidade completamente diferente da percepção que temos do espaço e do tempo. Na verdade, esse tipo de ação não local *sobrepuja* o espaço e o tempo, já que age instantaneamente (ou ao menos mais rápido do que a luz) e a qualquer distância (ao menos dentro do que já foi medido até o momento).

O que isso significa para a nossa percepção da realidade? Será que esse tipo de fenômeno é confinado ao mundo do muito pequeno, um efeito frágil, que desaparece nas escalas típicas do nosso dia a dia? Ou será que tem alguma importância para como interagimos com a realidade física — e mesmo entre nós? Muita gente gosta de falar de "sincronicidade", esta estranha habilidade (ou crença na habilidade) de sentir algo ou alguém fora do espaço e do tempo — instantaneamente, por assim dizer. "*Sabia* que você ia aparecer hoje!" ou "Outro dia estava subindo a serra com meu primo quando disse 'Adoro caldo de cana'. Menos de um minuto depois, vimos uma parada com o cartaz 'Vende-se caldo de cana'. Não é incrível?" Será que esse tipo de ocorrência é mera coincidência? Reflexo do nosso desejo de estabelecer algum tipo de relação *extra*ssensorial? Ou será que nossas mentes podem, de alguma forma, perceber o emaranhamento quântico?

Aqui encontramos a linha divisória entre ciência séria e especulação irresponsável. É indiscutível que a não localidade quântica está aqui para ficar. Por outro lado, especulações sobre efeitos quânticos influenciando fenômenos macroscópicos não têm qualquer fundamento, ao menos por ora. Após Bell ter proposto sua desigualdade e a confirmação experimental do triunfo da mecânica quântica, poucos questionam que a realidade é mesmo estranha. A maior parte dos desafios experimentais que poderiam apresentar problemas para a interpretação dos resultados foi eliminada. Especialmente nos últimos dez anos, experimentos incrivelmente engenhosos vêm tornando cada vez mais difícil limitar a estranheza do mundo quântico ao mundo atômico. Será que podemos vislumbrar seus efeitos no mundo macroscópico?

Em abril de 2004, o grupo de Zeilinger em Viena usou um par de fótons emaranhados para transferir uma doação de 3 mil euros ao seu laboratório, partindo da prefeitura da cidade e chegando até o Banco da Áustria. Para tal, o emaranhamento entre os dois fótons teve de persistir por 1.450 metros, enquanto um dos fótons do par viajava por uma fibra ótica de um ponto a outro. Um ano antes disso, o grupo de Zeilinger fez fótons emaranhados atravessarem o rio Danúbio, entre duas torres de purificação de esgoto. Ainda mais dramaticamente, em 2007 o mesmo grupo enviou fótons emaranhados entre duas ilhas da Espanha, Tenerife e Las Palmas, atravessando uma distância de 144 quilômetros. Um laser criou o par em Las Palmas, que foi então recebido em Tenerife. O objetivo dos experimentos foi demonstrar que o emaranhamento pode sobreviver por distâncias longas mesmo quando exposto ao calor e a variações turbulentas na atmosfera.

Zeilinger não parou por aqui: pretende replicar o feito no espaço, usando a Estação Espacial Internacional como fonte de fótons emaranhados. As partículas seriam então detectadas em pontos distantes na Terra. Testes preliminares com um satélite japonês foram bastante promissores. Tomados conjuntamente, tais experimentos parecem indicar que a não localidade quântica é bem mais robusta do que antecipamos. Se esse é o caso, por que não percebemos esse tipo de fenômeno com mais frequência? Ou será que percebemos?

27 A mente e o mundo quântico

(Onde examinamos se a mente humana tem algum papel no mundo quântico)

Mencionei já meu encontro com o grande físico John Bell, que me aconselhou a deixar a pesquisa sobre a interpretação da mecânica quântica de lado, até bem mais tarde em minha carreira. Também contei que, antes de encontrar Bell, David Bohm havia me dito que não estava mais trabalhando com alunos. Uma após outra, as portas para o mundo dos fundamentos da física quântica estavam se fechando. Em uma tentativa meio desesperada, e já bem envolvido com minha pesquisa de doutorado — com artigos publicados sobre a cosmologia de universos com dimensões espaciais extras —, retornei a alguém que havia me influenciado muito quando era ainda estudante do primeiro ano da universidade. Mesmo que, a essa altura, tivesse minhas dúvidas quanto ao seu modo de conectar a física moderna com o misticismo oriental, tomei coragem e escrevi para o físico Fritjof Capra, autor do famoso best-seller *O tao da física*. Em dezembro de 1984, enviei uma carta bem emocional a Capra, na qual expunha como minha visão da física ia contra o *status quo*, o estilo conhecido entre nós como "cala a boca e calcula". Eu não queria ser apenas uma máquina de calcular; queria entender os fundamentos, o contexto filosófico do que estava fazendo. Enamorado da imagem do cientista como rebelde, contemplei a possibilidade de trabalhar com Capra na relação entre a mente e a física quântica. Felizmente (ao menos segundo minha perspectiva atual), era tarde demais; mesmo que afiliado ao Laboratório Lawrence Berkeley, da Universidade da Califórnia, em Berkeley, Capra não tinha uma posição no corpo docente e não estava orientando estudantes. Não há dúvida de que minha carreira teria tomado um rumo muito diferente caso Capra me tivesse aceitado como aluno. Hoje, fico feliz que não tenha dado certo.

Tinha 25 anos e buscava algum modo de conectar o mundo racional da prática científica com uma dimensão espiritual que sempre fez parte da minha personalidade. Na mesma época que escrevi para Capra, li o livro de ficção científica *A pedra filosofal*, do autor e iconoclasta inglês Colin Wilson, e me perguntava se nossos cérebros não escondem poderes muito além do que conhecemos. No livro, Wilson explora o que ocorreria se neurônios da neocórtex fossem eletricamente estimulados. Sua tese é que o estímulo em certas regiões transformaria o cérebro em um supercérebro e a pessoa em um gênio com enorme capacidade de dedução racional.[66] Será que esse tipo de poder está armazenado no nosso cérebro, esperando para ser explorado? Para complicar, alguns anos antes havia me maravilhado, junto com milhões de outros telespectadores no Brasil e no mundo, com o "psíquico" israelense Uri Geller e seus incríveis "feitos" paranormais, como entortar colheres com o poder da sua mente. Como era capaz de fazer isso? E os relógios quebrados, que "consertávamos" seguindo as instruções de Geller? Geller dizia para você se concentrar, segurar o relógio com as duas mãos, sacudi-lo e ordená-lo a funcionar novamente e... *voilà*! O relógio funcionava! Eu mesmo fiz isso com o relógio quebrado do meu avô, que não funcionava há anos. Lembro-me da emoção primal que senti quando ouvi o tique-taque do mecanismo; uma espécie de ressuscitação havia ocorrido, e com o poder da minha mente! Como a razão podia competir com a sedução do mágico? Na época, o famoso mágico americano "Randy, o Incrível" não havia ainda desenvolvido seu trabalho, demonstrando explicitamente que os "poderes" de Geller não passavam de truques de mágica, parte do repertório de qualquer ilusionista de qualidade.[67]

Mesmo no meu entusiasmo juvenil, sabia que não era o único ou o primeiro interessado em conectar a física com o mundo do além. Aliás, estava em excelente companhia. Na época vitoriana, muitos físicos britânicos de grande renome, incluindo vencedores do Prêmio Nobel, dividiam seu tempo entre a pesquisa científica e a especulação sobrenatural. A lista de nomes é bem impressionante: Lorde Rayleigh, que havia explicado a cor do céu, dentre outros fenômenos eletromagnéticos; J. J. Thomson, que descobriu o elétron; William Ramsay, que descobriu os gases nobres (hélio, argônio...); Sir William Crookes e Sir Oliver Lodge, dois dos físicos de maior renome da época. Todos eles, e muitos outros, mergulharam no mundo do oculto em busca de evidência que confirmasse poderes telepáticos, a comunicação com os mortos, a habilidade de movimentar objetos com a mente e outras manifestações psíquicas e paranormais.[68] As fronteiras do possível haviam sido enormemente ampliadas com a recente descoberta das ondas eletromagnéticas, vibrações etéreas que inundavam o espaço, emanando tanto da matéria inanimada quanto da matéria animada. Guglielmo Marconi havia desenvolvido a transmissão e recepção de ondas de rádio, transformando-as em vozes e sons que pareciam vir do vazio. Que outros segredos ocultavam-se nessa nova dimensão do real, invisível aos olhos?

A ciência de ponta sempre flerta com as fronteiras do possível. Se nossa percepção limitada da realidade deixa de captar tanto do que existe, por que não supor a existência de muito mais? Por que não supor a existência de uma alma que, de alguma forma, sobrevive à desintegração material do corpo? A nova ciência, com suas estranhas revelações, misturava-se com nossas aspirações de que um domínio além do tempo e do espaço existe, em que espíritos coabitavam. Bastava abrir as portas certas e vislumbraríamos o mundo do além. Crookes, Lodge e Thomson participaram de centenas de sessões espíritas, sempre esperando que algo profundamente revelador ocorresse. Não faz tanto tempo assim, a ciência era flexível o suficiente para permitir que seus grandes mestres pudessem participar publicamente desse tipo de atividade. Difícil imaginar isso hoje, se bem que tenho muitos amigos físicos no Brasil que são espíritas convictos. Tinha ido fazer meu doutorado na Inglaterra em busca de algo assim, uma ponte meio nebulosa entre o mundo do real e o mundo do além, sonhando secretamente em estabelecer uma conexão entre a nossa realidade e uma realidade mágica, oculta nas sombras do possível.

O que os cientistas vitorianos buscavam — uma ponte entre o material e o espiritual — foi revisitado, mesmo que mais formalmente, pelos fundadores da física quântica, na relação entre o observador e a natureza da realidade. A física quântica provocou uma colisão entre o ordinário e o extraordinário, entre o mundo do senso comum do nosso dia a dia e uma outra realidade, onde a estranheza é lei. O que fazer? Seguir Einstein e insistir que a estranheza quântica é apenas uma aproximação do que de fato ocorre a um nível mais profundo e "razoável" da realidade? Ou abandonar esse realismo clássico e aceitar o novo mundo quântico e suas estranhezas, com suas regras ditando um novo tipo de realidade?

Quem opta por aceitar a estranheza do mundo quântico tem que decidir até onde pretende levá-la. Átomos? Bactérias? Pessoas? Universo? O que complica as coisas é que interpretações distintas da física quântica não são facilmente distinguíveis por experimentos. Por esse motivo, a maioria dos físicos prefere deixar esse tipo de problema de lado, e diria algo assim: "[...] independentemente de como você interpreta a física quântica, no fim das contas o que importa é o que medimos com nossos detectores. Vamos, então, deixar de lado essas interpretações subjetivas. Afinal, um dos aspectos mais poderosos da ciência é justamente a sua universalidade, sua independência de escolhas individuais."

Esse tipo de atitude pragmática, deixando de lado as sutilezas da física quântica, deixa os físicos do outro time perplexos. "Como você consegue dormir", perguntam, "sabendo que não compreendemos a essência da realidade? A não localidade quântica remove a separação confortável entre o clássico (grande) e o quântico (pequeno). Fechar os olhos para isso é semelhante ao que fizeram alguns membros da Igreja do início do século XVII, que se recusaram a olhar pelo telescópio que Galileu havia construído."

Esse impasse ainda não tem uma resolução. Em um artigo recente, Maximilian Schlosshauer, Johannes Kofler e Anton Zeilinger apresentaram um sumário da situação, baseados em um questionário que distribuíram aos físicos que participaram da conferência *A física quântica e a natureza da realidade*, realizada em julho de 2011 na Áustria:

> A teoria quântica baseia-se em um aparato matemático claro, tem enorme importância para as ciências naturais, é vindicada experimentalmente de forma excepcional e tem um papel fundamental em inúmeras tecnologias modernas. No entanto, passados noventa anos, a comunidade científica ainda não atingiu um consenso com relação à interpretação dos fundamentos da teoria. Os resultados de nosso questionário são uma lembrança urgente dessa situação um tanto peculiar.[69]

Podemos considerar essa situação de várias formas, da mais razoável até a mais extrema. Começando pela mais razoável, a velha Interpretação de Copenhagen de Bohr e Heisenberg estabelece as regras do jogo: existe uma separação clara entre o sistema quântico e o aparato clássico de medida. Nós, os observadores, nunca interagimos com o sistema quântico; isso é feito pelo detector. O que fazemos é interpretar as interações entre o sistema quântico e o aparato de medida, após uma série de amplificações que resultam em uma luz que pisca ou em uma mancha ou linha que aparece em um registro fotográfico ou digital. A função de onda, a entidade fundamental da mecânica quântica, não é uma quantidade física, no sentido de ter uma realidade, de existir. Não passa de uma quantidade matemática, representando potencialidades — os possíveis resultados de medidas. Ao contrário da física clássica, em que as equações se referem diretamente a um objeto concreto (uma bola, uma onda, um carro, um planeta), na física quântica a equação descreve uma amplitude de probabilidade. Por exemplo, digamos que estejamos interessados em medir a posição de uma partícula. Antes da medida, a função de onda da partícula ocupa todo o espaço (ou o espaço onde a partícula está confinada), refletindo a probabilidade de a partícula estar aqui ou acolá. A equação de Schrödinger descreve como essa função de onda muda no tempo, dadas as possíveis forças que atuam sobre a partícula. Quando uma medida é feita e a partícula é detectada em uma certa posição, a função de onda "colapsa": deixa de representar uma potencialidade e torna-se uma realidade, indicando o ponto onde a partícula foi encontrada (dentro da precisão do detector). Isso ocorre instantaneamente, com a função de onda "encolhendo" de todos os pontos onde a partícula poderia estar até o ponto onde foi encontrada. Estritamente falando, o ato de medir dá realidade ao que está sendo medido, trazendo o objeto do mundo etéreo de potencialidades quânticas ao mundo concreto da detecção e da percepção sensorial. Expressando essa interpretação de forma ainda mais dramática, medir é criar.

As coisas complicam rapidamente quando começamos a questionar esse cenário. Quando afirmamos (como fez Pascual Jordan) que "Medir é criar", quem ou o quê é o criador? Será suficiente atribuir o ato de criação ao aparato de medida? É o contador de Geiger que mata o gato de Schrödinger quando registra a partícula e libera o veneno? Ou uma observação necessita de um observador consciente, uma inteligência com a *intenção* de medir e a habilidade racional de interpretar os resultados? No caso de um observador inteligente ser necessário para criar a realidade, como explicar que o Universo existiu por bilhões de anos antes do surgimento de um observador consciente? Seria, talvez, devido à existência de algum Deus onisciente e onipresente, como sugeriu o filósofo e bispo George Berkeley no século XVIII? Ou, quem sabe, o Universo causou o colapso de sua própria função de onda ao passar de uma entidade quântica no início do tempo para um espaço-tempo clássico em expansão, como agora? Nesse caso, e se efeitos não locais são capazes de persistir durante o desenvolver da história cósmica, será que tudo o que existe está, ainda, emaranhado?

Eugene Wigner, físico húngaro e vencedor do Prêmio Nobel por seu trabalho explorando as simetrias de sistemas quânticos, acreditava na importância essencial da mente humana na interpretação da física quântica. "Quando o domínio da teoria física foi estendido para incluir fenômenos microscópicos [...] o conceito de consciência voltou a ter importância: sem uma referência à mente consciente, não é possível formular as leis da mecânica quântica de forma consistente."[70] ("Voltou", aqui, é uma referência a Descartes e seu "Penso, logo existo", em que o pensamento vem antes da matéria.) Wigner, como Heisenberg antes dele, sugeriu que toda medida precisa de uma mente para interpretá-la. Existe um contínuo que se estende do objeto detectado, passando pelo detector até, finalmente, chegar à mente do observador. Mesmo que na física clássica um observador inteligente também seja necessário para desenhar o experimento e interpretar seus resultados, a diferença essencial é que, no mundo quântico, o ato de medir confere realidade ao que está sendo medido (onda ou partícula? Aqui ou ali?) — sem a mente, a realidade não existe. O desafio de John Bell, o que chamou de "problema central" da mecânica quântica, é determinar onde fica a linha divisória entre o mundo "lá fora", real e clássico, e o mundo quântico, contingente e arredio.

Wigner criou uma parábola, conhecida como "A amiga de Wigner", para ilustrar o seu argumento. Imagine que uma amiga de Wigner, uma física experimental, construiu um aparato para medir o spin do elétron. O elétron pode ser encontrado com spin "para cima" ($\uparrow$) ou "para baixo" ($\downarrow$), com a mesma probabilidade. Antes do experimento, o elétron está em uma superposição desses dois estados. Quando a medida é feita, a cientista encontrará o spin do elétron para cima ou para baixo. Imagine, agora, que Wigner sabe que o experimento está sendo feito, mas só pergunta qual foi o resultado após a medida ter sido efetuada. Para sua amiga, o resultado é já conhecido e a função de onda do elétron colapsou em um dos dois estados possíveis. Para Wigner, no entanto, o elétron permanece em uma superposição até que sua amiga lhe diga o resultado de sua medida. Esse comportamento dual, argumentou Wigner, não faz muito sentido. Você seria forçado a concluir que, antes de Wigner ter perguntado o resultado à sua amiga, *ela* estaria em uma superposição de dois estados (em um estado de "suspensão animada", escreveu Wigner), cada um correspondendo a um dos dois resultados possíveis. Se esse tipo de situação era já bastante ruim para o gato de Schrödinger, fica pior ainda quando envolve humanos. "Com isso", concluiu Wigner, "um ser com consciência tem um papel na física quântica necessariamente diferente do aparato de medida, que é inanimado."[71] Ou, mais incisivamente, "a mente consciente entra na teoria quântica de forma inevitável e essencial".[72]

O físico John Wheeler, da Universidade de Princeton, radicalizou as ideias de Wigner com o seu "universo *participatório*". Wheeler argumentou que o ato de medir é mais do que observar, determinando o futuro daquele ponto em diante (e mesmo o passado!): para Wheeler, o ato de medir muda o universo como um todo. Quando o físico experimental decide que irá medir o elétron como partícula ou como onda, "o futuro do universo muda devido à escolha do cientista. Temos que trocar a palavra *observador* pela palavra *participador*", Wheeler sugeriu, em uma conferência na Universidade de Oxford em 1974.[73]

Wheeler propôs um experimento para clarificar sua ideia. Vamos supor que um físico tenha uma fonte de fótons que passam por um obstáculo com dois orifícios, como é comum em experimentos de interferência quântica (ver figura a seguir). A fonte pode ser controlada de modo que apenas um fóton seja emitido por vez. Após o obstáculo, o cientista posiciona uma tela, onde o padrão de interferência com linhas escuras e claras aparece. A novidade é que essa tela é montada sobre rodas, de modo que pode ser retirada do caminho dos fótons. O cientista monta também dois detectores, cada um alinhado com os orifícios do obstáculo, conforme mostra a figura. Com isso, se a tela não está no caminho, os detectores assinalam por qual orifício o fóton passou. Temos duas possibilidades: ou a tela está no caminho e o cientista vê um padrão de interferência normal, ou a tela não está no caminho e ele detecta por qual orifício o fóton passou. O truque de Wheeler vem agora: o cientista pode decidir manter ou remover a tela *após* o fóton ter passado pelos orifícios.

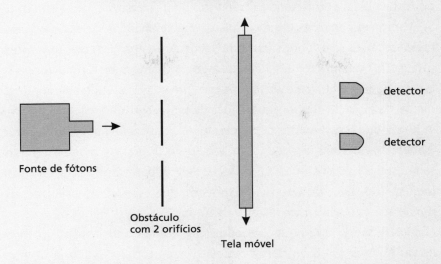

Diagrama do experimento de escolha demorada de Wheeler

O ponto de Wheeler é que a natureza física do fóton responderia ao *instrumento de detecção* que fosse escolhido: tela ou detector. Chamou o experimento de "escolha demorada". A escolha do cientista determina a realidade física do fóton (onda ou partícula), *aparentemente agindo no passado*. Afinal, o fóton já tinha passado pelo obstáculo com os dois orifícios e, portanto, deveria ter sua natureza física determinada. Eis como Wheeler expressou sua ideia: "O passado só tem existência quando é registrado no presente [...] o universo não 'existe lá fora', independentemente dos atos de observação. Pelo contrário, de forma ainda misteriosa, o universo é participatório." Mais tarde, em uma extensão de seu experimento incluindo distâncias astronômicas, Wheeler escreveu: "Nós decidimos o que o fóton *deve fazer* após ele já ter feito." Nossa escolha interfere com a história passada da partícula. Wheeler estendeu sua noção ao universo por inteiro: "Ao dar sentido ao mundo através do ato de observar, o observador dá o poder de existir ao mundo; ou seja, sem consciência, sem uma comunidade capaz de se comunicar para dar sentido ao que se observa? Não existe o mundo! [...] o universo dá origem à consciência e a consciência dá sentido ao universo."[74]

Mesmo que aparentemente implausíveis, versões das ideias de Wheeler foram recentemente confirmadas no laboratório para sistemas quânticos. Em 2007, Vincent Jacques e colaboradores (incluindo Alain Aspect, de quem o leitor deve se lembrar, pois teve um papel essencial na demonstração da violação das desigualdades de Bell) seguiram a construção de Wheeler cuidadosamente, certificando-se de que o fóton não teria como "saber" como seria medido.[75] Na conclusão do artigo no qual relatam seus resultados, os autores citam Wheeler: "Observamos uma estranha inversão do fluxo do tempo. Ao movermos o espelho no presente, influenciamos a história já passada do fóton."[76]

O fenômeno da não localidade é profundamente contraintuitivo, forçando-nos a reconsiderar conceitos que tomamos como óbvios, como a causalidade. Será que o presente pode mesmo influenciar o passado? Será possível extrapolar essas noções além do domínio quântico, aplicando-as a objetos maiores, talvez até ao Universo por inteiro, como queria Wheeler? "Será que o termo 'Big Bang' é apenas como representamos o acúmulo de bilhões e bilhões de atos de observação extrapolados ao passado?"[77] Apesar de suas ideias audaciosas, Wheeler foi cuidadoso em separar a consciência do ato de observação, que considerava apenas alguma forma de registro. A interpretação do registro, em que entra a consciência, "é uma parte separada da história". Sua ambiguidade é justificável; ninguém sabe qual o papel da consciência no mundo quântico:

> Será que bilhões e bilhões de atos de observadores-participantes são a fundação de tudo? Continuamos sem conhecer o suficiente dos mecanismos mais profundos que regem o universo para termos uma resposta. Quanto mais detalhes aprendemos, menos sabemos do plano mestre. Esse tipo de pergunta mostra quão incertos ainda estamos sobre os fundamentos da física quântica e suas implicações mais profundas.[78]

Podemos entender por que a maioria dos físicos, quando confrontam esse tipo de estranheza, prefere deixar a interpretação da mecânica quântica de lado, optando por aceitar a Interpretação de Copenhagen. Na ausência de um teste experimental claro, que favoreça uma das várias opções, a interpretação é uma escolha pessoal. E ainda não mencionamos todas elas.

Uma outra interpretação, não menos estranha mas surpreendentemente popular, é conhecida como a Interpretação dos Muitos Mundos (IMM). Inicialmente sugerida por Schrödinger em um seminário em Dublin, em 1952, como uma ideia "lunática", posteriormente elaborada em 1957 na tese de doutorado de Hugh Everett (que fora aluno de Wheeler) e aperfeiçoada por Bryce DeWitt nas décadas de 1960 e 1970, nenhuma interpretação da mecânica quântica é tão radical. A sua premissa é a de que o colapso da função de onda em torno de um determinado valor durante uma medida não ocorre: *todos* os resultados possíveis — todas as potencialidades — são realizados ao mesmo tempo, cada um em um mundo (ou universo) paralelo. De acordo com a IMM, todas as histórias possíveis coexistem em uma espécie de multiverso, que vai se ramificando toda vez que uma observação é feita. O gato de Schrödinger, por exemplo, está vivo e morto em dois universos paralelos; o fóton é partícula aqui e onda ali. Ao criar um infinito inumerável de mundos, a IMM tenta se livrar dos paradoxos da mecânica quântica. O preço, no entanto, é alto.

Como no conto de Jorge Luis Borges, "O jardim dos caminhos que se bifurcam", o labirinto ocorre no tempo (e não no espaço, como é o caso dos labirintos comuns) de forma que, a cada bifurcação, a história se desdobra em duas ou mais alternativas viáveis, inacessíveis entre si. A suposição essencial da IMM é que a função de onda é uma entidade real, não apenas uma ferramenta matemática, cuja evolução guia a criação das histórias paralelas. Com isso, a IMM é uma tentativa de restaurar a realidade à física, mesmo que, para tal, tenha que invocar a existência de um multiverso que, a cada momento, se desdobra em incontáveis possibilidades.

O físico teórico David Deutsch, da Universidade de Oxford, é um de seus proponentes mais dedicados. Em seu livro *O começo do infinito* (The Beginning of Infinity), Deutsch critica a Interpretação de Copenhagen, acusando-a de ser o pior tipo de filosofia, que "não só é falsa, mas bloqueia o desenvolvimento de outras ideias".[79] E continua: "A ideia deles é que a teoria quântica desafia os fundamentos da razão: partículas têm atributos contraditórios [sendo ondas e partículas] e ponto. E ainda desmentem qualquer tipo de crítica, acusando-as de serem inválidas por usarem uma 'linguagem clássica' fora de contexto." Pelo contrário, Deutsch afirma, toda linguagem obscura que vem de aceitarmos tanto o colapso não local da função de onda quanto uma realidade determinada pelo observador desaparece quando a IMM é aceita. Apesar do entusiasmo de Deutsch, a maioria dos físicos não vê a possibilidade de mundos paralelos como uma opção assim tão óbvia.

Ninguém pode (ou deveria) afirmar que a IMM resolveu o problema da interpretação da mecânica quântica. Tal como a teoria não local de Bohm com variáveis ocultas, a IMM oferece uma estranha alternativa à questão do colapso da função de onda, introduzindo outro nível de complexidade — a existência de um incontável número de mundos paralelos sem interação mútua. Onde encontram-se esses outros mundos, dos quais não podemos ter qualquer informação? A que momento, durante o processo de medida, as bifurcações ocorrem? Até hoje, não existe um experimento capaz de distinguir entre a formulação de Bohm e a IMM, ou que possa validar a proposta da IMM como uma alternativa viável à Intepretação de Copenhagen. (Embora alguns físicos afirmem que, quando a interferência quântica com objetos relativamente grandes for possível, interações entre histórias diferentes poderão ser detectadas, mesmo que muito fracamente.) No meio-tempo, e até que algum teste experimental concreto seja realizado, a existência de universos paralelos é tão útil para interpretarmos a realidade física em mecânica quântica quanto a existência de um multiverso esclarece por que vivemos no nosso Universo. (Veja Parte I.)

Um avanço concreto, mesmo que não como uma solução do problema de medida, é a descoerência quântica, na qual a problemática interferência quântica entre vários estados é destruída pelas interações do sistema quântico com o ambiente à sua volta. Segundo esse tratamento, o comportamento clássico que observamos é consequência da perda de interferência quântica: o mundo clássico, onde objetos macroscópicos não exibem um comportamento quântico, emerge naturalmente quando as interações entre os objetos e o ambiente são incluídas. Alguns físicos apresentam a descoerência como uma continuação natural da Interpretação de Copenhagen, dado que a violência do processo de medida certamente destrói qualquer tipo de coerência quântica na função de onda. Outros apresentam a descoerência como uma continuação da IMM, em que é a responsável por causar as bifurcações entre as várias histórias.

Uma variação do tratamento de descoerência, conhecida como "formalismo de histórias consistentes", proposta originalmente por Robert Griffiths em 1984 e, independentemente, por Roland Omnès, foi redescoberta pelos físicos Murray Gell-Mann e James Hartle e aplicada à cosmologia em 1990. Quando tratamos do Universo como um todo (um sistema fechado), não podemos usar a separação conveniente entre o sistema que está sendo observado e o observador externo a ele. Também não existe um ambiente externo capaz de causar a descoerência da função de onda global, responsável por descrever o Universo por inteiro. Se o Universo inclui tudo, não sobra nada fora dele... Segundo Gell-Mann e Hartle, a transição de um universo quântico para um clássico vem de sua própria evolução temporal, à medida que histórias diferentes, cada qual com a sua probabilidade de ocorrência, vão se separando das demais. Os detalhes de como isso ocorre dependem dos eventos específicos de cada história (interações entre partículas, tipos de partículas etc.). Vivemos em uma dessas histórias, em que o Universo tem as propriedades que medimos. Infelizmente, não temos ainda um mecanismo que favoreça nosso Universo; tampouco sabemos se tal mecanismo existe. O que favorece nossa história cósmica dentre um número incontável de outras?

A descoerência inclui a visão tradicional da Interpretação de Copenhagen, na qual a medida causa o colapso da função de onda. Uma medida força a descoerência e é considerada uma aproximação em que a descoerência é instantânea e exata. Existem outros exemplos nos quais o processo não é tão drástico, mas que, mesmo assim, influencia a evolução da função de onda. Como James Hartle escreveu, "Podemos identificar probabilidades para histórias cósmicas com posições diferentes da Lua ou com flutuações diferentes na densidade de energia próxima ao Big Bang [...] mesmo que esses efeitos não sejam parte de uma medida e certamente na ausência de um observador registrando seus valores".[80] Ou seja, as condições que existiam na infância do Universo determinam suas possíveis histórias — incluindo nossa origem — como resultado da relação entre as condições prevalentes em um determinado momento e a aleatoriedade da física quântica. Nesse caso, participadores não afetam o passado do Universo.

O processo de descoerência torna clara a artificialidade da separação entre um observador clássico ou um detector e um sistema quântico. Mostra, também, que o comportamento clássico que captamos com nossa percepção sensorial é uma propriedade emergente da matéria, consequência de como sistemas quânticos com muitos componentes interagem entre si e com outros sistemas à sua volta. Quanto maior o sistema, maior o número de funções de onda necessário para descrever todos os seus componentes e mais difícil é controlá-los de modo a construir um estado coerente que exiba a superposição quântica. Sistemas em superposição quântica são extremamente frágeis e colapsam sob qualquer tipo de interferência externa: um fóton vindo do Sol, uma partícula de um raio cósmico, o distúrbio gravitacional de um caminhão que passa por perto etc.

Embora a descoerência nos ajude a compreender como o mundo clássico emerge de um domínio quântico, não especifica de forma clara a fronteira entre os dois. Como escreveu Bell,

> O "Problema" [da mecânica quântica] é o seguinte: como dividir o mundo entre o aparato — que podemos usar palavras para descrever [...] — e o sistema quântico — que não sabemos como usar palavras para descrever? Quantos elétrons, ou átomos, ou moléculas constituem um "aparato"? A matemática que usamos na teoria requer essa separação, mas não nos diz como fazê-lo.[81]

Mais importante ainda: a descoerência não resolve o problema da medida na física quântica: os resultados continuam sendo aleatórios e não predeterminados por alguma ordem oculta (não temos como *prever* qual das duas polarizações, vertical ou horizontal, o fóton terá antes de efetuarmos a medida, por exemplo). Mesmo que a descoerência tenha ajudado enormemente na compreensão dos fenômenos quânticos — não precisamos mais nos preocupar se o gato de Schrödinger está vivo ou morto, ou se a Lua existe quando não olhamos para ela —, temos ainda que lidar com a estranha não localidade quântica e com a nossa inabilidade de compreender a essência da realidade física. Para completar, tampouco compreendemos o papel do consciente humano na determinação dessa realidade, se é que algum existe.

28 De volta ao começo

(Onde tentamos interpretar o enigma quântico)

A física quântica nos força a confrontar diretamente os limites do conhecimento. Mais dramaticamente, nos força também a aceitar a ideia de que existe uma dimensão incognoscível da realidade física. Isso causa um profundo desconforto na maioria dos físicos. "Incognoscível" é contrária ao objetivo central do programa científico, cuja missão é (explicar) lidar com o desconhecido. Einstein, Schrödinger e os realistas jamais aceitaram que a Natureza guardasse segredos além do nosso alcance. Sabiam que nosso conhecimento da Natureza é limitado e incompleto, mas acreditavam que essa limitação viesse de nossa ineficiência, não de alguma razão inescrutável. Sua esperança era que a probabilidade que descreve o mundo quântico fosse operacional, não fundamental. Afinal, o uso da probabilidade aparece em outra teoria de enorme sucesso — a mecânica estatística que descreve o comportamento dos gases e de outros sistemas com muitas partículas. E lá seu uso reflete apenas a impraticabilidade de descrevermos o comportamento individual de trilhões de partículas. É bem mais fácil traçar o comportamento da média, tratando dos desvios estatisticamente. Os realistas esperavam que, da mesma forma, o comportamento probabilístico da física quântica não fosse algo inerente à Natureza, mas uma descrição provisória, produto de nosso conhecimento limitado dos detalhes da física do muito pequeno.

Identificamos o mesmo tipo de expectativa quando alguns físicos pronunciam que sabemos como descrever a origem do Universo usando a mecânica quântica e a relatividade geral. Simplesmente não é verdade. O que temos são modelos extremamente simplistas, baseados em uma série de suposições que não temos ainda como provar. Essa expectativa não só é extremamente ingênua como filosoficamente equivocada, visto que, nas ciências físicas, todo modelo baseia-se em uma base conceitual construída a partir de noções como espaço, tempo, energia e leis de conservação. A origem do Universo engloba a origem de todos esses conceitos. E de onde *eles* vêm? Ademais, modelos são formulados usando o que chamamos de "condições de contorno", que pressupõem uma separação clara entre o objeto de estudo e o que está à sua volta. É claro que esse tipo de separação encontra problemas quando o objeto é o Universo por inteiro, já que, por definição, este inclui tudo o que existe: quando o objeto é o Universo, não existe um "em torno". (Usar o que está além do nosso horizonte também não funciona, já que não se relaciona causalmente conosco.)

Quando tentamos explicar a origem do Universo usando modelos físicos, podemos, no máximo, obter uma descrição viável dos primeiros momentos da história cósmica, consistente com os dados que coletamos. Não há dúvida de que esse é um projeto de enorme importância prática e intelectual; mas não é o mesmo que uma *explicação* para a origem de todas as coisas. Para tanto, teríamos que começar do começo e explicar a origem das leis físicas que usamos para descrever o Universo. E isso é algo que, ao menos no momento, está além do alcance das teorias físicas, incluindo as que invocam a existência de um multiverso em que as leis da Natureza supostamente podem variar. Como discutimos na Parte I, argumentos justificando que as leis da Natureza variam de universo para universo permanecem confusos. Ademais, se queremos descrever a origem do Universo através da física quântica, temos que compreender de forma bem mais profunda o significado da não localidade e da sua relação com o emaranhamento e a descoerência.

Felizmente, quatro décadas de experimentos espetaculares nos ensinaram muitas coisas. Sabemos que extensões da física quântica incluindo variáveis ocultas locais são inviáveis: se existem formulações da física quântica com variáveis ocultas, devem ser teorias não locais. Por mais estranha que seja, a ação a distância está aqui para ficar. A não localidade é a essência do emaranhamento, e o emaranhamento é a essência da física quântica. A razão pela qual achamos isso tudo muito estranho é simples: é estranho mesmo. Estados quânticos emaranhados são frágeis, difíceis de serem mantidos por períodos longos de tempo e distâncias grandes. Experimentos que estudam tais efeitos, visando a manter o emaranhamento ativo, demandam enorme criatividade. Vários tipos de interações agem para destruir a coerência de estados quânticos — efeitos térmicos, vibrações estruturais, efeitos gravitacionais, até mesmo as vibrações dos próprios átomos ou moléculas do sistema.

A Lua não se encontra simultaneamente em vários locais ao longo de sua órbita porque não é um sistema isolado: fótons provenientes do Sol colidem com ela continuamente (por isso podemos vê-la), bem como raios cósmicos; devemos também incluir as vibrações térmicas dos incontáveis átomos que a compõem, as atrações gravitacionais do Sol, da Terra etc. Todos esses efeitos contribuem para destruir as possíveis superposições de estados da "Lua-aqui" e da "Lua-ali". É extremamente difícil isolar objetos macroscópicos de influências externas e internas, que agem continuamente para destruir qualquer tipo de superposição quântica. Nossa realidade clássica é esculpida a partir das sombras de superposições quânticas destruídas.

A fronteira entre o clássico e o quântico é fluida. Alguns sistemas podem exibir comportamento tipicamente quântico que persiste mesmo a distâncias surpreendentemente longas. Zeilinger identificou fótons emaranhados separados por centenas de quilômetros; cristais e moléculas podem ser postos em estados de superposição, criando padrões de interferência similares aos dos elétrons e fótons. Com cuidado, o emaranhamento pode sobreviver. Porém, é importante lembrar que esses efeitos são criados em laboratórios altamente especializados por físicos experimentais extremamente criativos. Não há dúvida de que esses efeitos serão refinados cada vez mais; nas próximas décadas, veremos os primeiros computadores quânticos, que usarão o emaranhamento como propriedade essencial, assim como a criptografia quântica utilizada por bancos e companhias de seguro; outras aplicações tecnológicas explorando a superposição quântica e o comportamento aleatório do mundo quântico inevitavelmente surgirão.

Essas aplicações práticas, que exploram as estranhas propriedades do mundo quântico, criam uma expectativa de que, em breve, estaremos produzindo estados emaranhados entre objetos macroscópicos, até mesmo vivos. Será que esse próximo passo depende apenas de fomento para a pesquisa, conforme declarou Zeilinger? Ou será que, ao tentarmos estender efeitos quânticos a sistemas cada vez mais complexos, encontraremos obstáculos mais fundamentais? O que significa criar uma superposição entre dois estados quânticos de uma bactéria? Será que a vida pode sobreviver à interferência quântica?[82] Este é, talvez, um modo diferente de formular a questão de Bell sobre a descontinuidade entre o mundo clássico e o mundo quântico. A descoerência explica por que percebemos uma realidade clássica tão distinta do mundo quântico. Mas até que ponto podemos amplificar efeitos quânticos para torná-los parte da nossa realidade? Em outras palavras, se a essência da realidade é quântica, será possível torná-la mais do que apenas cliques e sinais em detectores, talvez parte da nossa percepção direta do mundo? Supondo que isso seja possível, será que conseguiremos, finalmente, captar algo do seu significado mais profundo, tornando o incognoscível algo ao menos parcialmente conhecível?

Ninguém sabe como responder a essas perguntas. Na minha opinião, essa esperança é infundada. A razão não vem de limitações experimentais, mas do que aprendemos sobre as propriedades do mundo quântico. A descoberta mais fundamental dos experimentos do tipo EPR é que a aleatoriedade é inerente à Natureza. Quando Alice e Beto medem o spin ou a polarização das suas partículas emaranhadas, não sabem qual resultado obterão, se o spin será "para cima" ou "para baixo". Não temos uma teoria capaz de prever o resultado de uma única medida quântica. Pior ainda: dado que teorias locais com variáveis ocultas não são viáveis, essa teoria não parece existir, nem mesmo em princípio. Portanto, se "captar algo do seu significado mais profundo" é retratar a antiga expectativa realista de um conhecimento completo da realidade, temos que mudar de atitude. Nossa busca pelo conhecimento precisa refletir os ensinamentos da física quântica. Alguns aspectos da realidade permanecerão fora de nosso alcance. A Ilha do Conhecimento permanecerá uma ilha, cercada não apenas pelo que não sabemos, mas pela inescrutável e incognoscível essência da realidade quântica.

Note que essa posição não tem nada de derrotista. O objetivo central da ciência é clarificar, da melhor forma possível, o funcionamento do mundo natural. A ciência não tem como missão responder a todas as perguntas. Esse tipo de expectativa não faz sentido, especialmente quando analisada sob o prisma da natureza dinâmica da busca pelo conhecimento, conforme exploramos neste livro: sempre em transformação, refletindo sobre os tipos de perguntas que *podemos* formular e a que podemos *tentar* responder em uma dada época. *O conhecimento que temos define o conhecimento que podemos ter*. Ao menos é assim que a busca começa: pois, a alguns passos além da linha de partida, já pouco podemos prever. Com o avanço do conhecimento, somos capazes de formular perguntas que antes nem poderíamos imaginar, muito menos antecipar.

Hoje, sabemos que temos que aceitar a não localidade como parte da realidade física: efeitos quânticos persistem além das barreiras do espaço e do tempo. Com certeza, continuaremos a explorar como estender esses resultados para sistemas cada vez maiores, imersos em ambientes adversos, aproximando-nos da fronteira do mundo clássico. Eventualmente, teremos que considerar o papel dos efeitos quânticos no cérebro e sua possível relevância para o funcionamento da consciência humana, indo além do que Eugene Wigner propôs. Será que as ideias de Wheeler sobre o observador-participador têm um papel na história do Universo? Um ingrediente essencial na física quântica é a quantidade de informação que temos de um sistema. O modo como montamos o experimento e o tipo de pergunta que fazemos influencia o comportamento do que está sendo observado: se não temos informação sobre o caminho tomado pela partícula, observamos padrões de interferência, típicos de um comportamento ondulatório; se temos informação sobre o caminho tomado pela partícula, a interferência desaparece. Quando se trata de sistemas quânticos, a natureza da realidade depende de como interagimos com ela.

Aqui, encontramos a questão da *intenção*, ou de como escolhemos interagir com a realidade. É verdade que são os detectores que detectam e "colapsam" a função de onda; mas somos nós que os construímos e que preparamos o experimento. Sem um intérprete com uma consciência sofisticada, a natureza da realidade não é nem mesmo uma questão a ser considerada. No nosso caso, ao menos, sabemos que esse "intérprete" consciente reside nos nossos cérebros. É natural, portanto, nos perguntar se nossos cérebros são entidades quânticas ou clássicas. Ou, de forma mais específica, podemos nos perguntar até que ponto efeitos quânticos são relevantes no funcionamento do cérebro.

Mesmo que as ideias relativamente recentes de Roger Penrose e Stuart Hameroff, explorando o papel da coerência quântica em microtúbulos (polímeros na forma de tubos presentes no citoplasma de células, dando-lhes estrutura), tenham encontrado uma série de críticas,[83] dada a complexidade do tópico e o estado preliminar do conhecimento atual sobre o assunto, é prudente mantermos a cabeça aberta. Talvez existam outras possibilidades para o papel dos efeitos quânticos no cérebro — por exemplo, se íons, viajando através do lapso entre duas sinapses, podem sofrer alguma difração, ou algum outro mecanismo ainda desconhecido. Como no caso da fotossíntese, em que efeitos quânticos têm um papel essencial na otimização e aceleração da busca por caminhos mais eficientes para a metabolização de energia, é muito possível que efeitos equivalentes sejam importantes no processamento de informação pelo cérebro, até mesmo na própria existência do consciente humano.

Estamos migrando da era atômica para a era da informação. Consequentemente, nossas metáforas, baseadas no nosso conhecimento e experiências, também estão em transição: do terror associado à Guerra Fria e à possibilidade de destruição global a um mundo onde barreiras culturais são atravessadas com facilidade crescente, onde os mesmos produtos e tecnologias estão disponíveis para uma fração cada vez maior da população mundial. Novas disciplinas estão surgindo, refletindo o novo conhecimento e a transição entre metáforas: teoria de informação quântica, teorias de rede, mineração de dados, teoria da complexidade etc. Em todas, o conceito de informação tem um papel central. Devemos, portanto, explorar a noção de informação e como esta interage e define o que é conhecimento. Veremos que a informação que podemos obter do mundo é limitada por fatores inalteráveis. Talvez ainda mais surpreendente, exploraremos como esses limites são expressão máxima do espírito humano, oferecendo oportunidades de crescimento e definindo nossa busca por sentido.

PARTE III

A Mente e a Busca por Sentido

*Um matemático, como um pintor ou um poeta,
é um criador de padrões. Se seus padrões são
mais permanentes do que os dos artistas
é porque são feitos de Ideias.*
— G. H. HARDY, *Apologia de um Matemático*

*E aqui em Copenhagen, nesses três anos durante a década de 1920,
descobrimos que o universo não é precisamente determinável.
Descobrimos que o universo existe apenas como uma série de
aproximações que dependem da nossa relação com ele,
do conhecimento que obtemos com nossas mentes.*
— MICHAEL FRAYN, *Copenhagen*

*Hoje entendemos que a mente humana fundamentalmente
não é uma máquina lógica, mas uma máquina
movida por um senso estético, que adivinha,
que se autocorrige.*
— DOUGLAS HOFSTADTER,
prefácio de *Gödel's Proof*

*Essas duas formas de pensar, uma do tempo e da história, outra
atemporal e eterna,
são partes do esforço do homem de compreender
o mundo em que vive. São visões disjuntas, irredutíveis uma à outra,
complementares, nenhuma por si só capaz de contar a história toda.*
— J. ROBERT OPPENHEIMER,
Science and the Common Understanding

29 Sobre as leis dos homens e as leis da natureza

(Onde discutimos se a matemática é uma descoberta ou uma invenção e por que isso importa)

Nós, humanos, temos uma compulsão: entender o mundo e como fazemos parte dele como indivíduos e, coletivamente, como uma espécie. Essa busca, ativa desde os primórdios da civilização, mostra que não somos tão diferentes de nossos ancestrais: mudam os métodos e as perguntas, mas não a necessidade de saber cada vez mais, de buscar por um sentido para a existência.

Quando os homens perceberam a preponderância de padrões rítmicos e regulares nos céus e na terra, o próximo passo — supor a existência de uma ordem controladora por trás da diversidade dos movimentos e das formas — veio naturalmente. Quem, ou o quê, controla essa regularidade é uma das questões centrais da ciência e da religião. De onde vem a ordem que observamos no mundo? É obra de deuses que transcendem o tempo e o espaço? Produto de leis naturais que regem o Universo? Ambos? No decorrer da história, centenas de mitos de criação e diversas narrativas buscaram responder a essas perguntas. Independentemente da origem geográfica e cultural do mito, a criação do mundo e de seus habitantes expressa o surgimento da ordem, que emerge com ou sem uma intervenção divina.

A ordem e a regularidade que observamos em tantos fenômenos naturais — a repetição da noite e do dia, as estações do ano, as marés, as fases da Lua, as órbitas planetárias, o ciclo de vida e morte das plantas e dos animais, os períodos de gestação — podem ser quantificadas com um mínimo de metodologia, identificando os eventos regulares e observando sua duração, por exemplo. Os números aparecem para expressar essa regularidade e a pluralidade dos fenômenos e das coisas (três dias, dez passos, duas zebras, cinco planetas...), oferecendo algum controle sobre o que está tão distante e além do nosso poder. Como usar a habilidade que temos de reconhecer padrões para ordenar a realidade? Criando uma linguagem capaz de descrever e explorar a regularidade dos padrões, a sua repetição. A "matematização" da Natureza, e a consequente ordenação dos padrões regulares em termos de leis quantitativas, é um dos grandes feitos da nossa espécie. No entanto, como a maioria das pessoas está mais familiarizada com leis no antro social, convém começarmos frisando as diferenças entre as leis da Natureza e as leis dos homens.

Enquanto as leis dos homens buscam ordenar e controlar o comportamento dos indivíduos e da sociedade como um todo, de modo a tornar a vida comunal mais segura, as leis da Natureza são deduzidas de observações de toda uma variedade de fenômenos. Da mesma forma, enquanto as leis dos homens são baseadas em valores morais que variam de cultura para cultura e conforme o decorrer do tempo, as leis da Natureza buscam uma universalidade, tentando descrever comportamentos concretos — e verificáveis — que ocorrem no espaço e no tempo. Com isso, se para um grupo certos rituais são aceitáveis, enquanto para outro os mesmos rituais são barbáricos (por exemplo, a circuncisão de meninas adolescentes), estrelas em todo o cosmos vêm fundindo hidrogênio em hélio seguindo as mesmas regras desde o seu aparecimento, por volta de 200 milhões de anos após o Big Bang. Se em alguns países a pena de morte é um ato imoral, enquanto em outros é instituída com um zelo quase que fanático, moléculas em trilhões de planetas e luas nesta e em outras galáxias combinam-se e recombinam-se em reações químicas que seguem as mesmas leis de conservação, e de atração e repulsão entre os reagentes.[1]

As variações nas leis dos homens mostram que pouco sabemos sobre nós mesmos, e tampouco conseguimos concordar sobre quais são os valores morais universais, ou mesmo se existem. Por outro lado, a precisão das leis naturais, sua universalidade, vem inspirando muitos pensadores a usá-las como base para todas as leis, incluindo as leis dos homens. Basta lembrar-se da busca de leis sociais, fundamentadas rigidamente na racionalidade que caracterizou o Iluminismo. Essa busca não começou aí, existindo já bem antes do século XVIII. Considere, por exemplo, Platão e suas Formas Ideais. Identificamos um senso de veneração com o poder da matemática, e ainda mais com o poder da mente humana, por ter concebido o que pareciam ser verdades eternas. A inspiração de Platão e de seus sucessores deve muito aos pitagóricos, que elevaram a matemática a um patamar divino: com ela, o homem é capaz de transcender sua mortalidade para vislumbrar a racionalidade pura da mente de Deus.

O poder da matemática vem da sua liberdade, de não estar necessariamente ligada à realidade física, tentando "explicar" o mundo. Seus conceitos podem ser tomados de forma totalmente abstrata. Os matemáticos "puros" não se preocupam com a aplicabilidade das suas ideias. A matemática começa no mundo externo, o mundo conforme é percebido pelos nossos sentidos. Por exemplo, quando identificamos formas aproximadamente triangulares e circulares na Natureza ou quando aprendemos a contar e a medir distâncias e intervalos de tempo. Mas, a partir daí, a matemática dá um grande salto e simplifica as coisas, aproximando as assimetrias dos objetos do mundo por formas simétricas, que são mais facilmente manipuláveis pelas nossas mentes.

Essas construções abstratas podem ou não ser aplicáveis no estudo da Natureza. Por exemplo, no desenvolvimento de um modelo científico qualquer, como nas descrições das órbitas planetárias ou da estrutura do átomo de hidrogênio. Por outro lado, a maioria das construções matemáticas habitam um mundo abstrato, desvinculado da realidade em que vivemos. Esse transplante de ideias, abstraindo formas e números da Natureza para uma melhor manipulação conceitual, explica por que a matemática, mesmo quando aplicada ao mundo, é sempre uma aproximação da realidade, não a realidade em si. Mesmo hoje, aqueles que esposam o ponto de vista platônico consideram essa separação uma bênção, o que a matemática tem de mais valioso. Acreditam que só assim podem seguir na busca de verdades eternas. Para eles, essa busca é um rito purificador, elevando-os para além do mundo real, com suas imperfeições e assimetrias. Os mais radicais declaram que essa realidade abstrata *é* a realidade e que a matemática é o único instrumento que nos permite alcançá-la, como se tivéssemos colhendo frutas da mítica Árvore do Conhecimento (com a vantagem de que não seremos expulsos do Paraíso). Nas palavras do grande matemático G. H. Hardy:

> Eu acredito que a realidade matemática existe fora de nós, e que nossa função é descobri-la ou observá-la, e que os teoremas que provamos, e que descrevemos com voz grandiloquente como se fossem nossas 'criações', não passam de anotações de nossas observações desse mundo.[2]

Ou, ainda mais dramaticamente,

> Universos "imaginários" são tão mais belos do que o real, construído de forma tão estúpida; a maioria das belas criações do matemático aplicado têm que ser brutalmente rejeitadas assim que são criadas, porque simplesmente não descrevem os fatos.[3]

Outros veem essa visão um tanto romântica da matemática como expressão de uma fé semirreligiosa, que pouco tem a ver com a realidade. Para esse grupo, a matemática é, antes de mais nada, produto do funcionamento do cérebro e de sua aliança inseparável com o corpo: nosso modo de pensar depende conjuntamente da nossa cabeça e dos nossos corpos, da forma como evoluímos por milhões de anos. Como o linguista George Lakoff e o psicólogo Rafael Nuñez escreveram no prefácio de seu estudo sobre as raízes do pensamento matemático, *De onde vem a matemática,*

> A matemática humana, o único tipo de matemática que conhecemos, não pode ser uma subespécie de outra matemática, transcendente e abstrata. Pelo contrário, parece que a matemática emerge da natureza de nossos cérebros e da nossa experiência corpórea. Consequentemente, todos os aspectos do romance [do matemático puro] parecem ser falsos.[4]

A crença em um domínio matemático habitado por verdades que a mente humana pode captar com maior ou menor eficiência — dependendo da imaginação e habilidade do indivíduo — tem todos os ingredientes de uma fantasia religiosa: um mundo imaginário, que existe em uma realidade paralela à nossa, onde se ocultam verdades eternas, acessíveis apenas àqueles que, como profetas, têm a habilidade de enxergar mais longe do que os outros e que podem, então, traduzir para o deleite e sabedoria do homem comum.

Eis como o matemático Gregory Chaitin, que estendeu os resultados de Gödel e Turing ao mundo da teoria de informação algorítmica (falaremos mais sobre isso em breve), expressou sua crença em uma realidade platônica de verdades matemáticas: "Eu gostaria de fantasiar que não joguei minha vida fora, que [meus resultados] não são apenas uma invenção minha, mas expressão de uma realidade fundamental que existe lá fora."[5] Entretanto, no final da entrevista, Chaitin confessa que após uma carreira inteira pesquisando a natureza da complexidade se viu forçado a aceitar o lado experimental (ou inventado) da matemática, mesmo que ainda opte por uma via intermediária entre as duas possibilidades.

Outros, como o famoso matemático britânico Sir Michael Atiyah, afirmam que verdades eternas existem, um "domínio que está lá para ser descoberto", mas que são interpretados de forma particular, com "a impressão e luz" particulares do indivíduo.[6] Essa é uma tentativa interessante de se chegar a uma espécie de compromisso entre as duas posições. Mas, quando refletimos um pouco mais sobre o que Atiyah diz, vemos que sua posição ainda é a de um defensor da visão platônica. Afinal, seu ponto de partida é a existência de um domínio matemático de verdades eternas.[7]

Considero esse tipo de crença completamente infundado. Felizmente, conto com o apoio ao menos parcial de Einstein, que, como Atiyah, também vacilou entre as duas posições. Em seu ensaio "Comentários sobre a teoria do conhecimento de Bertrand Russell", Einstein declara: "A série dos números inteiros é obviamente uma invenção da mente humana, uma ferramenta criada para simplificar a organização de certas experiências sensoriais."[8] Especulações sobre um domínio platônico, em que residem verdades matemáticas eternas, podem ser uma excelente inspiração para os matemáticos puros; mas têm tanta substância quanto a crença cristã no Paraíso: "existe se eu acreditar que existe, e minha convicção é tudo o que eu preciso para alimentar minha busca." Não temos qualquer prova de que verdades transcendentais existam além da percepção humana. Aliás, provar tal coisa não parece ser possível, nem mesmo em princípio. Me parece bem mais razoável afirmar que a mente humana tem a habilidade formidável de criar e manipular conceitos abstratos, combinando uma enorme capacidade lógica e cognitiva, sem ter que atribuí-la a alguma espécie de realidade intangível.

O astrofísico Mario Livio, em seu livro *Deus é matemático?*, oferece um excelente apanhado do debate "descoberta versus invenção", visitando o pensamento de alguns dos maiores matemáticos de todos os tempos. Conclui que a resposta não é simples: "Tipicamente, conceitos são invenções. Os números primos, como um conceito, são uma invenção; mas os teoremas envolvendo os números primos foram descobertas."[9] O problema com esse tipo de raciocínio é que não podemos decidir o que é uma descoberta sem um mapa que descreva a elusiva Terra das Verdades Platônicas. Porém, no final do livro, Livio parece alinhar-se com a visão dos cientistas cognitivos, aceitando o papel essencial de nossa estrutura neurológica para explicar a eficiência e a uniformidade da matemática.

Uma inteligência capaz de contar e de compreender a noção de infinito pode construir a aritmética e até mesmo a teoria de grupos. Sabemos que certos animais, como os chimpanzés e os corvos, podem contar até alguns dígitos. Mas param por aí, sem conceber números maiores e — ainda mais importante — perceber que contar não tem fim. Como explicam Lakoff e Nuñez, apenas uma mente complexa pode contemplar a noção de infinito, o pulo que ocorre quando o infinito não é visto apenas como algo em "potencial" (contando sem parar ou desenhando uma linha sem fim), mas como algo "real", no sentido de algo que existe em si mesmo: não podemos contar até o infinito, mas podemos vislumbrá-lo por inteiro em nossas mentes.

* * *

O vencedor do Prêmio Nobel Eugene Wigner, no ensaio "A insensata eficiência da matemática nas ciências naturais", discutiu a eficiência da matemática nas nossas descrições do mundo, que atribuiu a algo inexplicável: "[...] a enorme utilidade da matemática nas ciências naturais é um mistério sem uma explicação racional."[10] Um pioneiro da aplicação da teoria de grupos à mecânica quântica, Wigner expressou sua perplexidade ao ver o sucesso com que físicos usam partes da matemática na sua pesquisa, mesmo que não tivessem sido desenvolvidas com este (ou qualquer) propósito: "A milagrosa eficiência da matemática na formulação das leis da física é um presente maravilhoso que não entendemos ou merecemos."

Existe uma bela complementaridade entre o trabalho dos matemáticos e o dos físicos teóricos. A matemática é a língua da física, sendo aplicada com enorme sucesso a toda uma diversidade de fenômenos naturais, das partículas subatômicas às galáxias. Entretanto, a perplexidade de Wigner, compartilhada por muitos físicos, não é justificável. Isso por vários motivos. Primeiro, como o próprio G. H. Hardy reconheceu, "O geômetra oferece ao físico toda uma gama de mapas. Um deles, talvez, descreverá os fatos melhor do que os outros. A geometria que produz aquele mapa específico será a de maior importância na aplicação da matemática a esses problemas."[11] As outras opções são descartadas.

A maioria das ideias da matemática pura são irrelevantes em aplicações físicas. Apenas aquelas úteis são selecionadas. Todo físico teórico sabe muito bem que a maioria dos modelos matemáticos que desenvolvemos tem pouco a ver com alguma aplicação real: mesmo que guiados pela nossa intuição, a maioria das equações que resolvemos são apenas soluções matemáticas, que nada dizem sobre a realidade. Descrever a Natureza é muito mais complexo do que colecionar soluções de modelos matemáticos abstratos.

Segundo, mesmo a matemática mais abstrata tem raízes na realidade que percebemos: números, grupos, geometrias, todos são conceitos que refletem como o cérebro reconhece o mundo. Nós contamos, colecionamos objetos em grupos (tantos leões aqui, tantas zebras ali) e reconhecemos padrões à nossa volta continuamente. Como argumentam Lakoff e Nuñez, para entendermos a origem da matemática temos que estudar sua incorporação ao nosso cérebro, a relação dos processos racionais com os detalhes da nossa cognição.

Terceiro, a noção de que "a verdade é bela e a beleza é verdade", ou seja, de que existe uma estética de beleza na matemática que se espelha na Natureza, é falaciosa. Não há dúvida de que existem muitas simetrias belíssimas no mundo natural, padrões que se repetem em escalas diferentes, como as espirais que vemos nas galáxias e nos furacões, ou esferas nas bolhas de sabão e na forma dos planetas. Existem, também, simetrias matemáticas mais abstratas, que identificamos nas interações entre as partículas elementares de matéria. Porém, a maioria das simetrias é fruto de aproximações e todos os objetos reais são essencialmente assimétricos, mesmo que alguns apenas de forma sutil. Como argumentei em meu livro *Criação imperfeita*, o poder criativo da Natureza emerge principalmente de imperfeições, não de simetrias e perfeições. A Natureza precisa do desequilíbrio para criar. Benoît Mandelbrot, o inventor dos fractais, expressou isso de forma bem clara: "Nuvens não são esferas, montanhas não são cones, as costas dos países não são círculos, o tronco das árvores não são lisos e os relâmpagos não viajam em linha reta."[12] A riqueza que identificamos na Natureza não vem de isolarmos a ordem acima de tudo, mas ao contrastarmos ordem e desordem, simetria e assimetria, como aspectos complementares de nossa descrição do mundo natural.

O que complica a discussão é que, em muitos exemplos, a imposição de simetrias matemáticas, ou de uma consistência formal, leva a descobertas inesperadas na física. Tomemos, como exemplo, a versão da mecânica quântica de Dirac, que, ao incorporar efeitos relativísticos, levou à descoberta da antimatéria. Quando construía uma versão da mecânica quântica consistente com a teoria da relatividade especial de Einstein e que incluísse também o spin do elétron, Dirac obteve não uma, mas duas soluções de sua equação. Uma descrevia o elétron, enquanto a outra parecia descrever uma partícula semelhante, mas com carga elétrica oposta. (Existem outras diferenças, que são menos importantes aqui.)

Inicialmente, Dirac imaginou que a partícula positiva fosse o próton, mas sem muita convicção, devido a uma enorme diferença entre a massa do próton e do elétron. Dirac logo percebeu que a partícula era uma nova entidade, uma espécie de "antielétron". Em 1932, o físico americano Carl Anderson detectou esse antielétron experimentalmente, chamando-o de "pósitron". O resultado de Dirac era ainda mais dramático do que a previsão da existência do pósitron: ao combinar a mecânica quântica com a teoria da relatividade especial, Dirac descobriu toda uma nova classe de partículas elementares, o mundo da antimatéria: cada partícula de matéria tem sua companheira de antimatéria.

A equação de Dirac abriu uma janela para um novo mundo, habitado tanto pela matéria quanto pela antimatéria. Por incrível que pareça, esse mundo abstrato, extraído das soluções de uma equação matemática, corresponde ao mundo em que vivemos. Mas com um detalhe essencial: a perfeição não é realizada. De acordo com a equação de Dirac e sua interpretação, matéria e antimatéria deveriam existir em pé de igualdade. Mas o mundo é feito apenas de matéria. Essa assimetria essencial da Natureza, o excesso de matéria sobre antimatéria, é um dos grandes mistérios da física moderna, mesmo após décadas de muita pesquisa. Mais importante ainda é que sem essa assimetria não estaríamos aqui: quando partículas de matéria e de antimatéria colidem, ambas desaparecem, convertidas em radiação eletromagnética (mais precisamente, em raios gama). Um Universo que evoluiu com quantidades iguais de matéria e antimatéria terminaria preenchido principalmente por radiação, um cosmos que em nada se parece com o nosso, repleto como é de galáxias e estrelas. Algum processo no decorrer da história do Universo selecionou a preponderância de matéria, a assimetria que nos permite existir.[13]

Esse e outros exemplos levam muitos a acreditar que a matemática é mais do que apenas uma ferramenta na física; que a estrutura fundamental da Natureza é, em essência, matemática; que os físicos, com seu trabalho, vão aos poucos revelando os detalhes desse domínio platônico de verdades eternas. O ápice desse tipo de crença é a Teoria de Tudo, uma tentativa de formular uma descrição única do mundo material, baseada nas partículas elementares e nas forças com que interagem entre si. Não há dúvida de que um projeto dessa natureza é extremamente inspirador, dado que ofereceria uma organização única da realidade física, onde tudo seria oriundo da mesma fonte, da mesma força unificada. Se algo do gênero tivesse sucesso, a física estaria revelando verdades que, ao menos metaforicamente, seriam divinas: uma Natureza monoteísta. Com uma teoria unificada, estaríamos mais perto do que nunca de compreendermos a mente de Deus, como disse Stephen Hawking em seu livro *Uma breve história do tempo*.

No entanto, ao analisarmos o desenvolvimento histórico da ciência, conforme fizemos neste livro, estudando o avanço das teorias científicas, vemos que esse tipo de projeto de unificação final não tem fundamento. Ao contrário do status permanente dos resultados na matemática (o teorema de Pitágoras não mudará se aprendermos mais sobre as propriedades dos triângulos), as teorias da física estão — e devem permanecer — sempre em transformação. O que temos não são verdades finais, mas aproximações cada vez mais precisas dos fenômenos que podemos observar. Considere, por exemplo, a gravidade. Para Aristóteles, era algo completamente diferente do que era para Newton. E para Einstein era bem diferente do que era para Newton. Mesmo hoje, estamos passando por um período pós-einsteiniano curioso, em que a própria natureza da gravidade, se é ou não uma força, como o eletromagnetismo e as interações nucleares forte e fraca, está sendo questionada.

Por outro lado, seria errado, e certamente inocente, que eu, um físico teórico que usa a matemática diariamente para descrever fenômenos físicos, declarasse que para os matemáticos não há um papel essencial na Natureza. Certamente há, como vemos nas teorias da física, que são todas matemáticas. A simetria, em particular, tem um papel central na implementação dessas teorias e nas suas aplicações específicas — excelentes aproximações para os sistemas que tentamos descrever. O perigo (e aqui identificamos a origem da falácia platônica) é considerar as simetrias uma característica essencial da Natureza quando na verdade são ferramentas conceituais que usamos para descrever o que vemos e medimos no mundo. Existe uma aliança extremamente produtiva entre o cérebro humano e nossa tentativa de construir uma narrativa da realidade física baseada na matemática. No entanto, afirmar que essas descrições são, de alguma forma, parte de um plano grandioso — uma escrita divina expressa matematicamente — equivale a elevar nossos modelos matemáticos da Natureza a uma série de mensagens místicas, semelhantes às revelações proféticas.

Se resultados matemáticos não são revelações de uma verdade transcendente, mas meras invenções humanas, e se nossa busca por uma teoria final da Natureza baseada em uma estrutura matemática única não passa de uma fantasia, por que, então, continuar buscando? Qual o sentido de embarcarmos nessa aventura intelectual se não nos aproximará da Verdade? Essa é uma pergunta que ouço com frequência, junto com acusações de ser derrotista ou de ter jogado a toalha. Imagino que alguns leitores estejam pensando a mesma coisa. Contra a minha vontade, acabo fazendo o papel do romântico que tem que matar os sonhos de outros românticos. Porém, é hora de a ciência ser apreciada e apresentada pelo que é, não pelo que alguns gostariam que fosse. E a ciência não é um presente de Deus. O ímpeto de nossa busca pelo conhecimento não se encontra lá fora, ou lá em cima, mas dentro de cada um. Os teoremas da matemática abstrata, mesmo que aparentemente desconectados da realidade em que existimos, são produtos de regras lógicas e de conceitos que construímos com nossas mentes. E, como argumentam Lakoff e Nuñez, elas funcionam de forma bem específica, refletindo a incorporação de propriedades cognitivas que facilitam o desenvolvimento de ferramentas conceituais abstratas. Os jogos mentais da matemática pura são criados nas circunvoluções do nosso neocórtex. E nosso neocórtex é produto de milhões de anos de evolução, guiada pela pressão da seleção natural, em que a conexão entre a criatura e o ambiente é essencial.

Talvez seja verdade que $2 + 2 = 4$ é um resultado universal (para qualquer espécie que saiba contar e adicionar números); mas isso não torna uma espécie menos humana. Se inteligências extraterrestres encontrarem o mesmo resultado (usando, com certeza, uma representação simbólica totalmente diferente), estaremos verificando mais as propriedades de como funciona a inteligência racional do que a existência de verdades universais escritas no Livro da Natureza. Não é a Natureza que funciona de tal forma que $2 + 12 = 14$ ou, para ser mais sofisticado, que $e^{ix} = \cos x + i \sin x$. Essas são expressões da inteligência humana, usadas para descrever e aproximar elementos da realidade física, como grupos de zebras ou relações entre exponenciais complexas e funções trigonométricas, úteis em incontáveis aplicações nas ciências naturais ou em construções matemáticas puramente abstratas.

O debate sobre a matemática ser descoberta ou invenção, assim como a natureza da realidade física, aponta mais para a importância do cérebro humano como uma entidade rara e especial no Universo do que para a existência de verdades absolutas que existem em um domínio abstrato, rarefeito e imponderável. O que devemos celebrar não se encontra "lá fora", "lá em cima" ou mesmo na "mente de Deus", mas nessa pequena massa que nós, humanos, carregamos dentro de nossa cavidade craniana.

30 Incompletude

(Onde exploramos brevemente as incríveis ideias de Kurt Gödel e Alan Turing)

Tomadas conjuntamente, as descobertas da física do início do século XX reformularam radicalmente a visão newtoniana, prevalente na época, de que a Natureza tinha propriedades independentes de como nós a investigamos. Primeiro, a teoria da relatividade de Einstein impôs a necessidade de levar em conta o estado de movimento do observador nas medidas de distância e de tempo. Depois, o princípio da incerteza de Heisenberg indicava uma profunda relação entre o observador e a natureza da realidade física. Quase como uma provocação, a nova física trouxe de volta o fator humano à ciência, exatamente o que, no passado, os físicos haviam tentado extirpar, separando a subjetividade do rigor científico. Como vimos, a situação é um pouco mais sutil, já que a teoria de Einstein é, na verdade, uma teoria de absolutos (as leis da Natureza e a velocidade da luz são as mesmas para todos os observadores) e as incertezas de Heisenberg tornam-se desprezíveis quando passamos do mundo dos átomos e das moléculas para o mundo dos objetos macroscópicos da nossa realidade. Mesmo assim, era impossível não ver que as coisas haviam mudado, que a nova física demandava um novo modo de pensar em que o fator humano não podia ser simplesmente esquecido.

De forma surpreendente e brilhante, o austríaco Kurt Gödel trouxe o elemento humano à matemática. Em 1930, com apenas 23 anos, o enigmático especialista em lógica provou dois teoremas que demonstraram, em essência, que a matemática ou, mais precisamente, qualquer sistema formal adequado para aplicações na teoria dos números não era autônomo, necessariamente incluindo uma asserção que não pode ser provada e cuja negativa também não pode ser provada. Como corolário (seu segundo teorema), Gödel mostrou que a própria consistência de um sistema formal não pode se provada usando as regras do próprio sistema. Em outras palavras, o sonho de se construir a matemática como um sistema lógico completo e autônomo, dividido por alguns dos maiores matemáticos de todos os tempos, foi sumariamente destruído. Mesmo que fosse sempre possível suplementar o sistema incompleto com axiomas adicionais de modo a obter sua consistência, como foi feito em vários casos, a incompletude não podia ser driblada. Os resultados de Gödel danificaram irremediavelmente a aura de perfeição e beleza que havia inspirado as várias manifestações do idealismo platônico durante milhares de anos. A represa talvez não houvesse cedido por completo, mas as rachaduras estavam expostas para quem quisesse vê-las.

O alvo principal de Gödel foi a obra monumental de Bertrand Russell e Alfred North Whitehead, o *Principia Mathematica*, produzida entre 1910 e 1913, na qual os autores tentaram construir toda a matemática a partir de algumas regras básicas da lógica. O projeto era a encarnação mais perfeita do racionalismo. Seu objetivo era mostrar que a manipulação de certos símbolos, dotados de regras preestabelecidas, poderia recriar o pensamento matemático por inteiro. Gödel trocou símbolos por números, mostrando que os padrões simbólicos do *Principia* podiam ser representados por padrões numéricos, como cálculos envolvendo números. Como o trabalho de Russell e Whitehead era autorreferencial (fechado sobre si mesmo como a mítica serpente Ouroboros, que engole seu próprio rabo), Gödel mostrou que o projeto sofria do mesmo problema explorado em antigos paradoxos da lógica, como o famoso paradoxo do mentiroso: "Essa asserção é falsa."

Vemos logo que esse tipo de paradoxo em lógica cria uma espécie de beco sem saída: por um lado, a asserção não pode ser verdadeira, pois, caso seja, afirma que é falsa; e, por outro, também não pode ser falsa, pois, caso seja, afirma a verdade. Gödel mostrou que era possível escrever uma fórmula usando as premissas do *Principia* que era autocontraditória: "Essa fórmula não pode ser provada usando as regras estabelecidas no *Principia Mathematica*."[14] Posso imaginar o desapontamento de Russell e Whitehead, cuja intenção era justamente livrar a matemática desse tipo de ciclo vicioso. Como escreveu Hofstadter, "Com tremenda ousadia, Gödel invadiu a fortaleza do *Principia Mathematica*, deixando-a em ruínas".[15]

A matemática traz nos seus fundamentos as sementes de seus limites. Essa é a conclusão do trabalho de Gödel, que certamente feriu o orgulho de muitos que acreditavam que a matemática fosse expressão de verdades absolutas, acessíveis à mente humana.[16] Como escreveu Rebecca Goldstein em seu livro *Incompletude*, que apresenta a vida e obra de Gödel de forma extremamente clara e acessível, a percepção dos teoremas vai contra o pensamento do próprio Gödel, que era um ardente defensor do platonismo mais puro. Goldstein comenta que algo semelhante ocorreu com Einstein, que, mesmo após a revolução quântica, continuou acreditando em uma realidade física independente da mente humana (ver Parte II) e cuja teoria da relatividade é frequentemente vista como indo contra essa perspectiva realista, dado que introduz o fator humano (ao menos o referencial do observador) na descrição quantitativa do mundo.[17] Para Einstein, a Natureza existia "lá fora"; para Gödel, a pureza da matemática existia "lá fora". Para ambos, a contradição entre o realismo e o idealismo e as consequentes limitações ao conhecimento impostas pelo idealismo eram inaceitáveis. Nossas mentes não deveriam ditar como deve ser o mundo "lá fora".

Embora tanto Einstein quanto Gödel tenham sido pensadores revolucionários, ambos passaram as últimas décadas de suas vidas exilados intelectualmente, restringindo seu contato profissional e social quase que exclusivamente aos passeios diários que faziam juntos pelos arredores de onde trabalhavam, o Instituto de Estudos Avançados, em Princeton. Talvez, especula Goldstein, tenha sido esse exílio intelectual, de natureza tão semelhante, que uniu os dois em uma amizade que persistiu até a morte de Einstein, em 1955.

* * *

Cinco anos após a publicação do trabalho de Gödel, Alan Turing, na Inglaterra, introduziu o que hoje chamamos de máquina de Turing, um instrumento capaz de manipular símbolos registrados em uma fita, seguindo um certo número de regras. Uma máquina de Turing é, essencialmente, um computador idealizado, equipado com um programa e memória ilimitada. Na prática, por um tempo finito e com memória suficiente, a maioria dos computadores trabalha como se fossem máquinas de Turing. O aparelho e a fita são o que chamamos de hardware — a porção mecânica da máquina —, enquanto o conjunto de regras que controla o seu funcionamento é o programa ou o algoritmo. Turing mostrou que qualquer máquina de Turing sofre do chamado "problema de parada" ("halting problem" em inglês), sua inabilidade de determinar se um programa arbitrário para ou se continua rodando indefinidamente. Claro, para alguns programas a resposta é óbvia, como no caso da linha de programa "imprima 'Ilha do Conhecimento'". A máquina imprime a afirmação e termina sua função. Em outros casos, ocorre o oposto: "enquanto (verdade) continuar" — onde "(verdade)" é uma afirmação, ou lista de afirmações, identificadas como verdadeiras, por exemplo, um número mais ele mesmo = duas vezes o número —, esse programa vai continuar adicionando número após número sem parar, ou até que a máquina quebre ou a energia acabe. Para programas mais complexos, a decisão de parar ou não é bem mais problemática.

O problema de parada de Turing representa um problema "indecidível", semelhante ao paradoxo do mentiroso. Essa é, também, a origem de sua conexão com os teoremas da incompletude de Gödel. Turing mostrou que é impossível construir um único algoritmo capaz de levar a uma resposta afirmativa ou negativa sobre a parada do programa. Com isso, sempre existirão proposições cuja verdade ou falsidade não pode ser decidida em um número finito de passos. Se a matemática tem uma estrutura axiomática baseada em certas regras simbólicas, Gödel e Turing responderam às três famosas questões formuladas em 1928 pelo matemático David Hilbert de forma dramática — e na negativa: a matemática enquanto estrutura formal *não* é completa, *não* é autoconsistente e *não* é decidível. Em outras palavras, a mecanização do pensamento humano a partir de uma sequência fixa de regras lógicas é mera fantasia.

Se essa conclusão é decepcionante para aqueles que nutrem sonhos de um domínio platônico em que residem verdades matemáticas eternas, para outros ela é profundamente inspiradora, revelando a incrível plasticidade da criatividade humana. A rachadura na represa da perfeição matemática expõe nossa fragilidade, enobrecendo ainda mais nossos esforços de expandir a Ilha do Conhecimento. Gödel e Turing revelaram ao mundo a natureza complexa do conceito de verdade na matemática e, por consequência, do conceito de verdade em geral. Nem sempre é possível responder a uma questão seguindo regras fixas. Algumas questões são "indecidíveis". Na linguagem que temos usado aqui, a verdade ou a falsidade de certas proposições é incognoscível. Ao menos dentro de nossas construções lógicas atuais, não podemos conceber um sistema de conhecimento formalmente completo. Parte de nossa criatividade não segue regras ou, se as segue, não são regras que se encaixam nos parâmetros rígidos da lógica. Para os fãs de *Jornada nas estrelas*, isso significa que nunca seremos como o dr. Spock e seus companheiros vulcanos. Que alívio descobrir que não somos escravos de um processo intelectual formal! É justamente essa limitação, e os inesperados espaços criativos os quais permite, que torna nossa busca pelo conhecimento tão imprevisível e estimulante. A incompletude libera nossa criatividade.

31 Sonhos sinistros de máquinas transumanas ou o mundo como informação

(Onde examinamos se o mundo é informação, a natureza da consciência, e se o que chamamos de realidade não passa de uma simulação)

As limitações da matemática como um sistema formal completo afetam outra área essencial do conhecimento: a relação entre as máquinas e a inteligência humana, uma questão científica que é tão profunda quanto misteriosa. Será que um dia máquinas serão capazes de pensar como nós, de serem criativas, inovadoras, em vez de simplesmente seguirem instruções em um programa? Até que ponto a mente humana, em toda a sua complexidade, pode ser modelada, sua essência capturada e implementada em máquinas não biológicas?

Essas questões podem gerar (e geram) muitos livros e não poderemos tratar de todas as suas facetas aqui. Meu objetivo, neste capítulo, é explorar, mesmo que parcialmente, como podem informar nossa discussão sobre os limites do conhecimento e seu impacto na nossa busca por sentido.

Nos parágrafos finais do livro *A prova de Gödel*, Ernest Nagel e James Newman argumentam que os teoremas de incompletude implicam que computadores, ao menos como eram entendidos na época (o livro foi publicado em 1958), não seriam capazes de emular a mente humana: "Não existe uma possibilidade imediata de substituirmos a mente humana por robôs."[18] Os autores notam que, independentemente de sua velocidade de cálculo e capacidade de armazenamento de dados, máquinas seguem instruções lineares, usando uma lógica baseada em um método axiomático fixo (o programa e sua sintaxe) que, como Gödel havia mostrado, era incapaz de resolver inúmeros problemas na teoria de números, muitos deles acessíveis ao cérebro humano. Nos últimos cinquenta anos, com o desenvolvimento de autômatos celulares, computação paralela, redes neurais e outros métodos computacionais, a distância entre o cérebro humano e a inteligência artificial certamente diminuiu. Apesar disso, continuamos sem uma "possibilidade imediata de substituirmos a mente humana por robôs".

Máquinas são hoje capazes de sobrepujar humanos em muitas tarefas que aparentam usar a inteligência. Por exemplo, em 1997, o supercomputador da IBM Deep Blue venceu o campeão mundial de xadrez Garry Kasparov. Em 2011, o supercomputador Watson, também da IBM, venceu os campeões Brad Rutter e Ken Jennings no jogo *Jeopardy!*, popular na TV americana, em que os competidores devem adivinhar qual a pergunta para respostas que pedem por conhecimento geral. Mesmo que tais feitos sejam impressionantes para alguns e preocupantes para outros, as vitórias dos computadores não precisaram de um raciocínio que demonstre uma capacidade de reflexão individual ou de uma criatividade espontânea: apenas de programas extremamente sofisticados, aliados a uma velocidade vertiginosa de cálculo e acesso a enormes bancos de dados (o Watson, por exemplo, tinha acesso a 2 milhões de páginas de conteúdo, incluindo toda a Wikipedia). Mais do que uma demonstração de inteligência baseada em silício, o triunfo dessas máquinas é uma demonstração da criatividade humana.

Existem níveis diferentes de inteligência e não há dúvida de que vários aspectos do funcionamento do cérebro humano têm sido emulados com sucesso em plataformas artificiais. Mas a chamada inteligência artificial "forte", significando inteligência legítima em uma máquina, continua um objetivo distante. Uma das razões é que não sabemos o que é inteligência ou como o cérebro humano (e, até certo ponto, os cérebros de outros animais capazes de comportamentos mais sofisticados) é capaz de exibi-la. Se a inteligência é simplesmente produto dos detalhes da arquitetura cerebral, incluindo as incontáveis (trilhões) ligações sinápticas entre os quase 100 bilhões de neurônios, então é razoável supor que, no futuro, será possível atingir a inteligência artificial forte. Seguindo essa linha de raciocínio, nada impede que máquinas até suplantem a inteligência humana. Tal conjectura iniciou a pesquisa em inteligência artificial forte em uma conferência aqui em Dartmouth, em 1956: "Todos os aspectos de como o cérebro aprende e de qualquer outra propriedade da inteligência podem ser descritos de forma tão precisa que uma máquina poderá simulá-los."[19] Por outro lado, se a inteligência e o consciente humano dependem de algo mais, como algum princípio ou princípios organizacionais ainda desconhecidos, a proposta de construir máquinas pensantes a partir de uma proposta reducionista não terá sucesso.

Portanto, a possibilidade de construirmos máquinas pensantes depende de como funciona o cérebro e da natureza da mente humana. O problema, e o grande desafio, é que não existe um consenso sobre essas questões. A suposição dos proponentes da inteligência artificial forte, conhecida como "computacionalismo", é que o cérebro pode ser decodificado, que todas as suas funções dependem de forma direta de como os neurônios se comunicam entre si e de como funcionam em grupos: não há nada de misterioso na mente, apenas nossa ignorância dos detalhes de seu funcionamento, dos seus princípios organizacionais. Os otimistas, que incluem o famoso inventor Ray Kurzweil, o especialista em robótica Hans Moravec e o especialista em cibernética Kevin Warwick estão convencidos de que, em um futuro próximo, computadores serão capazes de simular o cérebro humano. E de ultrapassá-lo.

Em 1965, Gordon Moore, cofundador da Intel, obteve uma lei empírica, hoje conhecida como lei de Moore: o número de transistores em circuitos integrados dobra aproximadamente a cada dois anos. Adaptando a lei para a tecnologia moderna, que usa microprocessadores digitais, Kurzweil extrapolou que por volta de 2029 computadores pessoais terão capacidade de processamento equivalente à do cérebro humano. Mais dramaticamente, Kurzweil especulou que em 2045 inteligências artificiais irão suplantar a mente humana, definindo um novo período na história coletiva da humanidade chamado de "singularidade" pelo escritor de ficção científica Vernor Vinge.

Quando fazia meu pós-doutorado no Fermilab, tive a oportunidade de ouvir uma apresentação de Marvin Minsky, um dos pioneiros da inteligência artificial forte e signatário da famosa declaração de Dartmouth de 1956. Na palestra, Minsky apresentou seus argumentos de por que acreditava que máquinas em breve iriam pensar (isso foi em 1986). Perguntei se, nesse caso, iriam também desenvolver patologias mentais, como depressão e doença bipolar. Sua resposta, para minha surpresa, foi um categórico "Sim!". Meio que brincando, perguntei então se seriam necessários terapeutas para essas máquinas. Sua resposta, mais uma vez, foi um categórico "Sim!". Imagino que esses terapeutas seriam programadores especializados, treinados na psicologia das máquinas. Ou, talvez, outras máquinas.

Por outro lado, poderíamos argumentar, contra as respostas de Minsky, que se conhecêssemos o cérebro humano a ponto de podermos simulá-lo em máquinas seríamos, também, capazes de identificar a origem genética, química e estrutural dessas e de outras patologias (todas?), podendo, assim, tratá-las diretamente, "reprogramando" os cérebros de forma a restituir sua saúde mental. (Para tal, teríamos que definir e identificar ao nível neuronal o que significa um cérebro saudável, um outro desafio.) Aliás, esse tipo de aplicação em medicina é um dos objetivos principais de recriar o comportamento do cérebro em computadores. Com isso, teríamos um laboratório para testar tratamentos e medicamentos sem o uso de pacientes humanos. Essa possibilidade, claro, supõe que a essa altura as máquinas não nos tivessem deixado para trás.

Ao menos por enquanto, esses sonhos sinistros de máquinas transumanas são mais mito do que realidade. Para começar, a lei de Moore não é uma lei da Natureza, apenas refletindo a velocidade com que a tecnologia de processamento de dados avança, outro triunfo da criatividade humana. Em algum momento, devemos esperar que comece a falhar, dadas as limitações físicas dos processos digitais de computação e de miniaturização de componentes. Se, por outro lado, o mito se tornar realidade, teríamos muito o que temer dessas entidades digitais capazes de escrever seus próprios programas. Quais os valores morais que tais máquinas teriam (se é que teriam algum)? Será que a humanidade se tornaria obsoleta, um obstáculo no desenvolvimento dessas novas inteligências? Kurzweil e outros acreditam que sim e veem isso como algo positivo. Conforme escreveu em seu livro *A singularidade está próxima*, mal pode esperar para se tornar um humanoide parte máquina, parte biologia.[20] Outros (presumivelmente os médicos, dentistas, atletas, modelos etc.) não veem o descarte de nossas carcaças de carbono com o mesmo entusiasmo. Nada garante que as máquinas terão interesse em combinar-se conosco. Fora isso, como entender o cérebro sem o corpo? Talvez essa separação não faça o menor sentido, dada a profunda integração entre um e outro. Afinal, uma boa fração do cérebro humano (e o dos animais) é dedicada ao funcionamento do corpo e do nosso aparato cognitivo. Como o cérebro se comportaria sem as funções corriqueiras ligadas ao funcionamento do corpo? Será que uma inteligência "pura" pode existir, dedicada apenas ao processamento de funções cognitivas superiores — um cérebro em uma jarra? E até que ponto esse tipo de cérebro teria empatia ou mesmo compreensão do que significa ter um corpo, ter um metabolismo?

* * *

Mesmo que altas velocidades de processamento e acesso a enormes bancos de dados possam ajudar muito na simulação de certos aspectos de nossos cérebros, esses atributos, por si sós, estão longe de poder recriar a totalidade das experiências mentais que chamamos de "mente". Podemos programar uma máquina para reconhecer o estilo de pintores diferentes e até para ter algum senso do valor estético de obras de arte. Máquinas podem até produzir pinturas seguindo as técnicas de um determinado artista ou compor música no estilo de Bach ou Mozart. Podemos treinar computadores para que simulem uma reação que identificamos como sendo "emocional" ao receber a informação digitalizada de um quadro novo (uma máquina não "vê") ou uma sinfonia (tampouco "ouve"). Mas essas reações não são genuínas; de certa forma, já estão na máquina, implantadas no seu programa. O desafio, a questão que permanece em aberto, é o que diferencia a resposta de indivíduos a uma obra artística. O que personaliza nossos sentimentos, nossas respostas a estímulos sensoriais que têm conteúdo emocional? Por que você é você?

O conceito essencial em qualquer argumento sobre o funcionamento da mente se resume a uma palavra: informação. Tudo o que existe no mundo pode ser considerado informação, codificada de forma diferente, a partir dos átomos que compõem as entidades materiais do cosmos. Em princípio, o cérebro não é uma exceção. Se os computacionalistas estão corretos, deve existir um caminho reducionista para a mente, baseado na decodificação metódica do cérebro: seus vários neurônios, conectados desta e daquela forma, os transmissores neurais fluindo de sinapse em sinapse etc. Uma vez que essa informação toda é obtida, pode ser implementada em uma estrutura adequada que simule as redes neurais do cérebro, de forma a criar uma mente artificial — tal qual uma casa, construída a partir da fundação e das paredes, para então incluir a fiação elétrica, os encanamentos, o teto e, como toque final, a decoração. A suposição fundamental da comunidade que busca pela inteligência artificial forte é que, uma vez que o cérebro é simulado da forma "correta", a mente emergirá naturalmente. Obviamente, não temos qualquer evidência empírica apoiando tal suposição, pelo contrário: quando refletimos sobre a complexidade da questão e do pouco que conhecemos sobre o funcionamento do cérebro e da natureza do consciente humano, concluímos que é mais uma crença do que uma posição científica.

Os supercomputadores modernos são capazes de realizar um número gigantesco de operações por segundo (*ops*). O recorde atual (registrado em julho de 2013) é detido pelo Titan, produzido pela Cray, com 17,59 mil trilhões de ops, ou 17,59 petaflops.[21] (O prefixo "peta" significa o número um seguido de quinze zeros, representado matematicamente como 10^{15}.) O Titan possui mais do que meio milhão de processadores (compare isso com um laptop e seu processador dual), divididos entre as CPUs usuais e os cartões de processamento gráfico (GPUs), populares em computadores usados em videogames. A máquina ocupa pouco mais de 370 metros quadrados e usa energia equivalente à dispendida em 9 mil casas. (E isso torna o Titan extremamente eficiente em termos de consumo de energia, ao menos quando comparado aos seus competidores.) Seu poder de processamento equivale a toda a população da Terra fazendo 3 milhões de cálculos por segundo.

A expectativa da comunidade é que os supercomputadores em breve irão ultrapassar a marca dos exaflops, ou 1 milhão de trilhão de ops. (O prefixo "exa" denota o número um seguido por dezoito zeros, ou 10^{18}.) Otimistas, como o neurocientista Henry Markram, acreditam que esse marco na história da computação será atingido em 2018, ou ainda antes disso. Markram recebeu recentemente 1 bilhão de euros da União Europeia para liderar o Projeto Cérebro Humano ("Human Brain Project"), um esforço conjunto de uma dezena de organizações e institutos de pesquisa com o objetivo de criar uma simulação realista do cérebro humano. O projeto combina a neurociência mais avançada com tecnologia computacional de ponta para implementar, ou ao menos tentar implementar, os inúmeros detalhes da arquitetura cerebral em um gigantesco programa de computador. Isso significa incorporar os detalhes de *cada* célula (não existem dois neurônios idênticos), incluindo sua morfologia, conectividade, estrutura tridimensional e comunicação intrassináptica — até o nível mais básico das moléculas neurotransmissoras através dos canais de íons — para a organização neuronal em grupos espalhados pelo volume do cérebro.

As estimativas atuais sugerem que o custo computacional dessa megassimulação está na marca dos exaflops: se Markram e os computacionalistas tiverem sucesso, máquinas com essa capacidade computacional serão capazes de simular algo semelhante a um cérebro humano. Existem duas suposições essenciais: primeira, que no cérebro o hardware cria o software; segunda, que teremos os detalhes de todas as variáveis fisiológicas que existem no cérebro, para que possam então ser adicionadas à simulação.

A primeira suposição parece razoável; afinal, o que mais pode haver no cérebro, fora o hardware composto pelos neurônios e suas conexões sinápticas? Imaginar que existe algo além do material é reverter a um dualismo cartesiano, supondo algo como uma alma. Isso cria uma série de problemas, começando com a questão da imaterialidade da alma: se a alma não é material, como pode interagir com o que é material? Se ela interage com o mundo material, deve, de alguma forma, trocar energia com a matéria. Esse tipo de troca energética forneceria um sinal detectável de sua existência, indicando que a alma, ou ao menos parte dela, é material. Não temos qualquer evidência disso.

Poucos cientistas e filósofos defendem que o cérebro tenha um componente imaterial. Mesmo assim, cientistas e filósofos estão divididos em relação à nossa capacidade de compreender nosso próprio consciente. Obviamente, Markram e outros neurocientistas acreditam que a mente e a natureza da consciência humana possam ser compreendidas a partir de uma metodologia reducionista, partindo do mais simples para o mais complexo. Já os filósofos Thomas Nagel e Colin McGinn, o linguista Noam Chomsky, o psicólogo evolucionário Steve Pinker, o físico Roger Penrose e outros, conhecidos conjuntamente como os "Novos Misteriosos" ("New Mysterians"), adotam uma posição mais sutil. Segundo eles, em conceito articulado mais claramente por Colin McGinn, somos "cognitivamente fechados" para compreender a natureza da consciência humana: da mesma forma que um rato jamais aprenderá a recitar poemas, devido à arquitetura e funcionalidade de seu cérebro, nós humanos temos nossas próprias limitações, dentre elas a compreensão de nossa própria mente.

Essa noção não é nova. Em seu livro *Linguagem e problemas do conhecimento*, Noam Chomsky mostra como a limitação cognitiva dos animais determina suas habilidades funcionais: "Um cientista marciano, com uma mente diferente da nossa, poderia considerar esse problema [do livre-arbítrio] trivial, não entendendo por que os humanos o consideram tão complexo. Por outro lado, o mesmo observador extraterrestre ficaria perplexo com a facilidade com que uma criança aprende a falar, algo que, para ele, é incompreensível e que requer algum tipo de intervenção divina."[22] O filósofo Thomas Nagel explora questões semelhantes em seu famoso ensaio "Como é ser um morcego?" ("What Is It Like to be a Bat?"), argumentando que o homem é incapaz de entender a experiência do morcego de perceber a realidade externa através da ecolocação.[23] Usando a terminologia de Kant, se para um tipo de cérebro certo fenômeno é comum, para outro é impossível de ser compreendido através de experiências (*noumenon*): algumas coisas estão além da nossa habilidade de compreensão, inacessíveis às ferramentas cognitivas que usamos na percepção de fenômenos.

Ecoando Chomsky e Nagel, o "transcendentalismo natural" de McGinn não proíbe que cérebros mais avançados sejam capazes de desvendar o mistério da consciência: não é que o problema seja incompreensível a priori; é apenas incompreensível para nós, no nosso presente estado de evolução. O que para nós é mistério pode não ser para outras inteligências.

Eis como o eminente físico vitoriano John Tyndall, em discurso proferido em 1868 para a Associação Britânica para o Avanço da Ciência, considerou a questão da consciência:

A passagem da física do cérebro para os fatos da consciência é impensável. Mesmo que um determinado pensamento e uma ação molecular no cérebro ocorram simultaneamente, não temos o órgão intelectual, nem mesmo os seus rudimentos, para podermos formular racionalmente a passagem de um fenômeno a outro. Os dois aparecem juntos, mas não sabemos por quê. Se nossas mentes e sentidos fossem devidamente expandidos, fortalecidos e iluminados de forma a ver e a sentir as várias moléculas no cérebro, se pudéssemos seguir seus movimentos, seus agrupamentos, todas as suas descargas elétricas, e se tivéssemos uma percepção profunda dos estados mentais relacionados ao pensamento e às emoções, continuaríamos sem nos aproximar da solução do problema. Como esses processos físicos se relacionam com os fatos da consciência? O vão entre as duas classes de fenômenos continuaria sendo intransponível [...] Vamos supor, por exemplo, que a consciência do amor esteja relacionada com um movimento em espiral no sentido anti-horário das moléculas no cérebro, enquanto a do ódio tem relação com um movimento em espiral no sentido horário. Com isso, saberíamos que, quando amamos, o movimento molecular ocorre em uma direção, ao passo que, quando odiamos, tal movimento se dá na direção oposta. Mas o porquê continuaria tão misterioso quanto antes.[24]

Tyndall não apoiaria o projeto de Markram. A essência do argumento dos Novos Misteriosos é que, dada a nossa capacidade intelectual, alguns problemas são simplesmente complexos demais para que possamos resolvê-los. Esses mistérios estão relacionados diretamente com os limites do conhecimento e, em alguns casos, com a existência de questões irrespondíveis, regiões do incognoscível em meio ao Oceano do Desconhecido. A natureza da consciência humana é uma delas.

A crítica dos Novos Misteriosos ao computacionalismo é, em essência, a seguinte: não devemos confundir a *fisiologia* do pensamento — a coreografia dos neurônios, o fluxo de neurotransmissores através de sinapses — com a *substância* do pensamento. Conforme escreveu recentemente McGinn, "Quando você olha para um quadro ou lê um poema, não há dúvida de que o cérebro passa por uma ativação eletroquímica; mas o quadro ou o poema não estão *no* seu cérebro [...] As obras de arte são o *objeto* do ato mental de apreensão, não o ato mental em que são apreendidos".[25] Ou seja, existe uma diferença essencial entre a atividade mental e a experiência que temos dessa atividade.

McGinn e os outros Misteriosos argumentam que a bola está no campo dos computacionalistas; eles é que devem demonstrar que as experiências relacionadas com diferentes estados mentais podem ser diretamente relacionadas com o fluxo de ativação neuronal no cérebro, incluindo a experiência da subjetividade. McGinn considera a missão impossível: a percepção necessariamente incompleta que temos do cérebro limita a nossa habilidade de compreendermos o seu funcionamento. A consciência não é uma qualidade observável, que podemos analisar quantitativamente, como o spin do elétron ou a polarização de um fóton; não está *nessa* ou *naquela* parte do cérebro, tampouco ocorre devido a um processo neuronal específico. Sua característica essencial é ser elusiva.

O problema da consciência é tão complexo que nem mesmo tem uma formulação consistente. O filósofo australiano David Chalmers, professor na Universidade de Nova York, deu-lhe até um nome, "o difícil problema da consciência", para distingui-lo dos outros problemas mais "fáceis", como a diferença entre estar acordado e dormindo ou como a informação sensorial é processada cognitivamente.[26] É óbvio que os problemas "fáceis" são extremamente complicados. A diferença é que são acessíveis aos métodos usuais das ciências neurocognitivas, enquanto o problema "difícil" não é. Embora a maioria dos cientistas e filósofos concorde que entender a consciência é deveras difícil (a menos que desconsiderem o problema por completo), alguns argumentam que, mesmo considerando as limitações cognitivas de nossos cérebros, não podemos ter certeza de que, com efeito, somos incapazes de entender o funcionamento da mente e a natureza da consciência.[27]

De qualquer forma, esses são argumentos essencialmente filosóficos. Mesmo que alguns sejam bem convincentes e o debate essencial, não podemos aceitá-los como prova definitiva. Na ausência do que os físicos chamariam de um "teorema de impedimento" (em inglês, "no-go theorem"), fica difícil determinar com certeza quais questões são absolutamente irrespondíveis. "Nunca" é uma palavra perigosa em ciência. Para tentarmos avançar, talvez seja útil mudar de rumo e tentar relacionar o problema da consciência com a questão da natureza da realidade.

* * *

A questão da consciência está profundamente relacionada com a noção de realidade. Mesmo que outros animais tenham algum nível de consciência e interajam ativamente com a realidade física, somos aparentemente a única espécie terrestre que tem autoconsciência e uma capacidade cognitiva suficientemente complexa para contemplar a natureza da consciência, mesmo se continuamos sem entendê-la. Em outras palavras, somos a única espécie capaz de refletir sobre a própria existência.

Existimos em um mundo que acreditamos ser real. Por "real" quero dizer um mundo que não é fabricação das nossas mentes, que tem uma existência que independe da nossa percepção. Essa crença vem da integração de estímulos oriundos "lá fora", no mundo externo, levados ao mundo interior e lá interpretados, o mundo da nossa consciência. Com isso, vou contra a posição do idealista radical, que acredita que apenas a mente existe e que a realidade "lá fora" é uma ilusão (doutrina chamada de solipsismo). A realidade "lá fora" existe, mesmo que sua natureza dependa de como a percebamos "aqui dentro". A dor que sentimos ao chutar uma pedra (a pedra está no caminho, mesmo que a experiência da dor seja única para cada indivíduo) ou os bilhões de anos de história cósmica sem a existência de mentes (a inteligência, nossa ou qualquer outra, demora um tempo para evoluir) são, para mim, evidências suficientes de que o mundo existe independentemente de nossa presença.

Não há dúvida de que podem existir diferenças em como percebemos o mundo lá fora; alucinações são um excelente exemplo de como a nossa percepção da realidade pode ser distorcida. Mas parece ser claro que existe *algo*, uma realidade em que funcionamos, e que nossos cérebros percebem em parte através de nossos órgãos sensoriais, nossas antenas para a realidade. Quando vejo uma bola azul rolando no chão, regiões diferentes do cérebro agem conjuntamente para criar a percepção de que uma bola (forma) azul (cor) está rolando (movimento). Esse tipo de construção é inteiramente clássico, já que efeitos quânticos não têm importância: o que chamamos usualmente de "realidade" é a realidade após a descoerência.

Qualquer aplicação de efeitos quânticos ao funcionamento do cérebro tem que lidar com o fato de que a atividade neuronal ocorre em um ambiente quente e úmido. Esse tipo de condição oferece sérios desafios à existência de estados quânticos emaranhados. Conforme argumentou o físico Max Tegmark, do Instituto de Tecnologia de Massachusetts, a descoerência é extremamente rápida no cérebro — bem mais rápida do que as escalas de tempo envolvidas na ativação e desativação de neurônios.[28] Mesmo que possam existir outros mecanismos nos quais a física quântica tenha um papel no funcionamento do cérebro — por exemplo, no abrir e fechar de portões sinápticos ou na otimização do transporte de energia através de sinapses —, tais efeitos *provavelmente* não nos ajudarão a compreender como a consciência emerge da atividade neuronal. Grifo o "provavelmente" porque é prudente mantermos a mente aberta, dado o pouco que conhecemos do funcionamento microscópico do cérebro ao nível celular e microscópico.

Se considerarmos que a consciência é uma entidade clássica e que nossa concepção da realidade vem da integração de nossas interações sensoriais com o mundo, suplantada por nossas memórias, como nos certificar de que a realidade é real?

Vimos que o que chamamos de "realidade física" depende de forma essencial de como olhamos para o mundo e do quanto conhecemos do mundo. Para os gregos, e até o século XVI com Copérnico, o cosmos era geocêntrico e finito, delimitado pela esfera das estrelas fixas. Essa era a "realidade" de então e sua estrutura vertical tinha profundas consequências teológicas, que determinavam como as pessoas viviam: a estrutura da realidade definia os valores morais que guiavam as escolhas de cada um. Com as descobertas de Hubble no final da década de 1920, o cosmos passou a ser uma entidade dinâmica, em expansão. Consequentemente, mudou também a natureza da realidade. O cosmos ganhou uma história, uma narrativa que espelhava a vida de cada indivíduo, com um começo, um meio e, presumivelmente, um fim.[29] Continuamos tentando entender o que significa viver em um Universo com uma história.

Se até o início do século XX a religião determinava em grande parte como a maioria das pessoas vivia (e, para muitos, continua a fazê-lo), tendo, assim, um enorme impacto emocional e existencial na sociedade, nos nossos tempos é a ciência que vem adquirindo esse papel. Na visão moderna, é a ciência que determina o que chamamos de realidade física. O surpreendente é que não podemos determinar sua natureza de forma definitiva. Querendo ou não, para além das certezas científicas, existe um mundo de mistério. Neste livro, exploramos como a ciência tem limitações intrínsecas, que determinam nossa descrição do mundo natural.

Vimos, também, como nossa visão de mundo muda com o avanço dos nossos instrumentos de exploração e da evolução conceitual de nossas teorias. Consequentemente, nossa concepção da realidade está sempre em fluxo. A natureza do espaço e do tempo, a concepção do que é a matéria, a importância do conceito de campo e até mesmo a existência do nosso Universo como entidade única — todas essas peças essenciais com que descrevemos a realidade e que os filósofos chamam de nossa ontologia são, por necessidade, conceitos transicionais. *A própria natureza do questionamento científico, sempre evoluindo, sempre sob revisão, implica a natureza transitória da nossa compreensão da realidade.* Consequentemente, não podemos afirmar o que é a realidade de forma definitiva. O melhor que podemos fazer é descrever a natureza da realidade como a conhecemos hoje. Amanhã, com novas descobertas, ela poderá se transformar. Aqueles que se apegam à noção de que um dia chegaremos à essência fundamental da realidade são vítimas do que chamo de Falácia das Respostas Finais, que, desde os tempos de Tales, vem tendo um papel nem sempre ilustre na história do conhecimento.

Existe uma outra razão, bem mais perversa, que sugere a impossibilidade de compreendermos a essência fundamental da realidade. Fora as limitações que encontramos quando tentamos descrever o mundo, é possível que sejamos vítimas de uma zombaria de proporções realmente cósmicas: a realidade, ou o que achamos que ela seja, poderia simplesmente ser uma gigantesca simulação, sofisticada o suficiente para nos enganar. Dado que nossa percepção da realidade é limitada pelo aparato cognitivo humano e pela precisão de nossos instrumentos, não seria possível criar uma cópia da realidade tão convincente que seria praticamente indistinguível da original? Em outras palavras, será que vivemos em uma realidade simulada e o que chamamos de realidade não passa de um enorme programa de computador?

Primeiro, temos que concordar que o ponto de partida é a realidade conforme a percebemos, isto é, a realidade que inferimos quando nossos cérebros integram os estímulos sensoriais. Com isso, simulações precisam apenas repetir o nível de detalhe com que percebemos o mundo, sendo desnecessário ir muito além disso.[30] Na prática, podemos dispensar detalhes que não serão notados. Essa seria a realidade dos Acorrentados da caverna de Platão e também a nossa. Claro, a simulação teria que levar em conta a precisão dos nossos instrumentos de exploração, pois estes aumentam o nível de detalhe com que percebemos o mundo. Para continuar a nos iludir, a simulação precisaria aumentar sua precisão à medida que nossos instrumentos vão evoluindo.

Em 2003, o filósofo Nick Bostrom publicou um ensaio em que considerava a possibilidade de estarmos vivendo em uma simulação.[31] Supondo que civilizações pós-humanas (que presumivelmente emergem após a singularidade de Kurzweil, possuindo a abertura cognitiva para solucionar a questão da consciência) teriam recursos computacionais imensuravelmente superiores aos nossos, Bostrom conclui que a questão sobre se estamos ou não vivendo em uma simulação tem três respostas, duas negativas e uma positiva: (1) A civilização humana jamais chega à fase "pós-humana", extinguindo-se antes disso (cenário apocalíptico); (2) Civilizações pós-humanas não têm interesse em simulações de seus antepassados (cenário psicológico); (3) *Estamos* vivendo em uma simulação. Dado o nível de nossa ignorância atual, Bostrom sugere que as três possibilidades têm a mesma chance. Se a resposta for (3) e estivermos vivendo em uma simulação, nossa preocupação com o mistério da consciência é semelhante a uma marionete que se pergunta quem move as cordas responsáveis pelos seus movimentos. A suposição de Bostrom, a mesma de muitos livros e filmes de ficção científica que exploram esse tema (sendo a história mais famosa a do filme *Matrix*, dos irmãos Wachowski), é que, com poder suficiente de computação, a realidade pode ser simulada de forma a nos iludir completamente: seguimos achando que nossas vidas são reais, que a realidade que percebemos é real quando, na verdade, estamos dentro de um gigantesco videogame.[32]

Existe um cenário ainda pior. No caso de Bostrom, seríamos ainda criaturas de carne e osso, iludidas pela simulação: estímulos sensoriais estariam sendo captados pelos nossos sentidos. No entanto, uma simulação realmente poderosa não precisa de estímulos externos: os estímulos podem ser internos, incluindo nosso pensamento e nossos sonhos. Essa simulação seria capaz de imitar a experiência de incontáveis estados mentais, incluindo a simulação da consciência. Seríamos criaturas completamente virtuais. Será que nossa perplexidade sobre a natureza da consciência vem do fato de ela ser uma simulação e, portanto, impenetrável ou mesmo mágica para nós?

Nesse cenário, seríamos apenas personagens em uma simulação. À primeira vista, pode parecer absurdo. Mas considere o videogame *The Sims*, extremamente popular no mundo inteiro. O nome do jogo já indica que é uma simulação — nesse caso, de uma série de personagens engajados nos afazeres do dia a dia, como estabelecer relações interpessoais, ir à escola, ter filhos, cuidar deles, praticar esportes etc. O jogador controla os personagens, ditando os detalhes de suas "vidas". Obviamente, no nível de sofisticação atual do jogo, os personagens não têm a menor consciência do que são ou do que fazem. Agora, imagine uma versão futura do jogo em que os personagens são autoconscientes. Acreditam que existem de fato e que o ambiente em que "vivem" é real. Os "jogadores" podem controlar o nível de autoconsciência dos personagens, do mais primitivo ao mais sofisticado. Após um determinado nível de sofisticação, os personagens passam a acreditar que são reais, que suas vidas são reais. Nesse caso, até mesmo o seu livre-arbítrio seria parte do programa, uma ilusão de liberdade que, de fato, não existe. Esse jogo simularia nossa existência por completo, incluindo nossa autoconsciência. E não teríamos a menor ideia disso.

Existe algo de alarmante em supor que não somos mestres das nossas vidas, apenas marionetes nas "mãos" de outros mestres. Por outro lado, não podemos considerar a situação triste ou trágica, já que os personagens (nós!) não saberiam de sua escravidão: tal como nós, se achariam livres, donos do seu destino. Seria possível construir uma simulação desse tipo, em que a percepção completa da realidade, nossos pensamentos, as alegrias e tristezas da vida de cada um, nossas experiências subjetivas, seria uma construção artificial, obra de inteligências superavançadas? Essa é uma questão de viabilidade, da qual uma simulação desse tipo requer.

Existe outra questão: a motivação. O que levaria inteligências superiores a criar esse tipo de simulação? Divertimento? Pesquisar outros tipos de vida, como a de seus antepassados? (Seria como se simulássemos os homens de Neandertal ou os homens das cavernas.) Será que inteligências pós-humanas reconheceriam a necessidade do humor ou da diversão? Ou será que a segunda resposta de Bostrom — que civilizações pós-humanas não teriam interesse em criar simulações de seus antepassados — é a mais razoável? (Note que as respostas de Bostrom funcionam tanto para o caso em que estamos *dentro* de uma simulação quanto para o caso mais extremo em que *somos* a simulação.)

Dada essa discussão, considero a segunda resposta de Bostrom a mais provável. Como bônus, vemos que é consistente com a noção do transcendentalismo natural de McGinn, já que nossos sucessores pós-humanos podem ter resolvido o mistério da consciência e, por isso, ter pouco interesse em simular inteligências menores como a nossa.

Para quem acredita que estamos vivendo em uma simulação, eis um ponto interessante, que torna a questão ainda mais perversa: o argumento de Bostrom é circular. Afinal, nossos mestres podem, também, ser parte de uma simulação ainda maior. Podem ter sido iludidos por inteligências ainda mais avançadas para acreditar que são os mestres quando, na verdade, são apenas marionetes como nós. E o mesmo com os mestres dos mestres: um sonho dentro de outro sonho, dentro de outro sonho... ecoando as famosas linhas do poeta Edgar Allan Poe: "Será que tudo que vemos e somos nada mais é do que um sonho dentro de um sonho?"

Se continuarmos nessa linha, por que não considerar o Universo inteiro como uma simulação gigantesca? Aqui embarcamos nos caminhos incertos da astroteologia, dado que inteligências com a sofisticação de simular universos por inteiro seriam indistinguíveis de deuses. Ou será que existem limites para simulações dessa ordem (a questão da viabilidade que levantamos acima)? Alguns cientistas, principalmente Seth Lloyd, do Instituto de Tecnologia de Massachusetts, equiparou o universo a um computador, argumentando que cada processo físico — da colisão entre dois elétrons logo após o Big Bang até a rotação da Via Láctea ou os pensamentos que você está tendo neste momento — é uma computação sendo realizada por entidades materiais, uma transferência de informação seguindo as leis da mecânica quântica: "Cada detalhe que vemos à nossa volta, cada estria em uma folha, cada impressão digital, cada estrela no céu, pode ser ligado a um processo quântico. A informação ao nível quântico programa o universo."[33]

Lloyd propõe que a rica complexidade que observamos na Natureza é produto da aliança de computadores — nesse caso, o Universo, ao processar informação com a aleatoriedade, vinda da descoerência quântica, que proporciona bits de informação capazes de gerar pequenas partes de programas. Ao contrário de macacos digitando em um computador, um processo que gera apenas ruído sem conteúdo, partes de programas de tamanhos variados gerados aleatoriamente podem, de acordo com a teoria matemática de informação algorítmica, criar "toda a ordem e complexidade que observamos".[34]

Se o Universo é um computador, será que um computador pode gerar o Universo? Para respondermos a essa pergunta, temos que considerar os limites que a física impõe sobre a quantidade de energia e de informação que a matéria pode armazenar e trocar. Esses limites são aplicáveis a qualquer inteligência que constrói um computador, humana ou extraterrestre.

Toda computação envolve a manipulação de informação em algum meio, seja este feito de matéria (como nos processadores convencionais de silício) ou de radiação (fótons). Na maioria dos casos, a computação equivale a inverter o spin de um material magnético ou algum processo semelhante. Usando física quântica, podemos estimar o número de operações lógicas elementares que um aparelho ideal (perfeito) pode realizar, dada uma certa quantidade fixa de energia. Se a energia *inteira* do aparelho (isto é, sua massa convertida em energia, segundo a relação $E = mc^2$) puder ser utilizada na computação, um laptop ideal de um quilograma pode realizar no máximo em torno de 10^{50} operações por segundo (*ops*).[35] Compare este número com a capacidade de computação da próxima geração de supercomputadores, que chegará à marca dos exaflops, ou 10^{18} ops! Mas a velocidade e capacidade de computação não é tudo. A energia e a temperatura também limitam a quantidade de informação que um aparelho pode processar e armazenar, isto é, a sua memória. Em geral, uma coleção de N sistemas, cada um com dois estados possíveis, tem um total de 2^N estados acessíveis e pode registrar N bits de informação. (Os dois estados aqui referem-se ao spin para cima e para baixo do material magnético, por exemplo.) Esse limite vem da entropia do sistema, que limita sua capacidade de armazenar informação.

Essencialmente, a entropia do sistema conta o número de estados acessíveis, isto é, o número de estados que podem ser usados para armazenar informação. Quanto maior a entropia do sistema, mais informação pode ser armazenada: um tabuleiro de xadrez com doze quadrados de lado pode "armazenar" um número bem maior de configurações do que um com seis quadrados de lado. Para nosso laptop ideal de um quilograma, esse número chega a 10^{31} bits de memória. Podemos extrapolar esses resultados para o Universo, supondo que todo ele está sendo usado em um cálculo que começou no Big Bang. Em 2002, Lloyd estimou que o Universo teria a capacidade de processar 10^{120} ops em 10^{90} bits (ou ainda mais, em 10^{120} bits, se incluirmos a interação gravitacional).[36] Esses seriam os pré-requisitos para os computadores de nossos mestres, se estão rodando uma simulação do tamanho do Universo conhecido. Talvez consigam diminuir os números, usando aproximações mais grosseiras, que dispensam detalhes imperceptíveis; mesmo assim, as quantias são absurdamente grandes. Se tentarem economizar demais, a qualidade de sua simulação ficaria comprometida e nós, os simulados, poderíamos detectar a falha no programa como algum aspecto estranho da nossa "realidade". Por exemplo, Silas Beane, Zohereh Davoudi e Martin Savage especularam que, se nossos mestres usarem uma rede quadrada para simular o Universo, uma espécie de tabuleiro de xadrez em três dimensões com cubos de um certo tamanho (como o quadrado em um tabuleiro de xadrez), a limitação mais importante seria o tamanho do cubo. Eventos físicos com energias muito altas, que naturalmente penetram até distâncias muito pequenas, poderiam atingir a resolução da simulação (o tamanho do cubo).[37]

Combinando esses argumentos com os teoremas de Gödel e Turing, e as limitações que impõem em qualquer sistema lógico autorreferencial, vemos que mesmo computadores idealizados podem apenas simular sistemas físicos dos quais não fazem parte. Mais importante ainda: os computadores falham quando tentam se incluir na simulação.[38]

Portanto, mesmo os simuladores altamente sofisticados do futuro encontrarão limites físicos restringindo o que podem fazer. Primeiro porque seu conhecimento da realidade será necessariamente limitado. Segundo porque suas simulações terão que obedecer aos limites impostos pela quantidade de energia disponível, pela velocidade de processamento e capacidade de armazenamento de dados. Uma inteligência capaz de usar o Universo inteiro como computador seria indistinguível do que hoje chamamos de Deus. Por outro lado, como já argumentamos, mesmo essa inteligência não poderia sobrepujar os limites físicos determinando o que pode ou não fazer: os simuladores não seriam deuses, afinal.

Ao continuarmos a desenvolver nosso conhecimento do Universo físico e o poder de processamento dos nossos computadores, seremos capazes de criações que hoje parecem mágicas. Como escreveu Arthur C. Clarke, "Qualquer tecnologia suficientemente avançada é indistinguível da mágica".[39] Dado que nossas construções e modelos, por melhores e mais sofisticados que sejam, são sempre aproximações da realidade, podemos nos consolar com o fato de que, tal como nossos supostos simuladores, jamais nos tornaremos deuses. As leis da Natureza e os limites do conhecimento garantem que permaneceremos humanos e falíveis.

32 Veneração e significado

(Onde refletimos sobre o desejo de saber e a condição humana)

A grandiosa narrativa da ciência deve ser celebrada como um dos grandes feitos do intelecto humano, um testemunho da nossa habilidade coletiva de criar conhecimento. A ciência responde à necessidade que temos de compreender quem somos, as nossas origens e o nosso destino, abordando questões tão antigas quanto a própria humanidade, questões que vêm inspirando o pensamento de artistas, filósofos, poetas e santos desde os primórdios da civilização. Precisamos saber quem somos; precisamos saber onde estamos e como chegamos aqui. A ciência ilumina nossa busca por sentido, expressando nossa humanidade mais profunda. Queremos luz, sempre mais luz.

Se a razão é a ferramenta que usamos na ciência, não é a sua motivação. Nosso objetivo não é apenas entender o mundo coletando dados, criando modelos. Nossa busca nos define: a paixão e o drama, os desafios, a sensação tão especial do momento da descoberta, o desespero do fracasso, a urgência que temos de prosseguir, a sensação sedutora de que sabemos tão pouco, que grandes revelações nos esperam, escondidas além da Ilha do Conhecimento, em meio ao misterioso Oceano do Desconhecido.

Procuramos compreender a Natureza da melhor forma possível, com nossos modelos e aproximações, nossas descrições, metáforas, imagens e analogias, munidos de nossas ferramentas e intuição. A ciência é uma busca sem fim, sem um objetivo final. Ao aprendermos mais sobre o mundo, confrontando teorias com dados, avançando e nos aprofundando, realizamos que nossas respostas são passos que podem ir tanto para a frente quanto para trás: a Ilha do Conhecimento ora cresce, ora diminui. Vemos sempre mais claramente, mas nunca claro o suficiente.

A esperança de que podemos atingir o conhecimento total é muito simplista. A ciência precisa falhar para avançar. Queremos certezas. Mas, para crescer, precisamos abraçar as incertezas. Estamos cercados por horizontes, pela incompletude. Vemos apenas sombras nas paredes de cavernas. Por outro lado, a existência de limites não deve ser vista como um obstáculo intransponível. Limites são oportunidades, alavancas que nos ensinam algo sobre o mundo e sobre nós mesmos, que nos incentivam a prosseguir na busca de respostas. Sem limites, não poderíamos saber quem somos, não poderíamos tentar ir além. Limites expandem as possibilidades de quem podemos ser. O mesmo processo de crescimento que vemos na ciência — para a frente, para trás, mas sempre avante — identificamos nas nossas buscas individuais. O dia em que nosso medo nos impedir de explorar o desconhecido será o dia em que pararemos de crescer.

A ciência é mais do que o conhecimento acumulado do mundo natural. É uma visão de mundo, um estilo de vida, uma aspiração coletiva de crescermos como espécie em um cosmos repleto de mistérios, de medos e de encantos. A ciência é o cobertor com que cobrimos os pés à noite, a luz que ligamos no fim do corredor, o mentor paciente que nos lembra do que somos capazes quando trabalhamos juntos. Que a ciência é usada tanto para o bem quanto para o mal não reflete a ciência em si, mas a precariedade da natureza humana, a tendência que temos tanto para criar quanto para destruir.

Ao investigarmos a Natureza e seus fenômenos, é bom lembrar que quando a Ilha do Conhecimento cresce a sua circunferência também cresce, delimitando nossa ignorância, a fronteira entre o conhecido e o desconhecido — o Oceano do Desconhecido se alimenta dos nossos sucessos. Também é bom lembrar que a ciência cobre apenas parte da Ilha, que existem muitos modos de saber e que estes podem, e devem, complementar-se e inspirar-se mutuamente. Embora as ciências físicas e sociais sejam capazes de iluminar muitos aspectos do conhecimento, não têm como missão responder a todas as perguntas. Nada diminuiria mais o espírito humano do que restringir nossa criatividade a uma única esquina do conhecimento! Somos criaturas multidimensionais e buscamos respostas de muitas formas. Cada uma tem o seu propósito e precisamos de todas elas. Dividir uma taça de vinho com uma pessoa amada é mais do que simplesmente a química que descreve sua composição molecular ou a física de sua consistência líquida e da luz refletida pela sua superfície e pelo vidro, ou a biologia da fermentação, ou mesmo nossa resposta sensorial a todos esses estímulos. A isso tudo temos que adicionar a experiência da bela cor rubi, o prazer da companhia, o brilho nos olhos da pessoa do outro lado da mesa, a batida mais rápida do coração, a emoção de dividir um momento tão especial. Mesmo que todas essas reações tenham uma base cognitiva e neuronal, seria um erro reduzi-las a um conjunto de dados. A integração dos estímulos é essencial e seu efeito irredutível à soma das partes. Pois representa o que significa estarmos vivos, nossa busca de respostas, de companhia, de compreensão, de amor.

Nem todas as perguntas têm resposta. Imaginar que a ciência tenha todas as respostas é diminuir o espírito humano, amarrar suas asas, roubando-lhe de sua existência multifacetada. Dado o que aprendemos neste livro sobre os limites do conhecimento científico, sabemos que as respostas são menos importantes do que as perguntas. Uma coisa é buscar por respostas científicas sobre nossas origens, sobre o nosso destino, sobre o que significa ser humano neste Universo, neste planeta, nesta geração. Isso devemos sempre fazer. É o que tenho feito durante minha carreira como cientista. Outra coisa é acreditar que a busca tenha um fim, que o Oceano do Desconhecido seja limitado e que a ciência, sozinha, possa mapear os seus confins. Seria muita arrogância de nossa parte imaginar que podemos decifrar todos os mistérios do mundo natural, como se fossem bonecas russas, uma dentro da outra até chegarmos à última. Aceitar que o conhecimento é incompleto não é uma derrota do intelecto humano; não significa que estamos entregando o jogo, desistindo. Significa que estamos enquadrando a ciência como uma atividade humana, falível mesmo que poderosa, incompleta mesmo como melhor ferramenta para descrever o mundo. A ciência não reflete uma verdade divina, existente em um domínio platônico de perfeição e beleza. A ciência reflete a inquietude humana, nossa necessidade de ter algum controle sobre o tempo, sobre o misto de veneração e temor que sentimos quando confrontamos a imensidão do cosmos.

Não sabemos o que existe além do nosso horizonte; não sabemos como pensar sobre o estado inicial do Universo ou como obter uma descrição determinística do mundo quântico. Esses desconhecidos não são apenas um reflexo da nossa ignorância atual ou dos limites dos nossos instrumentos de exploração. Eles expressam a própria essência da Natureza, contida na velocidade da luz, na direção fixa do tempo, na aleatoriedade e na não localidade intrínsecas ao mundo do muito pequeno. Existe uma diferença essencial entre "não saber" e "não poder saber". Mesmo se encontradas, explicações para esses desconhecidos teriam um alcance limitado. A menos que seja possível viajar mais rápido do que a luz, não poderemos explorar o que existe além do horizonte. Qualquer resposta científica sobre o estado inicial do Universo depende necessariamente do arcabouço conceitual que define o funcionamento da física — campos, leis de conservação, incertezas, a natureza do espaço, do tempo e da gravidade. De forma mais geral, *qualquer* explicação científica é necessariamente limitada.

Entendo que para alguns seja difícil aceitar que essas limitações não roubam a beleza da ciência, enfraquecendo seu poder explanatório. Esse tipo de atitude, porém, baseia-se em uma visão antiquada, segundo a qual a ciência é o herói que conquistará todos os mistérios, uma visão inspirada em um objetivo falso, que nos permite compreender o mundo por completo, onde todas as perguntas têm respostas. Pelo contrário, ver a ciência como de fato é, não como algo idealizado, acaba por torná-la mais bela, mais real, alinhando-a ao resto dos frutos da criatividade humana — pluralista, surpreendente e imperfeita.

Mesmo à nossa volta, no nosso território imediato, vemos apenas uma fração do que existe. Estamos cercados de matéria escura, de energia escura; a matéria da qual somos compostos é apenas 5% da matéria total do Universo. Neste momento na história do pensamento, estamos mais uma vez cercados por materiais indefinidos e etéreos. Mesmo que nossos instrumentos continuem a evoluir (o que certamente ocorrerá), mesmo que finalmente sejamos capazes de desvendar o mistério da matéria escura e da energia escura (o que imagino que ocorrerá), ainda assim estaremos limitados pela informação que podemos detectar. O inesperado existe à nossa frente, invisível, com o potencial de transformar nossa visão de mundo.

O mapa do que chamamos de realidade é um mosaico de ideias em constante transformação.

Mais uma vez, veja que minha posição está longe de ser derrotista. A lição aqui é que devemos sempre continuar a buscar. É a busca que nos dá sentido, saber que a cada nova descoberta encontramos novos mistérios. Conforme exploramos aqui, aceitar os limites do conhecimento não implica passividade intelectual; implica, sim, compreender como a atração humana pelo mistério alimenta nosso apetite pelo novo.

Como nossos ancestrais, devemos aceitar com humildade a grandiosidade da nossa missão. É nossa veneração pelo saber, nossa busca por sentido, que liga nosso passado ao nosso presente e que nos propele em direção ao futuro, seduzidos pela beleza oculta no desconhecido. Vamos abraçar nossa imperfeição, a incompletude do saber, celebrando nossa compulsão para ampliar a Ilha do Conhecimento, trazendo um pouco mais de luz para iluminar o caminho adiante. Lutar contra a morte da luz; continuar a brilhar, é isso o que importa. É para isso que estamos aqui.[40]

Agradecimentos

A ideia de escrever este livro me ocorreu durante uma conferência em maio de 2010, no Instituto Perímetro de Física Teórica, no Canadá. A conferência versava sobre as leis da Natureza. Os organizadores, Steve Weinstein, David Wolpert e Chris Fuchs, foram extremamente generosos ao me convidar, deixando em aberto o tema da minha contribuição — contanto que fosse sobre os limites da ciência e a natureza do conhecimento.

Foi quando pensava no que dizer para uma audiência composta de físicos e filósofos ilustres que me veio a imagem da *Ilha do Conhecimento*, seguida de suas consequências um tanto surpreendentes: estamos cercados por um oceano do desconhecido e quando a Ilha cresce nossa ignorância e nossa habilidade de fazer perguntas que antes nem poderíamos antecipar também crescem. Outro aspecto da metáfora da Ilha é a possível existência de questões incognoscíveis, que estão além do alcance do pensamento científico. A reação positiva de meus colegas e as várias conversas que se seguiram após minha apresentação foram a inspiração de que minha imaginação precisava. O resultado, quatro anos mais tarde, é o livro que você tem em mãos.

Gostaria de agradecer aos meus colegas que, ao longo dos anos, tiveram a paciência de me aconselhar, dividindo suas opiniões sobre a natureza do conhecimento. Antes de mais nada, porém, meus agradecimentos vão para Adam Frank, David Kaiser e Nicole Yunger-Halpern, por terem lido e comentado o manuscrito por inteiro. Nos dias de hoje, quando somos todos vítimas de uma correria sem fim, doar um pouco do seu tempo é um ato da mais extrema amizade e generosidade.

Agradeço também ao meu agente, Michael Carlisle, que acreditou neste projeto desde o início, e ao meu editor, T. J. Kelleher, por ter me ajudado a torná-lo uma realidade. (O livro existe "lá fora". É um objeto clássico, concreto. Mas ao lê-lo você se tornará, espero, irreversivelmente emaranhado em suas ideias.)

Finalmente, agradeço aos meus cinco filhos, Andrew, Eric, Tali, Lucian e Gabriel, por me ensinarem o que de fato importa na vida e a como olhar para o mundo a cada dia como se fosse a primeira vez. E à minha esposa, Kari, por seu amor, apoio e compreensão durante mais esta longa jornada.

Notas

PRÓLOGO   A Ilha do Conhecimento

1. A asserção "os menores tijolos que constituem tudo o que existe no mundo" precisa ser tratada com cuidado. Na **Parte II**, investigaremos se cientistas podem, de fato, ter certeza de que encontraram "os menores tijolos que constituem tudo o que existe no mundo". Como veremos, essa questão está diretamente relacionada com os limites do conhecimento.

2. A analogia não é perfeita, já que laranjas colidindo a velocidades comuns são bem diferentes de partículas colidindo a velocidades próximas da velocidade da luz. A criação de novos tipos de partículas durante uma colisão é consequência direta da conversão de energia de movimento em massa, conforme Einstein previu em sua teoria da relatividade restrita. A menos que a laranja seja acelerada até velocidades próximas da velocidade da luz, os produtos de uma colisão entre laranjas serão apenas suco, bagaço e caroços. É comum, em discussões desse tipo, afirmar que colidir partículas próximas da velocidade da luz é como colidir duas bolas de tênis e obter um Boeing 747 como produto.

3. "Elementar" aqui se refere a indivisível, o que não é composto de algo ainda menor. (Veja nota 1.) Os parêntesis indicam que devemos considerar o adjetivo "elementar" com ceticismo. Seria mais apropriado afirmar que, de acordo com o conhecimento *atual*, essa ou aquela partícula pode ser considerada "elementar" ou sem estrutura. A ênfase no "atual" é essencial.

4. A ciência, obviamente, é apenas um modo de vermos "além do que podemos". A arte é outro, pois alivia a cegueira de nosso mundo interno, uma ponte entre o elusivo mundo emocional e sua expressão em termos de palavras, imagens e sons.

5. Bernard le Bovier de Fontenelle, *Conversations on the Plurality of Worlds* (Berkeley: University of California Press, 1990), 1.

6. Quando checava as informações bibliográficas finais, logo antes de enviar o manuscrito à editora, encontrei uma versão do conceito de Ilha do Conhecimento se-

melhante ao que descrevo neste livro, proposto pelo famoso físico austríaco Victor Weisskopf: "Nosso conhecimento é uma ilha no oceano infinito do desconhecido, e, quanto mais a ilha cresce, mais extensas suas fronteiras com o desconhecido", Victor Weisskopf, *Knowledge and Wonder: The Natural World as Man Knows It* (Garden City, NY: Doubleday, 1962), citado por Louis B. Young, editora, *The Mystery of Matter* (New York: Oxford University Press, 1965), 95. Weisskopf não elabora a ideia, o que faço aqui em detalhe. O jornalista americano John Horgan, em seu controverso livro *O fim da ciência: uma discussão dos limites do conhecimento científico* (Companhia das Letras, 1999), atribui uma asserção semelhante ao físico americano John Archibald Wheeler: "[...] à medida que nosso conhecimento cresce, crescem também as margens de nossa ignorância." Outra imagem semelhante, sem a metáfora de uma ilha, vem de Sir William Cecil Dampier, *A History of Science and Its Relations with Philosophy and Religion*, 4ª edição (Cambridge: Cambridge University Press, 1961), onde escreveu: "Não existe um limite para a pesquisa, pois, como podemos afirmar, quanto mais cresce a esfera do conhecimento, maior fica sua superfície de contato com o desconhecido" (500). Agradeço ao leitor "Mark I", de meu blog *13.7* da National Public Radio nos EUA, por me chamar atenção para o trabalho de Dampier, mesmo sem saber que escrevia um livro sobre os limites do conhecimento. Vemos que a noção de uma ilha ou esfera do conhecimento é extremamente atraente. De fato, a metáfora aparece, talvez pela primeira vez, na obra do filósofo alemão Friedrich Nietzsche, *O nascimento da tragédia*: "Pois a periferia do círculo da ciência tem um número infinito de pontos; e mesmo se não pudermos saber se este círculo pode ser explorado por completo, mesmo após o esforço de homens nobres e bem dotados, inevitavelmente, essa fronteira aponta para a periferia de onde vislumbramos o que desafia a compreensão." (*Basic Writings of Nietzsche*, trad. Walter Kaufmann. Nova York: Modern Library, 2000, p. 97).

PARTE I   A Origem do Mundo e a Natureza dos Céus

1. Mais tarde, farei uma distinção entre esse tipo de incognoscível intangível e o que chamo de "incognoscíveis científicos", parte essencial do nosso estudo dos fenômenos naturais.
2. Mircea Eliade, *Images and Symbols: Studies in Religious Symbolism* (Nova York: Sheed & Ward, 1961), p. 59.
3. Cabe ao cientista demonstrar sua integridade e abandonar sua crença se assim ditam as observações e dados.
4. Isaac Newton, *Princípios matemáticos da filosofia natural*, tradução para o inglês de I. Bernard Cohen e Anne Whitman (Berkeley: University of California Press,

1999), p. 796. De fato, na sua "terceira regra para o estudo da filosofia natural", Newton propõe que "as qualidades dos corpos [que não podem aumentar ou diminuir], e que pertencem a todos os corpos em que podemos realizar experimentos, devem ser tomadas como qualidades universais de todos os corpos" (p. 795).

5. Aécio, citado no livro de Daniel W. Graham, editor, *Texts of Early Greek Philosophy: The Complete Fragments and Selected Testimonies of the Major Presocratic* (Cambridge: Cambridge University Press, 2010), Parte 1, p. 29.

6. Graham, *Texts of Early Greek Philosophy,* Parte 1, p. 35.

7. Isaiah Berlin, "Logical Translation", em *Concepts and Categories: Philosophical Essays*, editor Henry Hardy (Nova York: Viking, 1979), p. 76.

8. Graham, *Texts of Early Greek Philosophy,* Parte 1, p. 55.

9. Veja, por exemplo, a biografia de Anaximandro de autoria de Carlo Rovelli, *The First Scientist: Anaximander and His Legacy* (Yardley, PA: Westholme, 2011).

10. Graham, *Texts of Early Greek Philosophy,* Parte 1, p. 47.

11. Graham, *Texts of Early Greek Philosophy,* Parte 1, p. 57.

12. Um direito ao menos para os homens, com exceção da ordem pitagórica, que incluía mulheres em pé de igualdade.

13. Ao lermos essas linhas, podemos entender por que Stephen Greenblatt, em seu excelente livro *A virada: o nascimento do mundo moderno* (Companhia das Letras, 2012), atribuiu a virada para a modernidade intelectual do Ocidente ao poema de Lucrécio.

14. G. S. Kirk, J. E. Raven e M. Schofield, *The Presocratic Philosophers: A Critical History with a Selection of Texts*, 2ª edição (Cambridge: Cambridge University Press, 1983), p. 343.

15. Nicolau Copérnico, *Sobre a revolução das esferas celestes*, tradução ao inglês por Edward Rosen (Baltimore: Johns Hopkins University Press, 1992), pp. 4-5.

16. Platão, *Os diálogos: A República,* Livro VII, tradução ao inglês por Benjamin Jowett, Great Books of the Western World, vol. 7 editor Mortimer J. Adler 2ª edição (Chicago: Encyclopaedia Britannica, 1993), p. 389, linha 517.

17. Lucrécio, *Da natureza das coisas*, Livro II, tradução ao inglês por A. E. Stallings (1060p.; Londres: Penguin, 2003), pp. 67-68.

18. Que toda hipótese deva falhar mais cedo ou mais tarde é consequência de como avança a ciência: a partir de uma constante revisão de como modelamos e descrevemos a Natureza. O que se entendia por um elétron ao fim do século XIX é bem distinto do que se entendia por um elétron na década de 1940 — o que, por sua vez, é bem distinto de um elétron hoje. Teremos oportunidade de voltar a esse tema essencial ao nosso argumento mais adiante.

19. Podemos identificar aqui a origem do conceito do deus-relojoeiro, bastante popular dentre os deístas do século XVIII, como Benjamin Franklin.

20. Simplício da Cilícia, *On Aristotle's "On the Heavens 2.1-9"*, tradução ao inglês por Ian Mueller (Ithaca, NY: Cornell University Press, 2004), p. 74 (linhas 422,20).

21. Moisés Maimônides (1135-1204), "The Reality of Epicycles and Eccentrics Denied", traduzido ao inglês por Shlomo Pines, em *A Source Book in Medieval Science*, editor Edward Grant (Cambridge, MA: Harvard University Press, 1974), pp. 517-520.

22. Graham, *Texts of Early Greek Philosophy*, p. 83.

23. O fato de ainda usarmos a palavra "meteoro-logia" para descrever o clima demonstra a tremenda influência das ideias aristotélicas na cultura ocidental. Nuvens e relâmpagos pouco têm a ver com meteoros!

24. Martinho Lutero, *Table Talk*, Obra Completa, vol. 54, traduzido e editado por Theodor G. Tappert (Philadelphia: Fortress, 1967), pp. 358-9.

25. J. L. E. Dreyer, *Tycho Brahe* (Edimburgo, 1890), 86f.

26. Esse tipo de movimento enviesado no céu, chamado "movimento próprio", foi notado pela primeira vez por Edmund Halley, famoso pelo cometa homônimo. As estrelas podem também se mover na direção radial, tanto se afastando como se aproximando da Terra. Esse tipo de movimento (radial) é detectado usando o efeito Doppler, uma pequena variação no comprimento de onda da luz que objetos emitem (a distância entre duas cristas sucessivas), que aumenta se a fonte de luz se afasta do observador (ou o observador dela) e diminui caso ela se aproxime.

27. Lembre-se de que da nossa perspectiva terrestre de que é o Sol que gira em torno da Terra, completando uma volta em um ano. Ao progredir em sua "órbita", o Sol passa pelas doze constelações do zodíaco, as que aparecem no horóscopo. Como a Terra gira em torno de si mesma com uma inclinação de 23,5 graus, feito um pião que está por cair, o caminho do Sol nos céus tem a mesma inclinação, passando acima e abaixo do equador celeste. (O equador celeste é a divisão dos céus nos dois hemisférios, Sul e Norte.) Daí o nome "ascensão reta". Os equinócios de inverno e de outono são os pontos onde o trajeto oblíquo do Sol cruza o equador celeste, os pontos zero de ascensão reta onde esses dois círculos imaginários cruzam.

28. Os ângulos geométricos seguem o mesmo padrão hexadecimal das horas, minutos e segundos. Da mesma forma que uma hora pode ser dividida em 60 minutos, o ângulo de um grau pode ser dividido em 60 minutos de arco (portanto, um minuto de arco equivale a 1/60 de um grau); e o ângulo de um minuto de arco pode ser dividido em 60 segundos de arco (portanto, um segundo de arco equivale a 1/3.600 de um grau).

29. Para este ávido pescador, nada melhor do que saber que estou em tão nobre companhia.

30. Podemos entender a paralaxe com um simples exercício. Estique seu braço e feche o olho esquerdo. Agora olhe para seu polegar e para um objeto distante, talvez um quadro na parede em frente. Note suas posições relativas. Agora, feche seu olho direito e abra o esquerdo: enquanto seu polegar muda de posição, o objeto distante permanece praticamente imóvel. No caso de Tycho, os dois olhos equivalem às posições dos dois astrônomos (Dinamarca e Praga), a Lua ao polegar e o cometa ao objeto distante.

31. Como já escrevi sobre as aventuras e desventuras de Kepler em outros de meus livros (veja, por exemplo, meu romance *A harmonia do mundo*, Companhia das Letras, 2006), aqui focarei mais na sua ciência.

32. Para ser preciso, devo dizer que a excentricidade na órbita de Marte é bem pequena: se superpuséssemos a órbita de Marte a um círculo num cartaz de 20 metros de comprimento, a órbita de Marte desviaria do círculo não mais do que 2 centímetros.

33. Os desenhos que Harriot fez da Lua podem ser vistos no portal "Thomas Harriot's Moon Drawings", *The Galileo Project*, 1995, <http://galileo.rice.edu/sci/harriot_moon.html>. Para uma biografia, consulte *Thomas Harriot: A Biography*, de John W. Shirley (Oxford: Clarendon, 1983).

34. Galileu deveria saber que o modelo de Tycho também era compatível e que, ademais, previa as fases de Vênus. Infelizmente, preferiu ignorar o fato como, também, as órbitas elípticas de Kepler.

35. Do manuscrito de Kepler sobre a supernova de 1604, *De Stella Nova*, citado por Alexandre Koyré, em sua obra *Do mundo fechado ao universo infinito* (São Paulo: Editora da Universidade de São Paulo, 1979), pp. 86-7.

36. Mesmo que ainda seja debatido se Galileu, de fato, realizou esse experimento, quando entramos na torre vemos uma placa celebrando a ocasião; e o primeiro biógrafo de Galileu, seu pupilo Viviani, declara que o experimento ocorreu. De qualquer forma, eu fiz o experimento durante a gravação da minha série *Poeira das estrelas*, no programa *Fantástico* da TV Globo. Afinal, resultados científicos têm que ser repetíveis.

37. Eis o link para o vídeo no YouTube: <http://www.youtube.com/watch?v=KDp1tiUsZw8>. Imagine como Galileu se sentiria ao ver seu experimento realizado na superfície da Lua, menos de quatrocentos anos após o original.

38. Jonathan Hughes, *The Rise of Alchemy in Fourtheenth-Century England: Plantagenet Kings and the Search for the Philosopher's Stone* (Londres: Continuum, 2012), p. 24.

39. Newton, *Princípios Matemáticos*, p. 941.

40. Blaise Pascal, *Pensées*, tradução ao inglês por A. J. Krailsheimer (Nova York: Penguin, 1995), nos 205 e 206.

41. Isaac Newton, *Four Letters to Richard Bentley*, em *Newton: Texts, Backgrounds, Commentaries*, editores I. Bernard Cohen e Richard S. Westfall (Nova York: Norton, 1995), pp. 330-9.

42. Newton, *Princípios Matemáticos*, p. 943.

43. Note que meu argumento não tem nada a ver com as divisões tradicionais da filosofia, como o relativismo e o realismo, ou o pós-modernismo versus o positivismo. Também não afirmo que a ciência seja essencialmente subjetiva ou, no outro extremo, que seja o único caminho para a verdade. Mesmo que conceitos científicos se originem, com frequência, de reflexões subjetivas de indivíduos ou grupos de indivíduos, e dentro de um contexto cultural específico, na sua prática cientistas almejam obter resultados universais, isto é, resultados que possam ser verificados e repetidos por outros cientistas. O ponto essencial aqui é que a descrição científica da realidade é um processo contínuo, uma narrativa que vai se autocorrigindo em busca de maior eficácia. Podemos chamar minha posição filosófica de *construtivismo natural*, uma construção gradativa de uma narrativa do mundo natural, como elaboro em mais detalhe no decorrer deste livro.

44. Mas note o seguinte: a luz pode viajar com velocidades diferentes em meios diferentes, por exemplo, no ar ou na água. A velocidade tende a diminuir com o aumento da densidade do meio. Por exemplo, a velocidade da luz ao atravessar um diamante é de apenas 41% de sua velocidade no vácuo.

45. Como afirmou Einstein, "Se estivermos preocupados com a estrutura [métrica] apenas em grandes escalas, podemos representar a matéria como sendo distribuída de forma uniforme em volumes gigantescos, de forma que sua densidade seja uma função que varie muito pouco de ponto a ponto do espaço". Albert Einstein, *Cosmological Considerations on the General Theory of Relativity* [1917], em *The Principle of Relativity: A Collection of Original Papers on the Special and the General Theories of Relativity*, tradução ao inglês por W. Perrett e G. B. Jeffery (Nova York: Dover, 1952).

46. Esse telescópio, chamado de Hooker e com um espelho de 100 polegadas, teve a distinção de ser o maior do mundo entre 1917 e 1948. Seu nome vem de John D. Hooker, o milionário de Los Angeles que financiou a construção de seu espelho gigantesco.

47. Sem a locomotiva a vapor e as velocidades mais altas que atingia, a demonstração das ideias de Doppler teria sido muito difícil. Descobertas dependem de forma essencial da tecnologia existente na época.

48. Robert Schulmann, A. J. Kox, Michel Janssen, e József Illy, editores, *The Collected Papers of Albert Einstein, vol. 8, The Berlin Years: Correspondence, 1914-1918* (Princeton, NJ: Princeton University Press, 1998), Documento 321.

49. Em meu livro *A dança do universo*, exploro a história da cosmologia no século XX em detalhes. Aqui, foco apenas as ideias que serão úteis mais tarde.

50. Aliás, esta época corresponde também à entrada do Sol em sua fase de gigante vermelha, quando engolirá Mercúrio e Vênus, chegando perto da órbita da Terra. Mesmo que colisões galácticas sejam menos dramáticas do que aparentam (as distâncias entre as estrelas continuam a ser enormes, de modo que a chance de uma colisão direta é remota), o fim do Sol marca o fim da Terra, ao menos como um planeta capaz de sustentar a vida.

51. Considerando que a luz atravessa 299.792.458 metros em um segundo, cobrirá a distância de três metros em 3/299.792.458 segundo ou 0,000000010 segundo (10^{-8} segundo). A luz atravessa 1 metro em 10 bilionésimos de segundo, uma boa relação para lembrar. (Mesmo que ar não seja espaço vazio, a diferença é ínfima.)

52. Nas ciências neurocognitivas, existe um interesse muito grande em compreender quando o cérebro percebe um sinal sensorial e, por exemplo, por que sinais auditivos e visuais muitas vezes são percebidos como simultâneos quando na realidade não são. (Como ilustração, imagine uma bola de pingue-pongue batendo numa mesa: ouvimos e vemos a bola simultaneamente.) J. V. Stone e colaboradores mostraram que a percepção de simultaneidade de sinais visuais e auditivos varia de pessoa para pessoa: você e eu percebemos a simultaneidade de sinais audiovisuais com resolução diferente, embora exista maior concordância quando o sinal luminoso precede o auditivo por 52 milissegundos. (J. V. Stone et al., "When Is Now? Perception of Simultaneity," *Proceedings of the Royal Society of London [B]* 268p. [2001]: pp. 31-38.) Ademais, aparentamos responder a um estímulo visual antes de termos consciência dele. Em outras palavras, ao menos que o estímulo seja bem complexo, agimos *antes* de estarmos conscientes de nossa ação! Veja, por exemplo, J. Jolij, H. S. Scholte, S. van Gaal, T. L. Hodgson, and V. A. Lamme, "Act Quickly, Decide Later: Long-Latency Visual Processing Underlies Perceptual Decisions but Not Reflexive Behavior", *Journal of Cognitive Neuroscience* 23, nº 12 (2011): 3734-45. Por outro lado, devemos considerar que nossa compreensão atual do que significa ter consciência de algo ainda não é muito sofisticada.

53. Mais precisamente, o que chamo de "luz" aqui inclui a luz visível e todos os outros tipos de radiação eletromagnética. A luz visível é apenas uma pequena parte desse espectro, o espectro eletromagnético, que vai das ondas de rádio, com maior comprimento de onda, passando pelas micro-ondas, infravermelho, visível,

ultravioleta, raios X e, finalmente, os raios gama, que têm o menor comprimento de onda e, portanto, a maior energia.

54. Para abreviar um pouco, a menos que seja necessário usarei "luz" genericamente, representando todo tipo de radiação eletromagnética.

55. Os núcleos atômicos que existiam na época foram forjados entre um centésimo de segundo e três minutos após o Big Bang, durante a época conhecida como "nucleossíntese". Eles incluem alguns isótopos de hidrogênio (deutério e trítio, com um próton cada, e um e dois nêutrons no núcleo, respectivamente), de hélio (hélio-3 e hélio-4, como dois prótons cada, e um e dois nêutrons no núcleo, respectivamente), e lítio-7 (com três prótons e quatro nêutrons no núcleo). Núcleos atômicos maiores, como o carbono, oxigênio etc., foram sintetizados milhões de anos mais tarde, durante as explosões que marcaram o fim da vida das primeiras estrelas.

56. Dado que elétrons e prótons nunca haviam se unido em átomos de hidrogênio antes dessa época, considero essa nomenclatura — recombinação — um tanto confusa.

57. Esses dados foram obtidos da análise do time do satélite Planck. Veja, por exemplo, <http://arXiv.org/abs/1303.5082>.

58. O fato de que galáxias podem ser "carregadas" pela expansão do espaço a velocidades acima da velocidade da luz não viola a teoria da relatividade de Einstein. A velocidade da luz impõe um limite físico à velocidade com que informação (radiação eletromagnética) e partículas de matéria podem viajar, mas nada diz sobre a expansão do próprio espaço.

59. George Gordon (Lord) Byron, "Darkness", em *The Works of Lord Byron: A New, Revised, and Enlarged Edition with Illustrations*, ed. Ernest Hartley Coleridge, vol. 4 (Londres: John Murray, 1901), p. 42.

60. Existem muitos livros a favor (por exemplo, os de Brian Greene, Michio Kaku, Leonard Susskind) e contra (os de Lee Smolin e Peter Woit) as supercordas, e alguns estão listados na bibliografia. A teoria continua sendo fascinante, mesmo que dados atuais não ofereçam qualquer evidência de que esteja correta.

61. Um exemplo bastante usado é o do elevador caindo: quanto mais rápido acelerar, mais leve você se sente. Se o elevador cair em queda livre (isto é, despencar), você não sentirá o próprio peso.

62. Na teoria de Newton, apenas a densidade do gás contribui para a força da gravidade. Esse fato faz enorme diferença quando aplicamos as duas teorias (a de Newton e a de Einstein) para modelar a evolução do Universo.

63. Para evitar complicações desnecessárias, usarei os termos "metastável" e "transição de fase" com bastante liberdade aqui.

64. O leitor pode achar que tempos de trilionésimos de segundo são pequenos demais para fazer sentido. Talvez para nós. Mas, para partículas elementares, são tempos perfeitamente razoáveis, até longos. Por exemplo, em um trilionésimo de segundo, um fóton atravessa um terço de um milímetro, uma distância equivalente a 5 milhões de átomos de hidrogênio.

65. Na verdade, "vácuo falso" é um nome inadequado, já que a noção de vácuo falso se aplica apenas quando a matéria está "presa" em um estado de energia extra e precisa de um estímulo para descer até o nível de energia mais baixa. Por exemplo, quando uma bola de basquete fica presa no aro e precisa de um tapa para cair, onde sua energia potencial gravitacional é mínima. A imagem que o leitor deve manter em mente é a de uma bola que pode subir ou descer uma ladeira, nem sempre com um obstáculo no caminho. Portanto, melhor usar o termo "energia deslocada" ou "energia extra" do que "vácuo falso".

66. Essa é a segunda definição encontrada no dicionário. A primeira vem do filósofo e psicólogo William James, em seu artigo de 1895 "Será que vale a pena viver?": "A Natureza é toda plasticidade e indiferença, um multiverso, poderíamos dizer, e não um universo." (*International Journal of Ethics* 6 [October 1895]: 10.) A definição de James do multiverso é o que chamamos aqui de Universo, e não precisamos mais considerá-la.

67. O leitor não deve confundir a expansão acelerada que está ocorrendo agora, supostamente causada pela energia escura, com a expansão acelerada que ocorreu nos primórdios da histórica cósmica, durante o período de inflação. Após essa primeira expansão rápida, o cosmo entrou num período de expansão mais lenta que durou cerca de 8 bilhões de anos, até que o período atual de expansão acelerada começasse.

68. O livro de Mary-Jane Rubenstein, *Worlds Without End: The Many Lives of the Multiverse* (Nova York: Columbia University Press, 2013), oferece uma excelente história e crítica das ideias sobre o multiverso.

69. O *M* originalmente fazia referência a membranas, superfícies que generalizam as supercordas. Atualmente, porém, e de acordo com o próprio Witten, o *M* faz referência à Mãe, Mágica ou Mistério, de acordo com o gosto do freguês.

70. Lisa Randall, *Warped Passages: Unraveling the Mysteries of the Universe's Hidden Dimensions* (Nova York: Harper Perennial, 2005).

71. Eis alguns livros sobre o princípio antrópico listados na bibliografia: John Barrow e Frank Tipler, *The Anthropic Cosmological Principle*; Paul Davies, *Cosmic Jackpot*; Sir Martin Rees, *Before the Beginning*. No meu livro *Criação imperfeita*, dedico um espaço considerável ao princípio antrópico e sua utilidade na física.

Existem ao menos duas versões do princípio, a forte e a fraca. A forte, que não consideraremos mais, implica uma teleologia cósmica, já que afirma que o cosmos é tal que nós *devemos* estar aqui.

72. Este exemplo é inspirado no livro de Alex Vilenkin, *Many Worlds in One*. Entretanto, meu uso é oposto ao de Vilenkin, pois exploro as limitações — e não as virtudes — do argumento antrópico.

73. George Ellis, "Será que o multiverso existe?", *Scientific American* (agosto de 2011).

74. Estou, portanto, propondo o que poderíamos chamar de "construtivismo natural", uma doutrina em que teorias científicas, longe de representarem verdades eternas, são construções humanas sob escrutínio constante, sujeitas a revisões frequentes, baseadas numa colaboração entre o que podemos observar da Natureza através de nossos instrumentos de exploração e nossa habilidade de desenvolver modelos matemáticos capazes de descrever o que observamos. As melhores teorias são as que melhor descrevem os dados, mesmo se não pudermos ter certeza de que são únicas. De qualquer forma, estamos certos de que não são descrições finais.

75. Por coincidência, alguns dias após ter escrito estas linhas, o jornalista Steve Nadis escreveu um artigo para a revista *Discovery* exatamente com este título.

76. O pico duplo no padrão de polarização foi sugerido num artigo de Matthew Kleban, Thomas S. Levi e Kris Sigurdson, "Observing the Multiverse with Cosmic Wakes", 15 de setembro de 2011, que pode ser encontrado em <http://xxx.lanl.gov/pdf/1109.3473.pdf>. Com orgulho, devo mencionar que Tom Levi foi meu aluno de pesquisa em Dartmouth quando ainda na graduação. Seu primeiro artigo foi de nossa autoria.

77. Mais precisamente, e usando ainda a imagem do banho de espuma, imagine salpicar um pouco de pimenta-do-reino sobre a espuma: os grãos de pimenta espalham-se em torno das bolhas, cujo interior é essencialmente "vazio". No Universo, as galáxias estão distribuídas de forma semelhante, em torno de vazios esféricos cujo interior é praticamente destituído de matéria.

PARTE II Da Pedra Filosofal ao Átomo: A Natureza Elusiva da Realidade

1. Estou apenas considerando noções de unificação da cultura ocidental. Existem vários princípios de unificação na tradição religiosa e mística do Oriente, do budismo ao hinduísmo e ao taoísmo, e estes podem ter influenciado a cultura grega; em particular, o pensamento de alguns pensadores pré-socráticos.

2. A ideia dos átomos não é exclusiva do Ocidente. Na Índia, filósofos budistas, jainistas e hinduístas escreveram sobre o atomismo. Os jainistas, em particular, e ainda antes dos gregos, consideraram uma versão do atomismo estritamente

materialista, em que cada átomo tinha um sabor, um cheiro, uma cor e dois estados — sutil (capaz de se infiltrar nos menores espaços) e denso (maior). Os átomos tinham até uma propriedade semelhante a cargas elétricas opostas, que criava uma atração que levava a ligações entre átomos diferentes. Não sabemos se essas ideias influenciaram os filósofos da Grécia. Porém, Diógenes Laércio, um historiador que viveu no século III d.C., relata que Demócrito esteve na Índia e que se encontrou com os "gimnosofistas" (ascetas radicais que desprezam a comida e a roupa como interferências ao pensamento puro).

3. Demócrito, Fragmento 32c, mencionado em Graham, *Texts of Early Greek Philosophy*, p. 597.

4. Demócrito, Fragmento 40, mencionado em Graham, *Texts of Early Greek Philosophy*, p. 597.

5. Epicuro, *Letter to Herodotus* l, pp. 85-7, <http://www.college.columbia.edu/core/sites/core/files/text/Letter%20to%20Herodotus_0.pdf>.

6. Epicurus *Letter to Pythocles* l, pp. 32-4, <http://www.epicurus.net/en/pythocles.html>.

7. Note que isso não é o mesmo que imortalidade. A pessoa pode ainda morrer por acidente ou algum ato de violência. É interessante contrastar essa crença dos alquimistas com terapias genéticas modernas, clonagem de órgãos e outros meios de estender a vida humana, combinando biologia com tecnologias digitais. Ambas usam a ciência de ponta da época para lidar de alguma forma com a questão da morte. O romance *Frankenstein*, de Mary Shelley, também se enquadra aqui, visto que explora a eletricidade e seu controle para trazer um cadáver de volta à vida.

8. Roger Bacon, *The Mirror of Alchimy: Composed by the Thrice-Famous and Learned Fryer*, Roger Bachon, ed. Stanton J. Linden (Nova York: Garland, 1992), p. 4.

9. Jared Diamond, *Armas, germes e aço: os destinos das sociedades humanas* (1997).

10. A dureza do bronze em comparação ao cobre vem do arranjo de seus átomos numa rede. Enquanto a rede do cobre é regular, os átomos de estanho adicionados ao bronze quebram a regularidade e agem como uma espécie de bloqueio, restringindo o movimento dos átomos de cobre. Com isso, fica mais difícil quebrar a rede, o que resulta numa maior rigidez da amálgama.

11. Não está claro que Jabir ibn Hayyan tenha descoberto a *aqua regia* e os ácidos que citamos. Em seu artigo sobre a história do ácido tartárico, Zygmunt S. Derewenda afirma que sim ("On Wine, Chirality and Crystallography", Acta Crystallographica A64 [2008]: pp.246-58). Outros historiadores da ciência, em particular William R. Newman, afirmam que o descobridor foi um alquimista europeu com o pseudônimo Pseudo-Gerber, associado com Paulo de Taranto,

monge italiano do século XIII. De qualquer forma, a influência de Jabir é clara e persistiu até a Idade Média, como vemos pela própria escolha do pseudônimo. Seus trabalhos, reais ou apócrifos, tornaram-se a base do trabalho alquímico por cinco séculos. Leitores interessados nessa questão e na natureza da alquimia devem consultar o artigo de Lawrence Principe e William Newman, "Some Problems with the Historiography of Alchemy", em *Secrets of Nature: Astrology and Alchemy in Early Modern Europe*, ed. William R. Newman and Anthony Grafton (Cambridge, MA: MIT Press, 2001).

12. Citado em Eric John Holmyard, *Makers of Chemistry* (Oxford: Clarendon, 1931), p. 60.

13. B. J. Dobbs, "Newton's Commentary on the Emerald Tablet of Hermes Trismegistus", em *Hermeticism and the Renaissance*, ed. Ingrid Merkel and Allen G. Debus (Washington, DC: Folger Shakespeare Library, 1988).

14. A platina é ainda menos reagente do que o ouro; entretanto, como é rara, não teve um papel tão grande quanto poderia. Aproximadamente 80% da produção mundial atual vem da África do Sul.

15. Bacon, *The Mirror of Alchimy*, p. 4.

16. William R. Newman, "The Alchemical Sources of Robert Boyle's Corpuscular Theory", *Annals of Science* 53 (1996): p. 571.

17. Adaptado de Jane Bosveld, "Isaac Newton, World's Most Famous Alchemist", Discover (July-August 2010), <http://discovermagazine.com/2010/jul-aug/05-isaac-newton-worlds-most-famous-alchemist>.

18. Newton, *The Principia*, p. 938.

19. Ibid., pp. 382-83.

20. Isaac Newton, *Opticks* (Londres: William Innys, 1730), Questão 8.

21. Ibid., Questão 31. Essas citações aparecem ao final de um longo texto especulativo, no qual Newton demonstra seu enorme conhecimento de química, acumulado após anos de experimentos com a alquimia.

22. Ibid., Questão 30.

23. As três relações (na verdade, qualquer par delas) produzem a lei dos gases $PV = kT$, onde P é a pressão, V o volume, T a temperatura e k uma constante arbitrária.

24. Em fórmulas, $T \sim v^2$, e $P \sim n\,v^2$, onde v^2 é o quadrado da velocidade média e $n = N/V$ é o "número de densidade" das moléculas, a razão entre o seu número N e o volume V. Mesmo antes de Waterston, em 1820 o físico inglês John Herapath havia proposto que o momento linear de uma partícula (a velocidade da partícula multiplicada pela sua massa) em um gás é uma medida da temperatura do gás. Mesmo que a relação correta seja com o quadrado da temperatura, as ideias de

Herapath foram publicadas no *Annals of Philosophy* após terem sido rejeitadas pela Royal Society. Vemos que a hipótese atomística estava presente nos debates da época, mesmo sem convencer muitos.

25. Benjamin (Count Rumford) Thompson, "An Experimental Enquiry Concerning the Source of the Heat Which Is Excited by Friction", *Philosophical Transactions of the Royal Society* (1798): 102.

26. A explicação para a cor azul do céu é conhecida como "espalhamento de Rayleigh". Foi o físico inglês lorde Rayleigh que mostrou, no século XIX, que a intensidade da luz espalhada é inversamente proporcional à quarta potência do comprimento de onda ($I \sim 1/\lambda^4$). Como a luz azul tem comprimento de onda (l) mais curto do que as demais ondas do espectro da luz visível é a que é mais espalhada.

27. Isso complica um pouco as coisas, já que ondas de água e de som são longitudinais — isto é, oscilam na mesma direção em que se propagam. A natureza transversal das ondulações luminosas confundiram cientistas por um bom tempo.

28. Thomas Young, "An Account of Some Cases of the Production of Colors Not Hitherto Described" (1802), publicado em *The Wave Theory of Light: Memoirs by Huygens, Young and Fresnel*, ed. Henry Crew (Nova York: American Book, 1900), pp. 63-4.

29. Outros experimentos também geraram resultados negativos. Menciono o de Michelson e Morley, pois é o mais bem conhecido. Em geral, resultados podem ser em primeira ordem na razão v/c das velocidades, onde v é a velocidade de movimento com relação ao éter, ou, em segunda ordem, v^2/c^2. Correções de primeira ordem poderiam ser explicadas se o éter como um todo tivesse, também, um movimento (como nossa atmosfera, que viaja com a Terra em torno do Sol.) Já resultados de segunda ordem, como no experimento de Michelson e Morley, representavam um sério problema para a ideia de éter.

30. Albert Einstein, "Sobre a eletrodinâmica dos corpos em movimento", publicado em *The Principle of Relativity*, p. 37.

31. Ibid., p. 38.

32. Albert Einstein, "On a Heuristic Point of View About the Creation and Conversion of Light", em *The Old Quantum Theory: Selected Readings in Physics*, por D. ter Haar (Nova York: Pergamon, 1967), p. 104.

33. Ibid., p. 92.

34. Albert Einstein, "Does the Inertia of a Body Depend upon Its Energy-Content?", publicado em *The Principle of Relativity*, p. 71.

35. Ibid.

36. Mais tecnicamente, quando subimos uma escada estamos realizando trabalho contra a força atrativa do campo gravitacional da Terra. A quantidade de traba-

lho na subida equivale ao ganho de energia potencial. Ao descer, liberamos essa energia potencial extra. Da mesma forma, o elétron precisa realizar trabalho para se distanciar do próton e de sua atração elétrica.

37. Especificamente, De Broglie associou um comprimento de onda λ a um corpo de massa m que se move à velocidade v, que, portanto, tem um momento linear $p = mv$. Sua relação é $\lambda = h/p$, onde h é a constante de Planck. A fórmula pode ser escrita para objetos com velocidades relativísticas como:

$$\lambda = \frac{h}{mv}\sqrt{1 - \frac{v^2}{c^2}}$$. Quando v é muito menor do que c, a fórmula se reduz à expressão original de De Broglie. Note que, quando v aumenta, o comprimento de onda da partícula diminui, como requer a contração espacial da teoria da relatividade especial.

38. Max Born, *The Born-Einstein Letters: Correspondence Between Albert Einstein and Max and Hedwig Born from 1916-1955, with Commentaries by Max Born*, trans. Irene Born (Londres: Macmillan, 1971), p. 91.

39. Anton Zeilinger, *Dance of the Photons: From Einstein to Quantum Teleportation* (Nova York: Farrar, Strauss and Giroux, 2010), p. 78.

40. Os superfluidos são uma boa ilustração de efeitos quânticos macroscópicos em ação: efeitos quânticos cooperativos entre as moléculas (ou átomos) de certas substâncias, quando a baixas temperaturas, permitem que o líquido flua praticamente sem viscosidade. "Efeitos cooperativos" significa que muitas partículas agem conjuntamente de modo a amplificar o efeito até escalas macroscópicas. O elemento hélio, no estado de superfluido, sobe pelas paredes de seu receptáculo como se desafiasse as leis da gravidade.

41. Schrödinger para Lorentz, em *Letters on Wave Mechanics: Schrödinger, Planck, Einstein, Lorentz,* tradução de Martin J. Klein (Nova York: Philosophical Library, 1967), p. 55.

42. Para leitores familiares com números complexos, a função de onda $\psi(t,x)$ é uma função complexa. Para obtermos uma probabilidade, que é um número real, precisamos calcular seu valor absoluto, isto é, multiplicar a função de onda pelo seu valor complexo conjugado, $\psi(t,x)^*$. Como um elétron livre pode estar em qualquer lugar do espaço, a função de onda tem que ser bem comportada, de forma que seu valor absoluto vá a zero para longas distâncias, $\psi^*(t,x)\psi(t,x) \to 0$, quando $x \to \pm\infty$. Para ser interpretada como uma probabilidade, temos então que impor a normalização $\int\psi^*(t,x)\,\psi(t,x)dx = 1$. (A partícula tem que ser encontrada em algum ponto do espaço!) Podemos, portanto, definir a probabilidade de encontrarmos o elétron no ponto x do espaço no instante t do tempo como

$P(x,t) = \psi^*(t,x)\,\psi(t,x)$. A solução da equação de Schrödinger é a função de onda $\psi(t,x)$. Com ela, podemos calcular $P(x,t)$.

43. Vamos supor que um elétron possa ser encontrado numa das quatro posições: x_1, x_2, x_3, e x_4. Antes de a sua posição ser medida, o elétron poderia estar em qualquer um desses quatro pontos do espaço; sua função de onda deve refletir isso. A detecção do elétron significa que foi encontrado numa das quatro posições. Digamos que tenha sido encontrado na posição x_2. Após a detecção, a função de onda seria $\psi(t,x_2)$. (Obviamente, nunca seria exatamente x_2 devido à precisão limitada do aparato. Mas podemos afirmar que o elétron foi encontrado nas redondezas desse ponto.)

44. Essa analogia é apenas sugestiva: uma cobra é um objeto real, enquanto uma função de onda não é. Ademais, o colapso da função de onda parece ser instantâneo, enquanto uma cobra não se enrola em torno de um degrau instantaneamente.

45. Mencionado em M. Jammer, *The Philosophy of Quantum Mechanics*, (Wiley, Nova York, 1974), p. 151.

46. A menos que, como o físico John Wheeler, acreditemos poder influenciar o passado, uma possibilidade a que voltaremos em breve. Wheeler chega até a sugerir que nossa existência atual influenciou a história cósmica de modo que o Universo existe para, por sua vez, permitir a nossa existência.

47. A. Einstein, B. Podolsky, e N. Rosen, "Can Quantum-Mechanical Description of Physical Reality Be Considered Complete?" *Physical Review* 47 (1935), pp. 777-80.

48. Matematicamente, isso significa que a ordem do produto não altera o resultado, como em $2 \times 4 = 4 \times 2 = 8$. Quantidades que obedecem a essa regra são ditas *compatíveis*: podemos medi-las em qualquer ordem e o resultado é o mesmo. Já para variáveis *incompatíveis*, a ordem do produto afeta o resultado. (Dizemos, também, que as variáveis não comutam.) Isso não é muito estranho. Mesmo na nossa realidade temos variáveis incompatíveis — por exemplo, quando giramos um livro em duas direções não paralelas. O leitor pode verificar que, ao invertermos a ordem de rotação, o livro terminará numa posição diferente. (Posicione o livro à sua frente e imagine dois eixos ao longo de seu comprimento e altura, e um terceiro atravessando-o como uma flecha. Escolha dois desses eixos e gire o livro na direção horária em torno de um eixo e depois em torno do outro. Note a posição final do livro. Retorne o livro à sua posição original e repita o procedimento, agora revertendo a ordem das rotações. *Voilà!*)

49. Por exemplo, se as duas partículas de mesma massa foram emitidas por uma partícula instável em repouso, suas velocidades serão as mesmas, mas em sentidos opostos. Isso é explicado pela lei de conservação do momento linear (ou só

momento): se o momento é zero inicialmente, será zero sempre (duas partículas viajando com a mesma velocidade em direções opostas). Esse tipo de decaimento radioativo é comum em física nuclear. Ou poderíamos também usar a luz: fótons sempre viajam na velocidade da luz.

50. Niels Bohr, "Can Quantum-Mechanical Description of Physical Reality Be Considered Complete?" *Physical Review* 48 (1935): pp. 696-702.

51. David Bohm, *Quantum Theory* (1951; reimp., Nova York: Dover, 1989), p. 620.

52. Ibid.

53. Se a letra grega ψ representa a função de onda total do gato, a teoria quântica prescreve que deve ser escrita como uma superposição de dois estados possíveis, ψ_{vivo} e ψ_{morto}, correspondendo ao gato vivo e ao morto, respectivamente. A fórmula completa seria $\psi = a\psi_{vivo} + b\psi_{morto}$, onde a e b são coeficientes dados por números complexos. Como todo número complexo, são compostos usando o número imaginário i, definido como $i = \sqrt{-1}$. Portanto, $i^2 = -1$. Um número complexo típico, z, pode ser escrito em termos de dois números reais (x e y) como $z = x + iy$. O "valor absoluto" de um número complexo é sempre positivo, definido como $|z|^2 = z \times z^* = (x + iy)(x - iy) = x^2 + y^2$. A probabilidade de o gato estar vivo é dada por $|a|^2$, o quadrado do valor absoluto de a; de estar morto, $|b|^2$. Inicialmente, o gato está vivo e $|a|^2 = 1$: a probabilidade de ele estar vivo é de 100%. Quando a caixa é fechada, o gato entra numa superposição dos dois estados. Se, quando a caixa é finalmente aberta, o gato ainda estiver vivo, $|a|^2 = 1$, como no início. Se o gato estiver morto, $|a|^2 = 0$ e $|b|^2 = 1$.

54. Funções de onda emaranhadas são usualmente representadas por somas de produtos das quantidades emaranhadas. Suponha que um detector esteja pronto para medir o spin de um elétron, e que o spin possa ser tanto + (para cima) quanto – (para baixo). *Antes* da medida, a função de onda do elétron é $\psi_{el} = \psi_{el}(+) + \psi_{el}(-)$. (Deixando de lado fatores constantes.) Para o detector, a função de onda é $\psi_{detector}$. O detector tem ao menos dois estados, medindo o elétron com spin para cima ou para baixo. A função de onda conjunta do elétron e do detector é $\psi = \psi_{detector} [\psi_{el}(+) + \psi_{el}(-)]$. Estão emaranhados. Num certo sentido, o elétron tem spin tanto para cima quanto para baixo. Podemos dizer que não tem um spin definido. *Após* a medida, quando o elétron "colapsa" para um estado bem definido, a função de onda conjunta pode ser $\psi = \psi_{detector} \psi_{el}(-)$ *ou* $\psi = \psi_{detector} \psi_{el}(-)$. O ponto essencial aqui é que, enquanto duas quantidades estão emaranhadas, não podemos descrevê-las separadamente através de suas funções de onda individuais. Apenas pelo seu estado emaranhado. O ato de medir destrói o emaranhamento, "selecionando" um dos dois spins possíveis.

55. Para uma descrição da história de como a intepretação da mecânica quântica ganhou novo ímpeto nos anos 1960 e 1970, sugiro a leitura do livro de David Kaiser *How the Hippies Saved Physics: Science, Counterculture, and the Quantum Revival* (WW Norton, Nova York, 2011).

56. O livro de Zeilinger, descrevendo seus experimentos sobre os fundamentos da física quântica, é extremamente acessível.

57. A função de onda dos fótons emaranhados seria algo assim:

$\psi = \psi^A_v \psi^B_v - \psi^A_h \psi^B_h$, onde A se refere ao fóton de Alice e B ao de Beto, enquanto v e h referem-se às duas polarizações dos fótons, vertical e horizontal. Não se preocupe com o sinal negativo.

58. Bohm, David, *Quantum Theory*, p. 115.

59. Bohm, David, "A Suggested Interpretation of the Quantum Theory in Terms of 'Hidden' Variables: I", *Physical Review* 85, n. 2 (1952): p. 166.

60. John S. Bell, *Speakable and Unspeakable in Quantum Mechanics* (Cambridge: Cambridge University Press, 1987), p. 160.

61. Seth Lloyd, *Programming the Universe: A Quantum Computer Scientist Takes on the Cosmos* (Nova York: Knopf, 2006).

62. A descrição a seguir não é a do artigo de Bell, mas uma variação simplificada, baseada na desigualdade de CHSH. CHSH são as iniciais dos quatro autores do artigo, J. F. Clauser, M. A. Horne, A. Shimony, and R. A. Holt, "Proposed Experiment to Test Local Hidden-Variable Theories", *Physical Review Letters* 23, n. 15 (1969): pp. 880-4.

63. Por exemplo, o físico experimental poderia repetir o experimento mil vezes, registrando os resultados numa tabela como esta:

	(L|,R|)	(L|,R/)	(L/,R|)	(L/,R/)
Repetição 1	(+,−)	(−,−)	(−,+)	(−,+)
Repetição 2	(−,+)	(−,+)	(−,−)	(+,−)
...	...	...	...	...
Repetição 1.000	(−,+)	(−,−)	(+,−)	(−,+)

64. Para cada repetição, o valor de C pode ser calculado. Por exemplo, a Repetição 1 daria:

C_1 = C (Repetição 1) = (+ −) − (− +) + (− −) + (− +) = (−1) − (−1) + (+1) + (−1) = 0.

65. Marissa Giustina et al., "Bell Violation with Entangled Photons, Free of the Fair-Sampling Assumption", *Nature* 497 (May 9, 2013): 227-30.

66. Numa versão apropriada aos nossos tempos, o filme *Sem limites* explora efeitos semelhantes induzidos por uma espécie de pílula de super-Ritalina.

67. O mágico Randi tem sido uma voz decisiva contra a desonestidade que ocorre entre os que se dizem "psíquicos". Em um vídeo, ele demonstra os truques usados por Uri Geller e pelo inescrupuloso curandeiro evangélico Peter Popoff: <http://www.youtube.com/watch?v=M9w7jHYriFo>. Em 2009, Uri Geller revisou publicamente sua declaração de ter poderes psíquicos, chamando-se um "mistificador" e artista. Quanto aos relógios quebrados, foi demonstrado que mais de 50% dos relógios levados para conserto não têm uma falha mecânica; pararam porque poeira ou óleo denso prejudicaram seu mecanismo. A maioria deles funciona por um período de tempo após terem sido aquecidos nas mãos e sacudidos. Veja, por exemplo, David Marks and Richard Kammann, "The Nonpsychic Powers of Uri Geller", *Zetetic* 1 (1977): 9-17; James Randi, *The Truth About Uri Geller*, ed. rev. (Nova York: Prometheus Books, 1982).

68. David Kaiser, em seu livro, *How the Hippies Saved Physics*, descreve como esses senhores da era vitoriana envolveram-se com questões psíquicas e como o mesmo tipo de busca pelo além ocorre hoje com explorações pseudocientíficas da mecânica quântica.

69. Maximilian Schlosshauer, Johannes Kofler e Anton Zeilinger, "A Snapshot of Foundational Attitudes Toward Quantum Mechanics", *Studies in History and Philosophy of Science Part B: Studies in History and Philosophy of Modern Physics* 44, n. 3 (Agosto 2013): 222-30.

70. Eugene Wigner, "Remarks on the Mind-Body Question", reimpresso em *Quantum Theory and Measurement*, ed. John Archibald Wheeler e Wojciech Hubert Zurek (Princeton, NJ: Princeton University Press, 1983), p. 169.

71. Ibid., p. 177.

72. Ibid., p. 173.

73. C. M. Patton and J. A. Wheeler, "Is Physics Legislated by Cosmogony?" em *Quantum Gravity: An Oxford Symposium*, ed. C. J. Isham, R. Penrose, e D. W. Sciama (Oxford: Clarendon, 1985), pp. 538-605.

74. Ibid., p. 564.

75. V. Jacques et al., "Experimental Realization of Wheeler's Delayed-Choice Gedanken Experiment", *Science* 315 (2007): pp. 966-8. Menciono, também, duas verificações experimentais recentes da hipótese de Wheeler da escolha demorada usando fótons emaranhados e, portanto, adicionando explicitamente a não localidade: F. Kaiser et al., "Entanglement-Enabled Delayed-Choice Experiment", *Science* 338 (2012): 637-40, e A. Peruzzo et al., "A Quantum Delayed-Choice Experiment", *Science* 338 (2012): 634-7.

76. J. A. Wheeler, "Law Without Law", em Wheeler e Zurek, eds., *Quantum Theory and Measurement*, pp. 182-213.

77. Ibid., p. 197.
78. Ibid., p. 199.
79. David Deutsch, The Beginning of Infinity: Explanations that Transform the World (Nova York: Penguin, 2011), p. 308.
80. James Hartle, "The Quantum Mechanics of Closed Systems", em *Directions in General Relativity*, vol. 2 (Festschrift for C. W. Misner), ed. B. L. Hu, M. P. Ryan, e C. V. Vishveshwara (Cambridge: Cambridge University Press, 1993). A versão mais curta, de onde tirei essa citação, pode ser encontrada em <http://xxx.lanl.gov/pdf/gr-qc/9210006.pdf>.
81. Bell, *Speakable and Unspeakable in Quantum Mechanics*, p. 171.
82. Minha opinião é que não será possível. A vida precisa de um nível de ordem e de continuidade que é impossível dentro da agitação típica do mundo quântico. A vida pode até surgir na transição entre o quântico e o clássico, e pode depender de mecanismos quânticos que ainda não conhecemos. Mas criaturas vivas precisam da consistência da física clássica para serem viáveis.
83. Para experimentos, consulte J. R. Reimers, L. K. McKemmish, R. H. McKenzie, A. E. Mark e N. S. Hush, "Weak, Strong, and Coherent Regimes of Fröhlich Condensation and Their Applications to Terahertz Medicine and Quantum Consciousness", *Proceedings of the National Academy of Sciences* 106, n. 11 (2009): 4219-24. Para teoria, ver M. Tegmark, "Importance of Quantum Decoherence in Brain Processes", *Physical Review E* 61, n. 4 (2000): 4194-206.

PARTE III   A Mente e a Busca por Sentido

1. Note que muitos físicos, começando com Paul Dirac, sugeriram que as leis da Natureza variam no tempo. Por exemplo, algumas das constantes fundamentais poderiam variar lentamente, um efeito difícil de ser medido. Quando comecei minha carreira, investiguei a possibilidade de que teorias com mais de três dimensões espaciais, motivadas pelas supercordas, poderiam produzir uma pequena dependência temporal nas "constantes" fundamentais. Em princípio sim, se bem que as restrições observacionais são bem severas. Mais recentemente, João Magueijo e colaboradores sugeriram que a velocidade da luz poderia ter variado no passado, enquanto Lee Smolin sugeriu que as leis da física poderiam mudar na passagem pela singularidade do Big Bang. Ambas as hipóteses precisam ainda ser validadas ou refutadas. Os livros bem-acessíveis de ambos estão listados na bibliografia. Para nós, a possibilidade de que constantes da Natureza podem variar no tempo é uma excelente ilustração de como os limites na precisão de medidas permite que novas ideias apareçam: dado que podemos apenas medir

as constantes da Natureza dentro de certa precisão, existe sempre a possibilidade de que sua variação esteja abaixo do que medimos.

2. T. G. Hardy, *A Mathematician's Apology* (1940: rept., Edmonton: University of Alberta Mathematical Sciences Society, 2005), p. 23, <http://www.math.ualberta.ca/mss/misc/A%20Mathematician%27s%20Apology.pdf>.

3. Ibid., p. 41.

4. George Lakoff e Rafael E. Núñez, *Where Mathematics Comes From: How the Embodied Mind Brings Mathematics into Being* (Nova York: Basic Books, 2000), xvi. Em 1998, quando Lakoff e Nuñez escreviam seu livro, George Johnson escreveu um ensaio excelente para o jornal *New York Times*, sobre a questão invenção vs. descoberta, citando várias fontes, de Lakoff e Chaitin a neurocientistas. Veja George Johnson, "Useful Invention or Absolute Truth: What Is Math?", *New York Times*, 10 de fevereiro, 1998, <http://www.nytimes.com/1998/02/10/science/useful-invention-or-absolute-truth-what-is-math.html>.

5. De entrevista com Gregory Chaitin por Robert Lawrence Kuhn, "Is Mathematics Invented or Discovered?", vídeo, *Closer To Truth: The Greatest Thinkers Exploring the Deepest Questions*, <http://www.closertotruth.com/video-profile/Is-Mathematics-Invented-or-Discovered-Gregory-Chaitin-/1433> (acessado em 9 de agosto de 2013).

6. Michael Atiyah, "Created or Discovered?", vídeo, *Web of Stories*, <http://www.webofstories.com/play/michael.atiyah/88;jsessionid=36092DC06C8A5D5C2C2E755A2CD70972> (acessado em 25 de junho de 2013).

7. A posição de Atiyah parece oscilar e ele admite que essa é uma questão difícil, sem uma resolução óbvia. Ele propôs a parábola da água-viva solitária (pelo menos eu a chamo assim), que dá peso ao campo da "invenção":

> Nós imaginamos que os números inteiros existam em um senso abstrato; e a visão platônica é sem dúvida muito sedutora. Mas será possível defendê-la? Acreditamos que contar é uma noção primordial. Mas imagine uma inteligência que reside num tipo de água-viva gigantesca e solitária, fixa nas profundezas do oceano Pacífico. Não teria qualquer experiência de objetos individuais, apenas da água à sua volta. Seus dados sensoriais viriam do movimento, da temperatura e da pressão. Nesse domínio, em que tudo é contínuo, o discreto não apareceria e não haveria nada para ser contado.
>
> Talvez o argumento não seja tão eficiente quanto parece. Pois se a água-viva tem consciência de sua própria existência individual, "eu sou", poderia identificar o

número um. Podia então brincar com esse número, adicionando-o a ele mesmo, subtraindo, criando um conjunto com dois elementos, "vazio" e "água-viva". Poderia, então, criar um novo conjunto com esse primeiro e mais uma água-viva, e assim por diante. Segundo esse contra-argumento, qualquer entidade dotada de inteligência e autoconsciência aprenderia a contar após identificar a si mesma como unidade. (Se tivesse batida de coração ou outras funções regulares, seria ainda mais fácil.)

8. Albert Einstein, "Remarks on Bertrand Russell's Theory of Knowledge", em *The Philosophy of Bertrand Russell*, ed. Paul Arthur Schilpp, Library of Living Philosophers, vol. 5 (Evanston, IL: Northwestern University Press, 1944), p. 287.

9. Mario Livio, *Is God a Mathematician?* (Nova York: Simon & Schuster, 2009), p. 238.

10. Eugene Wigner, "The Unreasonable Effectiveness of Mathematics in the Natural Sciences", *Communications in Pure and Applied Mathematics* 13, n. 1 (fevereiro de 1960).

11. Hardy, *A Mathematician's Apology*, p. 37.

12. Benoît Mandelbrot, *The Fractal Geometry of Nature* (Nova York: Freeman, 1982), p. 1.

13. O leitor interessado pode consultar meu livro *Criação imperfeita*, no qual exploro em detalhe a questão da antimatéria.

14. Recomendo o excelente livro *Gödel's Proof* ("A Prova de Gödel"), de Ernest Nagel e James R. Newman, com prefácio de Douglas R. Hofstadter, ed. rev. (Nova York: New York University Press, 2002).

15. Hofstadter, prefácio a Nagel e Newman, *Gödel's Proof*, xiv.

16. Aos leitores interessados nessas limitações, sugiro: Gregory Chaitin, Newton da Costa e Francisco Antônio Doria, *Gödel's Way: Exploits into an Undecidable World* (Londres: CRC, 2012). Noto também, com orgulho, que Francisco Antônio Doria foi meu orientador de mestrado e colaborador, um mentor crucial no início de minha carreira. Sugiro também o livro de Chaitin, *Meta Math!: The Quest for Omega* (Nova York: Vintage Books, 2005).

17. Como vimos, essa é uma interpretação errônea da teoria da relatividade de Einstein; faz exatamente o oposto, oferecendo um método para que observadores diferentes possam comparar o resultado de suas medidas, resolvendo, assim, aparentes contradições causadas pelo seu movimento relativo.

18. Nagel e Newman, *Gödel's Proof*, p. 112.

19. John McCarthy, Marvin Minsky, Nathan Rochester e Claude Shannon, "A Proposal for the Dartmouth Summer Research Project on Artificial Intelligence", August 31, 1955, 1, <http://web.cs.swarthmore.edu/~meeden/cs63/f11/AIproposal.pdf>.

20. Ray Kurzweil, *The Singularity Is Near: When Humans Transcend Biology* (Nova York: Viking, 2005).

21. O segundo lugar vai para a máquina Sequoia, da IBM, com 16,32 petaflops e mais de 1,5 milhão de processadores.

22. Noam Chomsky, *Language and Problems of Knowledge* (Cambridge, MA: MIT Press, 1988), 152. Ideias semelhantes sobre as limitações de nossa capacidade cognitiva aparecem também no livro de Chomsky, intitulado *Reflections on Language* (Nova York: Pantheon Books, 1975) e no livro de Jerry Fodor, *The Modularity of the Mind* (Cambridge, MA: MIT Press, 1983).

23. Thomas Nagel, "What Is It Like to Be a Bat?", em *Mortal Questions* (Cambridge: Cambridge University Press, 1979).

24. Em "Tyndall Blogged: Freud's Friends and Enemies One Hundred Years Later, Part 1", *Transcribing Tyndall: Letters of a Victorian Scientist* (blog), February 6, 2010, <http://transcribingtyndall.wordpress.com/2010/02/05/tyndall-blogged-freuds-friends-and-enemies-one-hundred-years-later-part-1/>.

25. Colin McGinn, "What Can Your Neurons Tell You?", *New York Review of Books* 60, n. 12 (July 2013): 50.

26. David Chalmers, "Facing Up to the Problem of Consciousness", *Journal of Consciousness Studies* 2, n. 3 (1995): 200-19.

27. Em particular, a filósofa Patricia Churchland, em seu livro mais recente, *Touching a Nerve: The Self as Brain* (Nova York: Norton, 2013), argumenta que nossa ignorância atual sobre o cérebro não deve, de forma alguma, restringir o que poderemos saber no futuro. Mesmo que eu compartilhe do entusiasmo de Churchland sobre o avanço do conhecimento, por razões que explorei neste livro não concordo com sua confiança cega no poder da razão de conquistar todos os obstáculos. Existe humildade, não arrogância, em aceitarmos que não podemos saber tudo.

28. Max Tegmak, "The Importance of Quantum Decoherence in Brain Processes", *Physical Review E* 61 (1999): 4194-206, <http://xxx.lanl.gov/quant-ph/9907009.pdf>.

29. A essas reflexões sobre como a realidade cósmica está em transformação, podemos adicionar a transformação da realidade material ou de como descrevemos a matéria e suas propriedades. Ambos são aspectos essenciais da nossa realidade física, discutidos nas Partes I e II deste livro, respectivamente.

30. Por exemplo, o olho humano pode resolver aproximadamente 0,3 minuto de arco, ou 0,3/60 de um grau, ou 1/200 de um grau. Qualquer imagem com resolução maior seria desnecessária. Veja Roger, N. Clark, "Notes on the Resolution and Other Details of the Human Eye", ClarkVision Photography, 25 de novembro de 2009, <http://www.clarkvision.com/articles/human-eye/index.html>.

31. Nick Bostrom, "Are You Living in a Computer Simulation?", *Philosophical Quarterly* 211 (2003): 245-55.

32. Para entusiastas do cinema, incluo o filme de Rainer Fassbinder, de 1973, *World on a Wire*, em que o computador Simulacron pode simular a realidade.

33. Seth Lloyd, "The Computational Universe", in *Information and the Nature of Reality: From Physics to Metaphysics*, ed. Paul Davies and Niels Henrik Gregersen (Cambridge: Cambridge University Press, 2010), p. 100.

34. Ibid., p. 102.

35. Seth Lloyd, "Ultimate Physical Limits to Computation", *Nature* 406 (2000): 1047.

36. Seth Lloyd, "Computational Capacity of the Universe", *Physical Review Letters* 88, n. 23 (2002): 237901-237905. O limite deste número vem da aplicação do princípio holográfico ao Universo como um todo: o máximo de informação que pode ser registrada por qualquer sistema físico, incluindo aqueles gravitacionais (como estrelas e buracos negros), é igual à área do sistema divida pela menor distância que podemos considerar na física, o comprimento de Planck, de aproximadamente 10^{-33} centímetros. Essa é a escala que marca a transição entre a gravidade quântica e a clássica. O nome "holográfico" vem da hipótese de que toda informação necessária para caracterizar um objeto pode ser registrada na sua superfície. Um tópico fascinante, mas que não podemos tratar em detalhe aqui. Sugiro o livro de Leonard Susskind e James Lindesay, *An Introduction to Black Holes, Information and the String Theory Revolution: The Holographic Universe* (Hackensack, NJ: World Scientific, 2005).

37. S. R. Beane, Z. Davoudi, e M. J. Savage, "Constraints on the Universe as a Numerical Simulation", 9 de novembro de 2012, <http://arxiv.org/abs/1210.1847.pdf>. Nesse caso, raios cósmicos, oriundos em média de todas as direções do céu, aparentariam surgir predominantemente de três direções — norte-sul, leste-oeste, e vertical — definidas pela geometria da rede usada na simulação. (Mais tecnicamente, a isotropia dos raios cósmicos seria comprometida.) Mesmo que os autores suponham que os simuladores usariam as mesmas técnicas atuais, o artigo é um excelente exercício na investigação dos tipos de falhas que poderíamos esperar numa simulação de grande porte que tenha como objetivo simular o Universo por inteiro.

38. Paul Cockshott, Lewis M. Mackenzie e Greg Michaelson, *Computation and Its Limits* (Oxford: Oxford University Press, 2012).

39. Essa é a terceira das "Três Leis" de Arthur C. Clarke, que podem ser encontradas em "Hazards of Prophecy: The Failure of Imagination", em *Profiles of the Future: An Enquiry into the Limits of the Possible*, rev. ed. (Nova York: Harper & Row, 1973), 14, 21, 36.

40. Com inspiração vinda do poema de Dylan Thomas, "Não vás tão gentilmente para a boa noite" ("Do Not Go Gentle into That Good Night").

Bibliografia

História da ciência, religião e filosofia

BACON, Roger. *The Mirror of Alchemy*. Ed. Stanton J. Linden. Nova York: Garland Publishing, 1992.

BERLIN, Isaiah. *Concepts and Categories*. Ed. Henry Hardy. Nova York: Viking Press, 1979.

BOHM, David. *Wholeness and the Implicate Order*. Londres: Routledge & Kegan Paul, 1980.

BURKERT, Walter. *Lore and Science in Ancient Pythagorianism*. Trad. Edwin L. Milnar, Jr. Cambridge, MA: Harvard University Press, 1972.

CHOMSKY, Noam. *Language and Problems of Knowledge*. Cambridge, MA: Massachusetts Institute of Technology Press, 1972.

_____ . *Reflections on Language*. Nova York: Pantheon Books, 1975.

COPERNICUS, Nicolas. *On the Revolutions of the Heavenly Spheres*. Trad. Edward Rosen. Baltimore: Johns Hopkins University Press, 1992.

DAMPIER, William Cecil. *A History of Science and its Relations with Philosophy and Religion*. 4th ed. Cambridge, UK: Cambridge University Press, 1961.

DAVIES, Paul; GREGERSEN, N. H. (Eds.). *Information and the Nature of Reality: from Physics to Metaphysics*. Cambridge, UK: Cambridge University Press, 2010.

DE FONTENELLE, Bernard le Bovier. *Conversations on the Plurality of Worlds* (1687). Berkeley, CA: University of California Press, 1990.

ELIADE, Mircea. *The Myth of the Eternal Return*. Nova York: Pantheon Books, 1954.

_____ . *Images and Symbols: Studies in Religious Symbolism*. Nova York: Sheed & Ward, 1961.

EPICURUS. *The Essential Letters, Principal Doctrines, Vatican Sayings and Fragments*. Ed. Robert M. Baird and Stuart E. Rosenbaum. Nova York, NY: Random House, 2003.

FODOR, Jerry. *The Modularity of the Mind*. Cambridge, MA: MIT Press, 1983.

GLEISER, Marcelo. *A dança do universo: dos mitos de Criação do Big Bang*. São Paulo: Companhia das Letras, 1997.

_____. *O fim da Terra e do Céu*. São Paulo: Companhia das Letras, 2001.

GRAHAM, Daniel W. *The Texts of the Early Greek Philosophy*. Cambridge, UK: Cambridge University Press, 2010.

GRANT, Edward. *A Sourcebook in Medieval Science*. Cambridge, MA: Harvard University Press, 1974.

GREENBLATT, Stephen. *A virada: como o mundo ficou moderno*. São Paulo: Companhia das Letras, 2012.

GREGORY, Andrew. *Ancient Greek Cosmogony*. Londres, UK: Gerald Duckworth, 2007.

HUGHES, Jonathan. *The Rise of Alchemy in Fourteenth-Century England: Plantagenet Kings and the Search for the Philosopher's Stone*. Londres, UK: Continuum, 2012.

KAHN, Charles. *Pythagoras and the Pythagoreans: A Brief History*. Indianapolis, In: Hacket, 2002.

KIRK, G. S.; RAVEN, J. E.; SCHOFIELD, M. *The Presocratic Philosophers: A Critical History with a Selection of Texts,* 2nd ed. Cambridge, UK: Cambridge University Press, 1983.

KOYRE, Alexander. *From the Closed World to the Infinite Universe*. Baltimore, Johns Hopkins University Press, 1957.

LUCRÉCIO. *The Nature of Things* (Da natureza das coisas), *Book II* [1060]. Trad. para inglês A. E. Stallings. Londres: Penguin Books, 2003.

MERKEL, I.; DEBUS, A. G. *Hermeticism and the Renaissance*. Washington: Folger, 1988.

NAGEL, T., In *Mortal Questions*. Cambridge UK: Cambridge University Press, 1979.

NEWMAN, W. R.; Grafton, A. Eds. *Secrets of Nature: Astrology and Alchemy in Early Modern Europe*. Cambridge, MA: MIT Press, 2001.

NEWTON, Isaac. *Four Letters to Richard Bentley,* In *Newton: Texts, Backgrounds, Commentaries*, Ed. I. Bernard Cohen e Richard S. Westfall. Nova York, W. W. Norton, 1995.

NOË, Alva, *Out of Our Heads: When You Are Not Your Brain, and Other Lessons from the Biology of Consciousness*. Nova York: Hill & Wang, 2009.

PASCAL, Blaise. *Pensées*. Trad. A. J. Kraiulsheimer. Nova York: Penguin Classics, 1995.

PLATÃO. *The Republic* (A República), *Book VII*. Great Books of the Western World vol. 6, ed. Mortimer J. Adler. Encyclopedia Britannica, 1993.

ROVELLI, Carlo. *The First Scientist: Anaximander and His Legacy*. Yardley, PA: Westholme Publishing, 2011.

RUBENSTEIN, Mary-Jane. *Worlds Without End: The Many Lives of the Multiverse*. Nova York: Columbia University Press, 2013.

SAGAN, Carl. *Variedades da experiência científica: Uma visão pessoal da busca por Deus*. São Paulo, Companhia das Letras, 2008.

SANFORD, Anthony J. Ed., *The Nature and Limits of Human Understanding: The 2001 Gifford Lectures at the University of Glasgow*. Londres: T & T Clark, 2003.

SCHILPP, Paul Arthur. Ed., *The Philosophy of Bertrand Russell*, Library of Living Philosophers v. 5. Evanston: Northwestern University Press, 1944.

SHIRLEY, John W. *Thomas Harriot, a Biography*. Oxford, UK: Clarendon Press, 1983.

YANOFSKY, Noson S. *The Outer Limits of Reason: What Science, Mathematics, and Logic Cannot Tell Us*. Cambridge, MA: MIT Press, 2013.

Gravitação, cosmologia, partículas

BARROW, John D.; TIPLER, Frank J. *The Anthropic Cosmological Principle*. Nova York, NY: Oxford University Press, 1996.

BOJOWALD, Martin. *Once Before Time: A Whole Story of the Universe*. Nova York: Alfred A. Knopf, 2010.

COPÉRNICO, Nicolau. *On the Revolutions of the Heavenly Spheres*, trans. Charles Glenn Wallis. Nova York: Prometheus Books, Amherst, 1995.

DAVIES, Paul. *Cosmic Jackpot: Why our Universe is Just Right for Life*. Nova York, NY: Houghton Mifflin, 2007.

EINSTEIN, Albert. *The Principle of Relativity: A Collection of Original Papers on the Special and General Theories of Relativity*. Trad. W. Perrett e G. B. Jeffery. Nova York: Dover, 1952.

FRANK, Adam. *About Time: Cosmology and Culture at the Twilight of the Big Bang*. Nova York: Free Press, 2011.

GLEISER, Marcelo. *Criação imperfeita*. Rio de Janeiro: Record, 2010.

GREENE, Brian. *The Elegant Universe: Superstrings, Hidden Dimensions, and the Quest for the Ultimate Theory*. Nova York: W. W. Norton, 1999.

GUTH, Alan. *The Inflationary Universe: the Quest for a New Theory of Cosmic Origins*. Reading, MA: Addison-Wesley, 1997.

HAWKING, Stephen. *A Brief History of Time: From the Big Bang to Black Holes*. Nova York, NY: Bantam Books, 1988.

ISHAM, C.; PENROSE, R.; SCIAMA, D. W. Eds., *Quantum Gravity: An Oxford Symposium*. Oxford, UK: Clarendon Press, 1985.

KAKU, Michio. *Beyond Einstein: The Cosmic Quest for the Theory of the Universe*. Nova York , NY: Anchor, 1995.

KRAUSS, Lawrence. *A Universe from Nothing: Why There is Something Rather than Nothing*. Nova York, NY: Free Press, 2012.

NEWTON, Isaac. *Mathematical Principles of Natural Philosophy* (Princípios matemáticos da filosofia natural). Trad para o inglês. I. Bernard Cohen e Anne Whitman. Berkeley, CA: University of California Press, 1999, 941p.

RANDALL, Lisa. *Warped Passages: Unraveling the Mysteries of the Universe's Hidden Dimensions*. Nova York: Harper Perennial, 2005.

REES, Martin. *Before the Beginning: Our Universe and Others*. Nova York, NY: Perseus Books, 1997.

SMOLIN, Lee. *The Trouble with Physics: The Rise of String Theory, the Fall of a Science, and What Comes Next*. Nova York, NY: Houghton Mifflin Harcourt, 2006.

SUSSKIND, Leonard. *The Cosmic Landscape: String Theory and the Illusion of Intelligent Design*. Nova York, NY: Little, Brown and Company, 2006.

SUSSKIND, Leonard; LINDESAY, James. *An Introduction to Black Holes, Information and the String Theory Revolution: The Holographic Universe*. Singapura: World Scientific, 2005.

VILENKIN, Alexander. *Many Worlds in One: The Search for Other Universes*. Nova York, NY: Hill & Wang, 2008.

WEINBERG, Steven. *Dreams of a Final Theory: The Search for the Fundamental Laws of Nature*. Nova York, NY: Pantheon Books, 1993.

WILCZEK, Frank. *The Lightness of Being: Mass, Ether, and the Unification of Forces*. Nova York, NY: Basic Books, 2008.

_____. DEVINE, Betsy. *Longing for the Harmonies: Themes and Variations from Modern Physics*. Nova York, NY: W. W. Norton, 1988.

WOIT, Peter. *Not Even Wrong: The Failure of String Theory and the Continuing Challenge to Unify the Laws of Physics*. Londres, UK: Jonathan Cape, 2006.

Física quântica

AARONSON, S. *Quantum Computing Since Democritus*. Cambridge, UK: Cambridge University Press, 2013.

ALBERT, D. Z. *Quantum Mechanics and Experience*. Cambridge, MA: Harvard University Press, 1992.

BELL, J. S. *Speakable and Unspeakable in Quantum Mechanics*. Cambridge, UK: Cambridge University Press, 1987.

BOHM, David. *Quantum Theory*. Nova York: Dover, 1989.

BORN, M. *The Born-Einstein Letters: Correspondence Between Albert Einstein and Max and Hedwig Born from 1916-1955,* comentada por Max Born. Trad. Irene Born. Londres: Macmillan, 1971.

DEUTSCH, D. *The Beginning of Infinity: Explanations that Transform the World*. Nova York: Penguin Books, 2011.

EINSTEIN, Albert. *On a Heuristic Point of View about the Creation and Conversion of Light*. In *The Old Quantum Theory*. Trad. D. Ter Harr. Nova York: Pergamon Press, 1967.

JAMMER, M. *The Philosophy of Quantum Mechanics*. Nova York: Wiley, 1974.

KAFATOS, M. Ed., *Bell's Theorem, Quantum Theory and Conceptions of the Universe*. Dordrecht, Holanda: Kluwer, 1989.

KAISER, David. *How the Hippies Saved Physics: Science, Counterculture, and the Quantum Revival*. Nova York: W. W. Norton, 2011.

LEDERMAN, Leon M.; HILL, Christopher T. *Quantum Physics for Poets*. Amhest, NY: Prometheus Books, 2011.

LINDLEY, David. *Where Does the Weirdness Go?: Why Quantum Mechanics is Strange but not as Strange as You Think*. Nova York: Basic Books, 1996.

LLOYD, Seth. *Programming the Universe: A Quantum Computer Scientist Takes on the Cosmos*. Nova York: Knopf, 2006.

PRZIBRAM, K. Ed., *Letters on Wave Mechanics: Schrödinger, Planck, Einstein, Lorentz*. Nova York: Philosophical Library, 1967.

SAKURAI, J. J.; NAPOLITANO, J. *Modern Quantum Mechanics*. 2nd ed. Boston: Addison Wesley, 2011.

WHEELER, J. A.; ZUREK, W. H. (Eds.). *Quantum Theory and Measurement*. Princeton, NJ: Princeton University Press, 1983.

ZEILINGER, A. *Dance of the Photons: from Einstein to Teleportation*. Nova York: Farrar, Straus and Giroux, 2010.

Mente, matemática, computadores

CHAITIN, Gregory. *Meta math!: the Quest for Omega*. Nova York: Vintage Books, 2005.

CHAITIN, Gregory; COSTA, Newton da; DORIA, Francisco Antonio. *Gödel's Way: Exploits into an Undecidable World*. Londres: CRC Press, Taylor & Francis, 2012.

CHOMSKY, Noam. *Language and Problems of Knowledge*. Cambridge, MA: Massachusetts Institute of Technology Press, 1972.

CHURCHLAND, Patricia. *Touching a Nerve: the Self as Brain*. Nova York: W. W. Norton, 2013.

CLARKE, A. C. *Profiles of the Future: an Enquiry into the Limits of the Possible*. Londres, UK: SF Gateway, 1962.

COCKSHOTT, P.; MACKENZIE, L. M.; MICHAELSON, G. *Computations and its Limits*. Oxford, UK: Oxford University Press, 2012.

GOLDSTEIN, Rebecca. *Incompleteness: the Proof and Paradox of Kurt Gödel*. Nova York, NY: W. W. Norton 2005.

HARDY, T. G. *A Mathematician's Apology*. Cambridge, UK: Cambridge University Press, 1940.

HOFSTADTER, Douglas R. *Gödel, Escher, Bach: an Eternal Golden Braid*. Nova York, NY: Basic Books, 1979.

KURZWEIL, R. *The Singularity is Near: When Humans Transcend Biology*. Nova York: Viking Press, 2005.

LAKOFF, George; NUÑEZ, Rafael. *Where Mathematics Comes from: How the Embodied Mind Brings Mathematics into Being*. Nova York: Basic Books, 2000.

LIVIO, Mario. *Is God a Mathematician?* Nova York, NY: Simon & Schuster, 2009.

MANDELBROT, B. *The Fractal Geometry of Nature*. Nova York: W. H. Freeman, 1982.

NAGEL, Ernest; NEWMAN, James R. *Gödel's Proof*. Ed. rev. Nova York: University Press, 2002.

NOË, Alva, *Out of Our Heads: When You Are Not Your Brain, and Other Lessons from the Biology of Consciousness*. Nova York: Hill & Wang, 2009.

RANDI, James. *The Truth about Uri Geller*. Nova York: Prometheus Books, 1982.

Este livro foi composto na tipografia
Minion Pro Regular, em corpo 11,5/16, e impresso em
papel off-white no Sistema Digital Instant Duplex
da Divisão Gráfica da Distribuidora Record.